ISABEL ALLENDE

★

DŁUGI PŁATEK MORZA

PRZEŁOŻYŁA ANNA SAWICKA

MARGINESY

★

DŁUGI
PŁATEK
MORZA

Memu bratu, Juanowi Allende,
Víctorowi Pey Casado i innym uczestnikom
morskiej wyprawy ku nadziei

...oto ona, przybysze,
to moja ojczyzna,
tu się urodziłem, tu sny moje żyją.

PABLO NERUDA
POWRÓT, Z CYKLU ODPŁYWANIA I POWROTY

I

WOJNA I EXODUS

1

· 1 9 3 8 ·

Przygotujcie się, chłopcy,
żeby znowu zabijać, umierać na nowo,
a potem przykryć krew kwiatami.

PABLO NERUDA
SKRWAWIONA BYŁA CAŁA ZIEMIA CZŁOWIEKA,
Z CYKLU *MORZE I DZWONY*

Żołnierzyk pochodził z Poboru Osesków, rekrutów powołanych do wojska, kiedy wojna wyczerpała już zapasy młodych i starych mężczyzn. Víctor Dalmau zauważył go wśród rannych, wyciąganych w pośpiechu z wagonu towarowego i układanych jak kłody na pokrytej plandekami kamienno-cementowej posadzce Dworca Północnego, gdzie mieli czekać na transport, który ich odwiezie do szpitali polowych Armii Wschodniej. Leżał nieruchomo z miną kogoś, kto zobaczył anioły i już niczego się nie boi. Trudno zgadnąć, jak długo przerzucano go z miejsca na miejsce – z noszy na nosze, z namiotu do namiotu, z ambulansu do ambulansu – zanim pociąg przywiózł go do Katalonii. Na stacji lekarze, sanitariusze i pielęgniarki odbierali rannych żołnierzy, natychmiast wysyłali najcięższe przypadki do szpitala, a pozostałych dzielili na grupy według miejsca usytuowania ran: A – ręce, B – nogi,

C – głowa, i tak aż do końca alfabetu, po czym przekazywali ich dalej, z kartką identyfikacyjną na szyi. Mimo że rannych liczono na setki, a na podjęcie decyzji co do diagnozy mieli zaledwie kilka minut, tłok i zamieszanie były pozorne. Nikogo nie pominięto przy udzielaniu pierwszej pomocy, nikt się nie zgubił. Tych, którzy wymagali interwencji chirurgicznej, kierowano do kliniki Sant Andreu w Manresie, ci, którzy wymagali leczenia, trafiali do innych szpitali, a niektórych lepiej było zostawić w spokoju, bo już nic dla nich nie dało się zrobić. Wolontariuszki zwilżały im wargi, mówiły do nich szeptem i niańczyły jak własne dzieci, wiedząc, że gdzie indziej jakaś inna kobieta pochyla się z troską nad ich synem czy bratem. Później sanitariusze nieśli ich na noszach tam, gdzie gromadzono zwłoki. Żołnierzyk miał dziurę w klatce piersiowej i lekarz, kiedy przy powierzchownym badaniu nie wyczuł pulsu, uznał, że już mu nic nie pomoże, ani morfina, ani życzliwe słowo. Na froncie położono mu na ranę kawałek materiału, zabezpieczono odwróconym blaszanym talerzem, a na koniec zabandażowano klatkę piersiową, ale to było wiele godzin, wiele dni czy wiele pociągów temu, trudno ocenić ile.

Dalmau powinien tylko pomagać lekarzom; otrzymał rozkaz, żeby zostawić chłopca w spokoju i zająć się następnym pacjentem, ale uznał, że skoro ten dzieciak przeżył wstrząs, krwotok i transport, zanim się znalazł na peronie dworca, to musi mieć silną wolę życia i szkoda, gdyby po tym wszystkim teraz skapitulował przed śmiercią. Usunął ostrożnie szmaty i zauważył ze zdziwieniem, że otwarta rana była tak czysta, jakby mu ją ktoś wymalował na piersi. Nie mógł zrozumieć, jak to możliwe, że pod naciskiem żeber i mostka serce nie zostało zmiażdżone. Víctor Dalmau miał wrażenie, że w ciągu trzech lat praktyki podczas hiszpańskiej wojny domowej, najpierw na frontach Madrytu i Teruelu, a później w szpitalu ewakuacyjnym w Manresie, zobaczył już wszystko i uodpornił się na ludzkie cierpienie, ale nigdy wcześniej nie widział żywego serca. Zafascynowany wsłuchiwał się w ostatnie uderzenia, coraz wolniejsze, sporadyczne, aż całkiem ustały i żołnierzyk wydał cichutko ostatnie tchnienie. Przez chwilę Dalmau trwał nieruchomo, wpatrując się w czerwony otwór, gdzie już ustał wszelki ruch. Spośród wojennych wspomnień to miało najczęściej do niego powracać, z obsesyjną uporczywością: to piętnasto- czy siedemnastoletnie dziecko, gołowąs, utytłany w błocie i zaschniętej krwi, leżący na plandece, z odsłoniętym sercem. Nie potrafiłby wyjaśnić, dlaczego wsadził trzy palce do tej przerażającej rany, ujął narząd i zaczął go uciskać, rytmicznie, spokojnie, jakby to była rzecz całkiem normalna, jak długo, nie pamiętał, może trzydzieści sekund, może całą wieczność. I nagle poczuł, że serce ożywa w jego palcach: najpierw lekko, prawie niedostrzegalnie zadrżało, a następnie zaczęło pracować żwawo i rytmicznie.

– Chłopcze, gdybym tego nie widział na własne oczy, nigdy bym nie uwierzył – odezwał się uroczystym tonem jeden z lekarzy, który obserwował tę scenę. Dalmau dopiero teraz go zauważył.

Zawołał sanitariuszy z noszami i rozkazał im, żeby natychmiast przetransportowali rannego, biegiem, bo to szczególny przypadek.

– Gdzie się pan tego nauczył? – zapytał Víctora, kiedy sanitariusze zabrali żołnierzyka, bladego jak śmierć, ale z wyczuwalnym pulsem.

Víctor Dalmau, jak zwykle oszczędny w słowach, powiedział tylko, że udało mu się zaliczyć trzy lata medycyny, zanim się znalazł na froncie jako sanitariusz.

– Ale tego gdzie się pan nauczył? – powtórzył lekarz.

– Nigdzie, po prostu pomyślałem, że i tak nie mamy nic do stracenia...

– Zauważyłem, że pan utyka.

– Lewa kość udowa. Pod Teruelem. Już się goi.

– Dobrze. Od teraz będzie pan pracował ze mną, tu się pan marnuje. Nazwisko?

– Víctor Dalmau, towarzyszu.

– Tylko nie towarzyszu. Proszę się do mnie zwracać panie doktorze i nie spoufalać się. Jasne?

– Jasne, panie doktorze. I wzajemnie. Do mnie może się pan zwracać per panie Dalmau, ale nie gwarantuję, jak na to zareagują inni towarzysze.

Lekarz uśmiechnął się pod wąsem. Nazajutrz Dalmau zaczął terminować w zawodzie, który określił go na całe życie.

Víctor Dalmau dowiedział się później, podobnie jak cały personel szpitala Sant Andreu i innych szpitali, że zespół chirurgów przez szesnaście godzin wskrzeszał zmarłego, aby mógł opuścić żywy salę operacyjną. Wielu uznało, że to cud. Ci, którym nie po drodze było z Bogiem i świętymi, uznali, że to efekt postępu nauki i mocnego, końskiego zdrowia chłopca. Víctor obiecywał sobie, że go odwiedzi tam, gdzie go przetransportowano, ale czasy wymuszały taki pośpiech, że zacierała się granica między spotkaniami zaplanowanymi i odbytymi, między obecnymi i zaginionymi, żywymi i martwymi. Przez pewien czas wydawało się, że zapomniał o tym sercu, które trzymał w dłoni, bo życie bardzo mu się skomplikowało i zajmowały go inne pilne sprawy, ale po latach, na drugim krańcu świata, wróciło ono w koszmarach i od tej pory chłopiec odwiedzał go od czasu do czasu, blady i smutny, z martwym sercem na tacy. Dalmau nie pamiętał, jak mu było na imię, a może nigdy tego nie wiedział, więc z oczywistych względów nazwał go Łazarzem, ale żołnierzyk nie zapomniał o swoim zbawcy. Gdy tylko zdołał sam usiąść i sięgnąć po wodę do picia, opowiedziano mu o wyczynie pielęgniarza na Dworcu Północnym, że nazywał się Víctor Dalmau i sprowadził go na ziemię z krainy śmierci. Zarzucono go pytaniami; wszyscy chcieli wiedzieć, czy niebo i piekło istnieją naprawdę, czy to tylko wymysł biskupów, żeby nastraszyć ludzi. Chłopak doszedł do siebie jeszcze przed końcem wojny i dwa lata później, w Marsylii, kazał sobie wytatuować nazwisko Víctora Dalmau na piersi, pod blizną.

* * *

Młoda *miliciana* w czapce zalotnie przechylonej na bakier w oczywistym zamiarze zneutralizowania brzydoty munduru czekała na Víctora Dalmau przed salą operacyjną, a kiedy wyszedł, z trzydniowym zarostem, w poplamionym fartuchu, wręczyła mu kartkę z informacją przekazaną przez telefonistki. Dalmau spędził wiele godzin przy stole operacyjnym, bolało go kontuzjowane udo, a odgłosy z pustego żołądka uświadomiły mu, że od rana nic nie jadł. Harował jak muł, ale cieszył się, że ma okazję uczyć się od najlepszych hiszpańskich chirurgów. W innej sytuacji taki jak on studencik nie mógłby nawet się do nich zbliżyć, ale na tym etapie wojny studia i tytuły były mniej warte niż doświadczenie, a tego miał aż nadto, jak stwierdził dyrektor szpitala, pozwalając mu pomagać przy operacjach. Potrafił wtedy wytrzymać czterdzieści godzin przy pracy, bez przerwy, bez snu, dzięki papierosom i kawie z cykorii, nie pamiętając o bólu nogi. Ta noga wybawiła go od walki na pierwszej linii frontu, dzięki niej mógł wojować na tyłach. Zaciągnął się do armii republikańskiej w 1936, jak prawie wszyscy młodzi ludzie w jego wieku, i wyruszył ze swoim regimentem bronić republikańskiej części Madrytu przed narodowcami, jak siebie określali wojskowi zbuntowani przeciw rządowi, ale nie siedział z karabinem w okopach; dzięki studiom medycznym bardziej się przydawał przy ewakuacji rannych i zabitych. Później wysyłano go na inne fronty.

W lodowatym grudniu 1937 roku podczas bitwy pod Teruelem Víctor Dalmau przemieszczał się heroicznym ambulansem, udzielając pierwszej pomocy rannym, podczas gdy szofer, Aitor Ibarra, nieśmiertelny Bask, dokonywał cudów, prowadząc karetkę drogą zawaloną gruzami ruin, a przy tym nucił bez przerwy i śmiał się na cały głos, żeby oszukać śmierć. Dalmau miał nadzieję, że fart urodzonego pod szczęśliwą gwiazdą Baska, który wyszedł cało z tysiąca perypetii, będzie dopisywać im obu. Z obawy przed bombardowaniami często jeździli nocą; jeśli nie świecił księżyc, ktoś szedł przed nimi z latarką i wskazywał Aitorowi drogę, o ile była jakaś droga, a tymczasem Víctor w marnie wyposażonej karetce udzielał pierwszej pomocy, przyświecając sobie drugą latarką. Stawiali czoło przeszkodom na drodze i temperaturom spadającym poniżej zera, poruszali się po lodzie wolno jak liszki, zapadali w śniegu, pchali ambulans pod górę i wyciągali go z rowów i kraterów powybuchowych, wymijali sterczące pręty i zamarznięte trupy mułów, nękani seriami z karabinów maszynowych narodowców i bombami, jakie zrzucały krążące na niebie samoloty Legionu Condor. Víctor Dalmau, skupiony na utrzymywaniu przy życiu ludzi powierzonych ich opiece, wykrwawiających się na jego oczach, nie zwracał uwagi na to, co się działo na zewnątrz, najwyraźniej udzielił mu się desperacki stoicyzm Aitora Ibarry, który prowadził karetkę obojętny na okoliczności i sypał żartami jak z rękawa.

Kolejnym etapem jego służby był szpital polowy, dla ochrony przed bombardowaniem usytuowany w jaskiniach Teruelu, gdzie pracowano przy świetle świec, kaganków nasyconych olejem silnikowym i lamp naftowych. Walczyli z zimnem, ustawiając przenośne piecyki pod stołami operacyjnymi, a mimo to zimne jak lód instrumenty przyklejały im się do palców. Lekarze operowali w pośpiechu tych, których dało się z grubsza połatać przed przekazaniem ich do szpitali, z pełną świadomością, że wielu z nich umrze po drodze. Inni, którzy nie mieli już szans, czekali na śmierć znieczuleni morfiną, gdy była morfina, zawsze racjonowana, podobnie jak eter. Kiedy brakowało czegokolwiek, czym można by ulżyć w cierpieniu żołnierzom ze strasznymi ranami, którzy wyli z bólu, Víctor dawał aspirynę i wmawiał im, że to bardzo silny amerykański narkotyk. Bandaże prano w wodzie z roztopionego śniegu i lodu, żeby móc ponownie je wykorzystać. Do najgorszych obowiązków należało palenie na stosie amputowanych rąk i nóg; Víctor nie mógł się przyzwyczaić do woni palonego ludzkiego ciała.

Tam, w Teruelu, spotkał ponownie Elisabeth Eidenbenz, którą poznał na madryckim froncie jako wolontariuszkę Stowarzyszenia Pomocy Dzieciom Wojny. W Madrycie zadurzył się w tej dwudziestoczteroletniej szwajcarskiej pielęgniarce o twarzy renesansowej Madonny i odwadze zaprawionego w boju wojownika i zaangażowałby się jeszcze bardziej, gdyby dała mu choć cień nadziei, ale ona skupiała się wyłącznie na swojej misji: jak ulżyć cierpieniom dzieci w tych brutalnych czasach. W ciągu paru miesięcy, jakie upłynęły od ostatniego spotkania, Szwajcarka straciła tę naiwność, z jaką przyjechała do Hiszpanii. Jej charakter zhardział w walce z biurokracją wojskową i głupotą mężczyzn; rezerwowała współczucie i życzliwość tylko dla swoich podopiecznych – kobiet i dzieci. W przerwie między dwoma atakami Víctor natknął się na nią koło jednej z ciężarówek zaopatrujących ich w żywność. „Cześć, chłopcze, pamiętasz mnie?" – pozdrowiła go Elisabeth hiszpańszczyzną wzbogaconą o gardłowe germańskie dźwięki. Na jej widok odebrało mu mowę; jakże by mógł nie pamiętać! Wydawała się dojrzalsza i piękniejsza niż przedtem. Przysiedli na kupie gruzu, on z papierosem, ona z herbatą w manierce.

– Co słychać u twojego przyjaciela Aitora? – spytała.

– Niezmordowany jak zawsze, pod salwami karabinów maszynowych, i ani jednego zadrapania.

– Ten to niczego się nie boi. Pozdrów go ode mnie.

– Co będziesz robić, jak wojna się skończy? – zapytał Víctor.

– Pojadę na inną. Zawsze gdzieś się toczy jakaś wojna. A ty?

– Jeśli nie masz nic przeciw temu, to może byśmy się pobrali – szepnął nieśmiało.

Roześmiała się i na moment wróciła jej dawna uroda renesansowej damy.

– Nigdy w życiu, chłopcze, nie mam zamiaru wychodzić za mąż ani za ciebie, ani za nikogo. Nie mam czasu na miłość.

– Może zmienisz zdanie. Sądzisz, że jeszcze się spotkamy?

– Na pewno, jeśli uda nam się przeżyć. Pamiętaj, Víctorze, że zawsze możesz na mnie liczyć. Jeśli tylko mogłabym ci w czymkolwiek pomóc...

– A ty na mnie. Mogę cię pocałować?

– Nie.

* * *

W jaskiniach Teruelu Víctor nauczył się kontrolować emocje i nabył takiej wiedzy medycznej, jakiej by mu nie zapewnił żaden uniwersytet. Przekonał się, że człowiek może się przyzwyczaić do prawie wszystkiego: do krwi (i to w jakich ilościach!), do operowania bez znieczulenia, do smrodu gangreny, do brudu, do niekończącej się rzeki rannych żołnierzy, a czasem kobiet i dzieci, do wiecznego zmęczenia, korodującego wolę i, co najgorsze, do strasznego podejrzenia, że całe to poświęcenie może pójść na marne. I to tam, kiedy po bombardowaniu wyciągał zabitych i rannych z ruin, zawalił się na niego mur i przygniótł mu lewą nogę. Wtedy zajął się nim angielski lekarz z Brygad Międzynarodowych. Gdyby trafił na kogoś innego, natychmiast podjęto by decyzję o amputacji, ale Anglik dopiero zaczynał zmianę i był wypoczęty. Wydał jakieś polecenie pielęgniarce i przygotował się do nastawiania kości. „Masz szczęście, chłopcze, że wczoraj przyszła dostawa z Czerwonego Krzyża i mamy czym cię uśpić", powiedziała pielęgniarka, nakładając mu na twarz maskę z eterem.

Víctor uznał, że do wypadku doszło, ponieważ nie było wtedy przy nim Aitora Ibarry i nie mógł liczyć na jego szczęśliwą gwiazdę. Aitor odwiózł go na pociąg, którym ewakuowano dziesiątki rannych do Walencji. Nogi z powodu ran nie dało się zapakować w gips, tylko ją unieruchomiono łubkami i paskami. Otulony kocem, drżał z zimna i gorączki i cierpiał przy każdym gwałtownym hamowaniu pociągu, ale nie narzekał, bo i tak znajdował się w lepszej sytuacji niż większość mężczyzn leżących na podłodze wagonu. Aitor oddał mu swoje ostatnie papierosy i zdobył dla niego morfinę, zastrzegając, by korzystał z niej tylko w ostateczności, bo na więcej nie ma co liczyć.

W szpitalu w Walencji podziwiali dobrą robotę angielskiego lekarza; powiedzieli, że jeśli nie dojdzie do komplikacji, noga będzie jak nowa, tylko nieco krótsza. Gdy rany zaczęły się zabliźniać i już mógł stanąć, opierając się na kuli, z nogą w gipsie odesłali go do Barcelony. Spędził rekonwalescencję w domu rodziców, gdzie rozgrywał niekończące się mecze szachowe ze swoim starym, do momentu, kiedy mógł się poruszać o własnych siłach. Wtedy wrócił do pracy w jednym ze szpitali dla ludności cywilnej miasta. Czuł się jak na wakacjach, bo w porównaniu z tym, co przeżył na froncie, tu był raj czystości i skuteczności. Pozostał tam do wiosny, bo wtedy go oddelegowano do szpitala Sant Andreu w Manresie. Pożegnał rodziców i Roser Bruguerę, studentkę konserwatorium, którą państwo Dalmau przyjęli pod swój dach, a on podczas tygodni rekonwalescencji pokochał ją jak własną siostrę. Marcel Lluís i Carme Dalmau cieszyli się, że ta skromna miła dziewczyna, która spędzała całe godziny przy pianinie, dotrzymuje im towarzystwa po tym, jak dom opuścili synowie.

* * *

Víctor Dalmau rozłożył kartkę przekazaną przez milicianę i przeczytał wiadomość od matki. Nie widział Carme od siedmiu tygodni; chociaż szpital był położony zaledwie siedemdziesiąt pięć kilometrów od Barcelony, nie miał wolnej chwili, żeby podjechać tam autobusem. Raz w tygodniu, zawsze o tej samej porze, w niedzielę, matka dzwoniła do niego i tego samego dnia starała się przesłać jakiś prezent, czekoladę od międzynarodowych brygadzistów, kiełbasę czy kostkę mydła zdobytą na czarnym rynku, a czasem papierosy, dla niej prawdziwy skarb, bo nie potrafiła żyć bez nikotyny. Syn zastanawiał się, jak jej się udawało je zdobyć. Tytoń był na wagę złota, do tego stopnia, że samoloty nieprzyjacielskie zrzucały go czasem razem z bochenkami chleba, popisując się zbytkiem, na który mogli sobie pozwolić.

Wiadomość od matki przesłana w czwartek musiała oznaczać coś pilnego: „Będę czekać w Urzędzie Pocztowym. Zadzwoń". Syn obliczył, że czeka na niego już ze dwie godziny, czyli tyle, ile on spędził na sali operacyjnej, zanim otrzymał wiadomość. Zszedł do biura w piwnicy i poprosił jedną z telefonistek, żeby połączyła go z pocztą w Barcelonie.

Carme odebrała telefon i głosem przerywanym atakami kaszlu kazała starszemu synowi natychmiast stawić się w domu, bo ojciec jest w stanie krytycznym.

– Ale co się stało? Przecież był zdrowy i na nic nie narzekał! – zdenerwował się Víctor.

– Serce odmawia mu posłuszeństwa. Zawiadom brata, niech przyjedzie się pożegnać, bo ojciec długo już nie pociągnie.

Zlokalizowanie Guillema na madryckim froncie zajęło mu trzydzieści godzin. Gdy wreszcie uzyskał z nim łączność radiową, przez nieziemski hałas i potępieńcze wycie dotarły do niego słowa brata, że o przepustce nie ma co marzyć. Víctor z trudem rozpoznawał ten docierający z daleka, zmęczony głos.

– Sam dobrze wiesz, Víctorze, że teraz każdy, kto potrafi unieść karabin, jest niezbędny. Faszyści mają nad nami przewagę w ludziach i uzbrojeniu, ale nie przejdą – powiedział Guillem, cytując dosłownie hasło spopularyzowane przez Dolores Ibárruri, *No pasarán!*, której pseudonim, La Pasionaria, czyli kobieta żarliwa, ogarnięta pasją, znakomicie oddawał fanatyczny entuzjazm republikanów.

Zbuntowane wojsko zajęło większość terytorium Hiszpanii, ale nie udało mu się zdobyć Madrytu, a desperacka obrona każdej ulicy, każdego domu, stała się symbolem tej wojny. Narodowcy mieli posiłki w postaci oddziałów kolonialnych z Maroka, budzących postrach Maurów, i mogli liczyć na bezcenną pomoc Mussoliniego i Hitlera, ale opór, jaki stawiali republikanie, zatrzymał ich na przedmieściach stolicy. Na początku wojny Guillem Dalmau walczył w kolumnie Durrutiego. Wtedy obie armie starły się na terenie miasteczka uniwersyteckiego w tak bliskiej odległości, że w niektórych miejscach dzieliła ich tylko szerokość ulicy; mogli widzieć swoje twarze i nawet nie musieli podnosić głosu, żeby sobie naubliżać. Guillem opowiadał, że kiedy siedział zabarykadowany w jednym z budynków, haubice dziurawiły mury wydziału filozofii i literatury, wydziału medycznego i Domu Velázqueza; nie mogli się obronić przed pociskami, ale obliczyli, że trzy tomy dzieł filozoficznych wystarczą, by zatrzymać kule. Tak się złożyło, że znajdował się blisko legendarnego anarchisty Buenaventury Durrutiego podczas jego tragicznej śmierci, gdy przybył do Madrytu walczyć na czele swojej kolumny z Aragonii, gdzie wcześniej propagował i konsolidował rewolucję. Zginął raniony w klatkę piersiową z bliskiej odległości w niewyjaśnionych okolicznościach. Kolumna została zdziesiątkowana, śmierć poniosło ponad tysiąc *milicianos*, a wśród tych, którzy przeżyli, Guillem był jednym z nielicznych, którzy nie odnieśli ran. Dwa lata później, po walkach na różnych frontach, znów trafił do Madrytu.

– Ojciec zrozumie, że nie możesz przyjechać, Guillem. Wszyscy w domu o tobie myślimy. Przyjedź, jak tylko będziesz mógł. Choćbyś nie zastał starego przy życiu, twoja obecność przyniesie ulgę matce.

– Przypuszczam, że Roser jest z nimi.

– Tak.

– Pozdrów ją. Powiedz, że jej listy dotrzymują mi towarzystwa i niech się nie gniewa, że nie odpisuję regularnie.

– Będziemy na ciebie czekać, Guillem. Uważaj na siebie.

Pożegnali się krótkim „cześć" i Víctor poczuł ucisk w żołądku, wzdychając do opatrzności, żeby ojciec jeszcze trochę pożył, żeby brat wrócił cały i zdrowy, żeby wojna się wreszcie skończyła i żeby Republika nie upadła.

* * *

Ojciec Víctora i Guillema, profesor Marcel Lluís Dalmau, przez pięćdziesiąt lat uczył muzyki, stworzył młodzieżową orkiestrę symfoniczną Barcelony i dyrygował nią z prawdziwą pasją, a ponadto skomponował dziesięć koncertów fortepianowych, których nie grano, od kiedy wybuchła wojna, ale w tym samym czasie *milicianos* chętnie śpiewali układane przez niego piosenki. Swoją żonę, Carme, poznał jako piętnastoletnią dziewczynę w skromnym mundurku szkolnym, on był wtedy młodym nauczycielem muzyki, dwanaście lat od niej starszym. Carme, córkę tragarza portowego, zakonnice z litości przyjęły do szkoły za darmo, jako kandydatkę do nowicjatu, i nigdy jej nie wybaczyły, że opuściła zakon, żeby żyć w grzechu z byle nicponiem, ateistą, anarchistą i pewnie jeszcze masonem, który za nic miał święty węzeł małżeński. Marcel Lluís i Carme żyli w grzechu parę lat i dopiero zbliżający się termin porodu Víctora, pierwszego potomka, skłonił ich do zawarcia małżeństwa, żeby zaoszczędzić dziecku piętna bękarta, które w tamtych czasach bardzo utrudniało życie. „Gdyby nasi synowie urodzili się teraz, nie musielibyśmy brać ślubu, bo w Republice nikt nie jest bękartem", oświadczył Marcel Lluís Dalmau na początku wojny. „Ale wtedy ja musiałabym zajść w ciążę na starość i twoi synowie byliby teraz w pieluchach", trzeźwo zauważyła Carme.

Víctor i Guillem Dalmau chodzili do szkoły świeckiej i wychowywali się w typowym dla ambitnej klasy średniej małym mieszkaniu w dzielnicy Raval, w którym muzyka ojca i książki matki zastąpiły religię. Państwo Dalmau nie należeli do żadnej partii politycznej, ale nieufność, z jaką oboje podchodzili do autorytetów i rządów wszelkiej maści, zbliżyły ich do anarchizmu. Poza muzyką wszelkiego rodzaju Marcel Lluís chciał przekazać synom zainteresowanie nauką i wrażliwość społeczną. Ta pierwsza skłoniła Víctora do studiowania medycyny, a druga stała się absolutnym priorytetem Guillema, który od dziecka gniewał się na cały świat, krytykował latyfundystów, handlarzy, przemysłowców, arystokratów i księży, a merytoryczną słabość argumentów nadrabiał mesjańską pasją. Ten wesoły, hałaśliwy, silny i odważny chłopak był ulubieńcem dziewcząt, które na próżno do niego wzdychały, bo on ich nie dostrzegał, oddając się ciałem i duszą sportom, barom i przyjaciołom. Zaskoczył rodziców, zaciągając się w wieku dziewiętnastu lat do ochotniczej milicji robotniczej zaraz po jej utworzeniu, żeby bronić republikańskiego rządu przed faszystowskimi buntownikami. Był urodzonym żołnierzem, chciał walczyć i rozkazywać innym, mniej zdecydowanym niż on. Natomiast jego starszy brat – chudy dryblas z niesforną fryzurą i wiecznie zatroskaną miną, milczący, zawsze z książką w ręce – wyglądał raczej na poetę. W szkole Guillem bronił Víctora, kiedy ten stawał się przedmiotem bezlitosnych drwin innych chłopców, przezywających go „pedałem" i „klechą"; choć młodszy o trzy lata od Víctora, był od niego silniejszy i zawsze chętny do bójki w słusznej sprawie. Guillem pokochał rewolucję jak narzeczoną, znalazł cel, za który chętnie poświęciłby życie.

Konserwatyści i Kościół katolicki, mimo zainwestowanych pieniędzy, propagandy i apokaliptycznych wizji głoszonych z ambony, zostali pokonani w wyborach w 1936 roku przez Front Ludowy, czyli koalicję partii lewicowych. Hiszpania, targana sprzecznościami od momentu republikańskiego triumfu przed pięcioma laty, podzieliła się, jakby przeciął ją na pół gwałtowny cios siekierą. Szermując argumentem o konieczności zaprowadzenia porządku w sytuacji, którą uznała za chaotyczną, chociaż wcale taka nie była, prawica rozpoczęła natychmiast konszachty z armią w celu obalenia legalnego rządu, utworzonego przez liberałów, socjalistów, komunistów i syndykalistów, cieszącego się entuzjastycznym poparciem robotników, wieśniaków, ludzi pracy oraz większości studentów i intelektualistów. Guillem ledwo przebrnął przez szkołę średnią; jego ojciec, który lubił metafory, mówił o nim, że ma kondycję fizyczną atlety, odwagę toreadora i mózg ośmiolatka. Polityka okazała się dla niego idealnym żywiołem: nie pomijał żadnej okazji do bitki na pięści z przeciwnikami, ale z trudem artykułował argumenty ideologiczne, dopóki nie wstąpił do ochotniczej milicji robotniczej, gdzie indoktrynacja polityczna była równie ważna jak musztra. Miasto się podzieliło, przeciwne frakcje spotykały się tylko po to, żeby się bić. Bary, potańcówki, zawody sportowe i zabawy były albo prawicowe, albo lewicowe. Jeszcze zanim został *miliciano*, już ciągnęło go do bitki. Po starciu z buńczucznymi paniczykami Guillem wracał do domu poturbowany, ale szczęśliwy. Rodzice nie mieli pojęcia, że zajmował się również puszczaniem z dymem plonów i kradzieżą bydła na folwarkach obszarników, że bił, podpalał i niszczył, aż zjawił się któregoś dnia ze srebrnym świecznikiem. Matka wyrwała mu świecznik z rąk i uderzyła go nim z całej siły; gdyby była nieco wyższa, rozbiłaby mu głowę, a tak trafiła go tylko w kark. Przyparty do muru przyznał się Carme do tego, o czym wszyscy wiedzieli, a czego ona do tej pory nie chciała przyjąć do wiadomości: że jej syn profanował kościoły i napadał na księży i zakonnice, czyli popełniał dokładnie takie łotrostwa, jakie republikanom zarzucała propaganda narodowców. „Guillem, synu wyrodny! Przez ciebie spalę się ze wstydu! Natychmiast masz to oddać, słyszysz?", krzyczała. Guillem wyszedł ze spuszczoną głową, niosąc pod pachą zawinięty w gazetę świecznik.

W lipcu 1936 roku wojsko zbuntowało się przeciw demokratycznemu rządowi. Wkrótce na czele rebelii stanął generał Francisco Franco, który pod niepozornym wyglądem ukrywał zimny, mściwy i brutalny temperament. Ambitnie marzył o przywróceniu Hiszpanii imperialnej sławy, jaką cieszyła się w przeszłości, a pierwszym krokiem miała być likwidacja demokratycznego chaosu i wprowadzenie rządów twardej ręki przy pomocy sił zbrojnych i Kościoła katolickiego. Buntownicy liczyli na to, że uda im się

podporządkować sobie kraj w ciągu tygodnia, ale
oczekiwany opór robotników, zorganizowanych w ou.
milicjach, zdecydowanych bronić praw, które im przyznała Repu
blika. Wtedy zaczęły się czasy bezpardonowej nienawiści, zemsty
i terroru, które Hiszpania przypłaciła milionem ofiar. Strategia
frankistów polegała na masowym przelewie krwi i zastraszaniu,
co miało służyć wykorzenieniu najmniejszych odruchów oporu
u podbitej ludności. Guillem Dalmau był gotów zaangażować się
na całego w wojnę domową. Już nie chodziło o kradzież świeczni-
ków, ale o walkę z karabinem w ręce.

O ile wcześniej szukał pretekstu dla wybryków, o tyle teraz,
po wybuchu wojny, już go nie potrzebował. Powstrzymywał się
przed aktami barbarzyństwa, bo wpojone w domu zasady mu na
to nie pozwalały, ale też nie bronił ofiar, często ludzi niewinnych,
przed nadużyciami swoich towarzyszy. Popełniono tysiące zbrodni, przede wszystkim mordowano kapłanów i zakonnice, co zmu-
siło wiele osób z prawicy do szukania schronienia we Francji, do
ucieczki przed czerwonymi hordami, jak ich ochrzciła prasa. Niebawem partie polityczne Republiki zakazały tych aktów przemocy
jako sprzecznych z ideałem rewolucyjnym, ale nadal się zdarzały. Natomiast żołnierze Franco odwrotnie: otrzymali rozkaz, by
wprowadzać swoje porządki krwią i ogniem.

Tymczasem Víctor, którego pochłaniały studia, skończył dwadzieścia trzy lata, mieszkając z rodzicami, aż został powołany do
republikańskiej armii. Dopóki żył ze swoimi starymi, wstawał
wcześnie rano i przed wyjściem na uniwersytet przygotowywał
wszystkim śniadanie – był to jego jedyny wkład do obowiązków
domowych; do domu wracał późno, jadł, co mu matka zostawiła
w kuchni – chleb, sardynki, pomidory i kawę – i wracał do książek.
Nie podzielał ani pasji politycznej rodziców, ani ekscytacji brata.
„Tworzymy historię. Wydobędziemy Hiszpanię z trwającego całe
wieki feudalizmu, jesteśmy wzorem dla Europy, odpowiedzią na
faszyzm Hitlera i Mussoliniego", pouczał Marcel Lluís Dalmau

swoich synów i kumpli w Rosynancie, knajpie lichej z wyglądu, ale silnej duchem, gdzie codziennie spotykali się stali bywalcy, żeby grać w domino przy tanim winie. „Przyjaciele, skończymy z przywilejami oligarchii i Kościoła, ale nie zapominajmy, że nie wszystko sprowadza się do polityki. Bez nauki, przemysłu i techniki nie ma postępu, bez muzyki i sztuki nie ma duszy", twierdził. Víctor zgadzał się z ojcem, ale starał się unikać jego kazań, bo w zasadzie zawsze mówił to samo. Z matką też nie rozmawiał na ten temat: ograniczali się do wspólnej walki z analfabetyzmem *milicianos* w piwnicy pewnej piwiarni. Carme przez wiele lat zajmowała się nauczaniem początkowym i uważała, że edukacja jest tak samo ważna jak chleb i że każdy, kto posiada umiejętność czytania i pisania, ma obowiązek dzielenia się nią z innymi. Dla niej lekcje udzielane *milicianos* były zwykłą rutyną, dla Víctora – prawdziwą mordęgą. „Co za osły!", wzdychał sfrustrowany, kiedy po dwu godzinach zajęć nie wyszedł poza literę A. „Tylko nie osły. Ci chłopcy nigdy nie widzieli elementarza. Ciekawe, jak ty byś sobie radził, gdyby cię postawić za pługiem", broniła swoich uczniów.

Zachęcany przez matkę, która obawiając się, że syn zostanie odludkiem, namawiała go, żeby częściej się kontaktował z ludźmi, Víctor nauczył się grać na gitarze modne piosenki. Dysponował miłym dla ucha tenorem, kontrastującym z jego niezgrabnymi ruchami i poważną miną. Dzięki gitarze nie rzucała się w oczy jego nieśmiałość, gitara pozwalała też unikać banalnych rozmów, które go irytowały, i stwarzała pozór bycia w grupie. Dziewczyny, które inaczej nie zwróciłyby na niego uwagi, zauważały Víctora, gdy zaczynał śpiewać; wtedy podchodziły bliżej i w końcu nucili razem. Półgłosem komentowały między sobą, że starszy z braci Dalmau był całkiem do rzeczy, aczkolwiek oczywiście nie wytrzymywał porównania z Guillemem.

* * *

Spośród wszystkich uczniów profesora Dalmau najbardziej wyróżniała się Roser Bruguera – młoda dziewczyna z wioski Santa Fe – która, gdyby nie opatrznościowa pomoc Santiaga Guzmána, skończyłaby jako pasterka owiec. Guzmán wywodził się z szacownej rodziny, ale zubożonej przez pokolenia beztroskich paniczyków, którzy systematycznie trwonili majątek i pozbywali się ziemi. Dożywał swoich dni odizolowany od świata w dworku otoczonym kamienistymi pagórkami, gdzie za towarzystwo miał wspomnienia. Zanim przeszedł na emeryturę, za Alfonsa XII pracował jako historyk, profesor Uniwersytetu Centralnego w Barcelonie. Mimo podeszłego wieku nadal był w dobrej formie. Czy paliło bezlitosne słońce sierpnia, czy wiał lodowaty wiatr styczniowy, wychodził codziennie na wielogodzinne przechadzki, z pielgrzymią laską w dłoni, starym skórzanym kapeluszu na głowie i w towarzystwie myśliwskiego psa. W tym czasie jego żona błądziła w labiryntach demencji i pod opieką spędzała czas w domu, gdzie tworzyła jakieś potworności na papierze przy użyciu farb. We wsi nazywali ją Nieszkodliwą Wariatką i naprawdę nią była: nie stwarzała problemów, jeśli nie liczyć jej zwyczaju wędrowania, gdzie oczy poniosą, i obsmarowywania ścian własnym gównem. Roser miała mniej więcej siedem lat, choć nikt nie pamiętał daty jej urodzin, kiedy podczas jednego ze spacerów don Santiago spotkał ją pasącą kozy; wystarczyło mu zamienić z nią parę zdań, żeby zauważyć, że ma do czynienia z bystrym, ciekawym świata umysłem. Między profesorem i małą pasterką wytworzyła się szczególnego rodzaju więź, której podstawą z jego strony były pogadanki o kulturze, a z jej – żądza wiedzy.

Zimą znalazł dziewczynkę drżącą z zimna na deszczu, z wypiekami gorączki na policzkach, skuloną w rowie, gdzie się schroniła z kozami; kozy przywiązał, a dziewczynkę przerzucił sobie przez ramię, ciesząc się, że jest mała i lekka. Mimo wszystko przecenił swoje możliwości, słabe serce zaprotestowało i po paru krokach musiał się poddać; zostawił ją i przywołał jednego z parobków, by pomógł zanieść ją do domu. Polecił kucharce nakarmić dziewczynkę, służącej kazał przygotować kąpiel, a stajennego wysłał najpierw do Santa Fe po lekarza, a potem po kozy, żeby nikt ich nie ukradł.

Lekarz zdiagnozował grypę i stwierdził, że jest niedożywiona. Miała też świerzb i wszy. Ponieważ nikt jej nie szukał ani tego dnia, ani później, uznano, że jest sierotą, aż komuś przyszło do głowy ją samą o to zapytać i wtedy okazało się, że jej rodzina mieszkała po drugiej stronie gór. Mimo że miała szkielecik jak przepiórka, dziewczynka szybko wróciła do zdrowia, bo okazała się silniejsza, niż się wydawało. Nie protestowała, kiedy ogolono jej włosy z powodu wszy, zniosła leczenie świerzbu siarką i z apetytem pochłaniała jedzenie; okazało się też, że pomimo smutnych okoliczności jakimś cudem zachowała pogodny charakter. W ciągu tych tygodni, które spędziła w dworku, wszyscy ją polubili, poczynając od delirycznej pani, a kończąc na ostatnim służącym. W tym mrocznym kamiennym domostwie, po którym włóczyły się półdzikie koty i duchy z innych epok, nigdy wcześniej nie gościło żadne dziecko. Profesor uległ jej czarowi i przypomniał sobie, jakim przywilejem jest nauczanie chłonnego umysłu, ale jej pobyt nie mógł przeciągać się w nieskończoność. Don Santiago odczekał, aż całkiem wyzdrowieje i przybierze trochę na wadze, zanim wybrał się za góry, żeby wygarnąć nieodpowiedzialnym rodzicom, co o nich myśli. Ciepło ubraną dziewczynkę wsadził do powozu, mimo protestów żony, i pojechali.

Znalazł małą chatę z gliny za wsią, równie nędzną jak wszystkie w tej okolicy. Wieśniacy zarabiali tyle, żeby nie umrzeć z głodu, uprawiając niczym niewolnicy ziemie obszarników albo Kościoła. Profesor głośno krzyknął i do drzwi podeszła gromadka przestraszonych malców, a za nimi ubrana na czarno czarownica, która nie była prababką, jak w pierwszej chwili mu się wydawało, tylko matką Roser. Do tych ludzi nikt nigdy nie przyjechał berliną zaprzężoną w zadbane konie, a jeszcze bardziej zdumieli się, kiedy z powozu wysiadła Roser w towarzystwie wytwornego pana. „Chciałem porozmawiać o tym dziecku", oświadczył don Santiago autorytatywnym tonem, który przyprawiał o drżenie jego uczniów na uniwersytecie, ale zanim zdążył cokolwiek dodać, kobieta złapała Roser za włosy i uderzyła w twarz, bo zostawiła kozy. Wtedy pojął, że nie ma sensu dyskutować z nieszczęsną matką i natychmiast wymyślił plan, który miał zmienić los dziewczynki.

Roser spędziła resztę dzieciństwa w dworku Guzmánów, oficjalnie jako przygarnięte dziecko i osobista służąca pani, ale również jako uczennica pana domu. W zamian za pomoc służącym i rozweselanie Nieszkodliwej Wariatki otrzymywała utrzymanie i wykształcenie. Historyk udostępnił jej swoją bibliotekę, przekazał jej więcej wiedzy, niżby zdobyła w jakiejkolwiek szkole, i udostępnił jej fortepian żony, która już nie pamiętała, do czego może służyć ten czarny grat. Okazało się, że Roser, która w ciągu pierwszych lat życia tyle słyszała muzyki, co z akordeonu pijaków w noc świętojańską, miała znakomity słuch. W domu był fonograf z tubą, ale kiedy don Santiago zauważył, że jego protegowana potrafi zagrać melodie po jednorazowym wysłuchaniu, zamówił w Madrycie nowoczesny gramofon i kolekcję płyt. Wkrótce Roser Bruguera, która nie sięgała jeszcze stopami pedałów, mogła odtwarzać wysłuchaną muzykę z zamkniętymi oczami. Zachwycony, znalazł dla niej w Santa Fe nauczycielkę gry na fortepianie. Trzy razy w tygodniu wysyłał ją na lekcje i osobiście pilnował, żeby ćwiczyła w domu. Roser, która potrafiła zagrać z pamięci wszystko, nie widziała sensu uczenia się nut i grania w kółko tych samych gam, ale nie buntowała się przez szacunek dla swojego mentora.

Czternastoletnia Roser już przewyższała umiejętnościami swoją nauczycielkę, a kiedy skończyła piętnaście lat, don Santiago umieścił ją w Barcelonie na katolickiej pensji dla dobrze wychowanych panien, żeby mogła studiować muzykę. Wolałby zatrzymać ją przy sobie, ale nad ojcowskim uczuciem wziął górę obowiązek wychowawcy. Zadecydował, że skoro Bóg obdarzył dziewczynę wyjątkowym talentem, jego rola na tym świecie sprowadza się do pomocy w jego rozwoju. W tym czasie Nieszkodliwa Wariatka powoli gasła i w końcu spokojnie zmarła. Gdy Santiago Guzmán, sam w dużym domostwie, zaczął odczuwać ciężar lat, musiał zrezygnować ze swoich przechadzek z pielgrzymią laską i spędzał czas na lekturze przy kominku. Zdechł też jego myśliwski pies, ale nie chciał nowego, żeby nie umrzeć przed nim i nie zostawić kundla na pastwę losu.

Starzec całkiem zgorzkniał, kiedy nastała Druga Republika, w 1931 roku. Po ogłoszeniu wyników wyborów i zwycięstwie lewicy król Alfons XIII udał się na wygnanie do Francji i wtedy don Santiago, zagorzały, konserwatywny monarchista i katolik, poczuł, że jego świat się zawala. Nie znosił czerwonych i nie zamierzał tolerować ich chamstwa, wszak ci pozbawieni duszy ludzie, sowieccy lokaje, palili kościoły i rozstrzeliwali księży. Całe to gadanie o równości to jego zdaniem tylko teoria, której praktyczna realizacja byłaby czystą aberracją; wobec Boga wcale nie jesteśmy równi, klasy społeczne i inne różnice między ludźmi są jego dziełem. Reforma rolna pozbawiła go ziemi, która wprawdzie miała niewielką wartość, ale od zawsze należała do jego rodziny. Z dnia na dzień wieśniacy, zwracając się do niego, przestali zdejmować z głów czapki i spuszczać wzrok. Duma ludzi niżej od niego stojących bolała go bardziej niż utrata majątku; odebrał ją niczym osobistą obrazę, zachwianie pozycji, którą zawsze zajmował na tym świecie. Zwolnił służących, którzy od dziesięcioleci żyli pod jego dachem, kazał zapakować swoją bibliotekę, obrazy, zbiory i pamiątki, i zamknął dom na siedem spustów. Załadował, co się dało, na trzy ciężarówki, bez fortepianu i większych mebli, które nie zmieściłyby się w jego madryckim mieszkaniu. Parę miesięcy później republikański burmistrz skonfiskował dom na potrzeby sierocińca.

Największym rozczarowaniem, które doprowadziło go do prawdziwej furii, okazała się przemiana jego protegowanej. Pod wpływem uniwersyteckich wichrzycieli, a szczególnie takiego jednego profesora, nazywał się Marcel Lluís Dalmau i był komunistą i socjalistą, a może anarchistą, wszystko jedno, po prostu perwersyjnym bolszewikiem, jego Roser przystąpiła do czerwonych. Opuściła pensję dla dobrze wychowanych panien i zamieszkała z jakimiś lafiryndami, które nosiły żołnierskie mundury i uprawiały wolną miłość – tak teraz nazywano ruję i porubstwo. Owszem, musiał przyznać, że Roser zawsze odnosiła się do niego z szacunkiem, ale ponieważ pozwoliła sobie nie przejmować się jego zaleceniami, oczywiście musiał wstrzymać pomoc finansową. Dziewczyna w liście podziękowała mu za wszystko, co dla niej zrobił, obiecywała, że zawsze będzie podążać prostą drogą w myśl własnych zasad, i poinformowała, że nocami pracuje w piekarni, a w dzień nadal studiuje muzykę.

Don Santiago Guzmán, odizolowany od hałasu i pospolitości ulicy ciężkimi pluszowymi zasłonami w kolorze byczej krwi, a od życia towarzyskiego głuchotą i urażoną dumą, w swoim luksusowym mieszkaniu w Madrycie, gdzie trudno było się poruszać wśród nagromadzonych mebli i różnych przedmiotów, nie zauważył, jak w kraju narasta budzący grozę gniew, gniew, który żywił się przez wieki nędzą jednych i arogancją drugich. Zmarł w osamotnieniu, obrażony na cały świat, w swoim apartamencie w dzielnicy Salamanca, cztery miesiące przed buntem armii generała Franco. Do końca zachował przytomność umysłu i pogodzony ze śmiercią sam przygotował swój nekrolog, nie chcąc, by jakiś ignorant pomieszał fakty. Z nikim się nie pożegnał, może dlatego, że nie miał już na świecie żadnej bliskiej duszy, ale pamiętał o Roser Bruguerze i na zgodę w szlachetnym geście podarował jej fortepian, który nadal stał bezczynnie w nowym sierocińcu w Santa Fe.

* * *

Profesor Marcel Lluís Dalmau szybko zdał sobie sprawę, że Roser wyróżnia się spośród jego uczniów. Starając się przekazać swoim podopiecznym wszystko, co wiedział o muzyce i o życiu, poruszał tematy polityczne i filozoficzne, które miały na nich o wiele większy wpływ, niż mógł przypuszczać. W tej sprawie Santiago Guzmán się nie mylił. Doświadczenie nauczyło profesora podchodzić ostrożnie do uczniów, którym nauka muzyki przychodziła z nadmierną łatwością; często mawiał, że jeszcze mu się nie trafił żaden Mozart. Widział już takich jak Roser, młodych ludzi, którzy z łatwością opanowywali grę na dowolnym instrumencie, ale popadali w marazm, przekonani, że to wystarczy, żeby osiągnąć profesjonalizm, i że mogą sobie darować naukę i dyscyplinę. Wielu z nich kończyło karierę, zarabiając na życie w orkiestrach, które przygrywały na zabawach, w hotelach i w restauracjach, jak to się mówi, do kotleta. Postanowił uchronić Roser Bruguerę przed tym losem i otoczył ją opieką. Dowiedziawszy się, że nie ma nikogo w Barcelonie, otworzył przed nią drzwi swojego domu, a później, gdy dostała w spadku fortepian, którego nie miała gdzie postawić, opróżnił salon z mebli, żeby zrobić miejsce, i nigdy nie narzekał na długie godziny monotonnych ćwiczeń, kiedy Roser przychodziła do nich po zajęciach. Carme, jego żona, zaproponowała Roser łóżko Guillema, który był na wojnie, żeby mogła się trochę przespać, zanim wyjdzie o trzeciej w nocy do piekarni na poranny wypiek chleba, i w końcu śpiąc na poduszce młodszego Dalmau i wdychając zapach młodego mężczyzny, dziewczyna się w nim zakochała, nie przejmując się ani odległością, ani czasem, ani wojną.

Z czasem Roser zaczęła stanowić część rodziny, jakby łączyły ją z nimi więzy krwi; stała się tą córką, którą chcieli mieć państwo Dalmau. Ich dom był zwyczajny, dość ponury i zaniedbany, ale przynajmniej nie narzekali na ciasnotę. Kiedy obaj synowie wyruszyli na wojnę, Marcel Lluís zaproponował Roser, żeby zamieszkała z nimi na stałe. Dzięki ograniczeniu wydatków mogła mniej pracować i poświęcić więcej czasu na granie, a przy okazji pomóc pani Dalmau w obowiązkach domowych. Mimo że była dużo młodsza od męża, Carme czuła się staro, bo ledwo nadążała z realizacją wszystkich swoich aktywności, podczas gdy on kipiał zdrowiem i energią. „Sił mi starcza ledwie na walkę z analfabetyzmem *milicianos*, a kiedy to już nie będzie potrzebne, nie zostanie mi nic innego jak tylko umrzeć", wzdychała Carme. Jej syn Víctor, student pierwszego roku medycyny, postawił diagnozę, że ma płuca jak kalafiory. „Cholera, Carme, jeśli umrzesz, to przez nikotynę", wypominał jej mąż, słysząc, jak kaszle, jakby nie pamiętał, że sam pali, i do głowy mu nie przyszło, że śmierć najpierw przyjdzie po niego.

Tak więc Roser Bruguera, przygarnięta przez rodzinę Dalmau, była przy profesorze, kiedy przeszedł zawał. Przestała chodzić na zajęcia do konserwatorium, ale nadal pracowała w piekarni i wymieniała się z Carme dyżurami przy chorym. Gdy lepiej się czuł, grała dla niego na fortepianie i te muzyczne koncerty, wypełniające dom muzyką, przynosiły ukojenie umierającemu. Ponieważ była wtedy w domu, słyszała ostatnią wolę profesora, wypowiedzianą do starszego syna.

– Jak mnie już nie będzie, Víctorze, ty będziesz odpowiedzialny za matkę i za Roser, ponieważ Guillem zginie na froncie. Przegraliśmy tę wojnę, synu – cedził słowa, z trudem łapiąc powietrze.

– Niech ojciec tak nie mówi.

– Wiedziałem o tym już w marcu, kiedy zbombardowali Barcelonę. To były bombowce włoskie i niemieckie. Racja jest po naszej stronie, ale to nie zapobiegnie klęsce. Víctorze, wszyscy nas opuścili.

– Sytuacja może się zmienić, jeśli interweniuje Francja, Anglia i Stany Zjednoczone.

– O Amerykanach zapomnij, oni nam w niczym nie pomogą. Słyszałem, że Eleanor Roosevelt próbowała przekonać męża do pomocy Republice, ale prezydent ma przeciw sobie opinię publiczną.

– Ta opinia na pewno nie jest jednomyślna, ojcze, przecież wielu młodych ludzi, cała Brygada Lincolna, przyjechało tu gotowych umierać z nami.

– Víctorze, to idealiści, rzadki gatunek na świecie. Wiele z tych bomb, które na nas spadały w marcu, wyprodukowano w Stanach.

– Ojcze, faszyzm Hitlera i Mussoliniego rozleje się po Europie, jeśli go nie zatrzymamy tu, w Hiszpanii. Nie możemy przegrać wojny: to by oznaczało koniec wszystkiego, co lud osiągnął; byłby to powrót do przeszłości, do feudalnej nędzy, w której żyliśmy całe wieki.

– Nikt nie przyjdzie nam z pomocą. Zapamiętaj moje słowa, nawet Rosja sowiecka nas opuściła. Stalin przestał interesować się Hiszpanią. Kiedy upadnie Republika, represje będą straszne. Franco zapowiada nowe porządki: maksymalny terror, totalną nienawiść, krwawą zemstę. Nie negocjuje i nie przebacza. Jego wojska popełniają niewyobrażalne zbrodnie...

– My też – zauważył Víctor, który widział już niejedno.

– Nie waż mi się porównywać! Katalonia zostanie skąpana we krwi. Synu, ja już tego nie będę oglądał, ale chcę umierać spokojny, że wywieziesz matkę i Roser za granicę. Musisz mi to obiecać. Faszyści będą się mścić na Carme za to, że uczy żołnierzy; oni zabijają za mniejsze rzeczy. Tobie nie wybaczą pracy w szpitalu wojskowym, a Roser jest w niebezpieczeństwie jako młoda dziewczyna. Wiesz, co z takimi robią, prawda? Oddają je Maurom. Wszystko zaplanowałem. Udacie się do Francji, aż sytuacja się uspokoi, a wtedy będziecie mogli wrócić. W moim biurku znajdziesz mapę i trochę oszczędności. Obiecaj, że tak postąpisz.

– Obiecuję, ojcze. – Víctor wypowiedział słowa, choć tak naprawdę nie miał zamiaru spełnić obietnicy.

– Víctorze, zrozum, to nie tchórzostwo, to wola przeżycia.

Marcel Lluís Dalmau nie był jedyną osobą, która zwątpiła w przyszłość Republiki, ale nikt nie odważył się mówić o tym głośno, bo najgorsza zdrada to szerzenie defetyzmu i paniki wśród ludności doprowadzonej do kresu wytrzymałości, która już zbyt wiele przeżyła.

Następnego dnia pochowano profesora Marcela Lluísa Dalmau. Rodzina chciała to zrobić dyskretnie, bo czasy nie sprzyjały prywatnej żałobie, ale wiadomość się rozniosła i stawili się na cmentarzu Montjuïc jego przyjaciele z Rosynanta, koledzy z uniwersytetu i dawni uczniowie, ci starsi, bo młodzi albo walczyli na froncie, albo już leżeli w ziemi. Carme, cała w żałobie, od welonu po czarne pończochy, mimo czerwcowego upału, szła za trumną ukochanego podtrzymywana przez Víctora i Roser. Nie było modlitw, przemówień nad grobem ani łez. Dawni uczniowie pożegnali go, grając drugą część kwintetu skrzypcowego Schuberta, którego melancholia podkreślała nastrój chwili, a następnie zaśpiewali jedną z piosenek, jakie profesor skomponował dla *milicianos*.

2

·1938·

Nic, nawet zwycięstwo,
nic nie zmaże przeraźliwej jamy krwi...

PABLO NERUDA

ZNIEWAŻONE ZIEMIE, Z CYKLU HISZPANIA W SERCU

Swoją pierwszą miłość Roser Bruguera przeżyła w domu profesora Dalmau; zaprosił ją pod pretekstem pomocy w nauce, choć oboje zdawali sobie sprawę, że ten gest miał charakter bardziej chary-
tatywny niż dydaktyczny. Profesor podejrzewał, że jego najlepsza
uczennica nie dojadała i potrzebowała rodziny, zwłaszcza kogoś
takiego jak Carme, której instynkty macierzyńskie Víctor zaspo-
kajał w niewielkim stopniu, a Guillem wcale ich nie potrzebował.
To było w roku, kiedy Roser, mając dość koszarowej dyscypliny
w pensji dla dobrze wychowanych panien, wyprowadziła się do
Barcelonety, dzielnicy rybaków, a tam jedyny pokój, na jaki mogła
sobie pozwolić, musiała dzielić z trzema dziewczętami z ochotniczej ludowej milicji. Miała dziewiętnaście lat; tamte były od niej
o cztery–pięć lat starsze wiekiem, ale co najmniej o dwadzieścia,
jeśli chodzi o doświadczenie i mentalność. *Milicianas*, które żyły
w zupełnie innym świecie, przezwały ją „nowicjuszką" i na ogół nie
zwracały na nią uwagi. W pokoju były dwa łóżka piętrowe – Roser

spała na górnej pryczy – parę krzeseł, umywalka, dzbanek i nocnik, piecyk naftowy i kilka gwoździ na ścianie zamiast wieszaków; na stancji była też wspólna łazienka, która służyła ponad trzydziestu lokatorom. Wesołe, niezależne dziewczyny w pełni korzystały z wolności tych burzliwych czasów; nosiły mundury, regulaminowe kamasze i berety, ale malowały usta i kręciły włosy żelazkiem podgrzewanym na węglowym żarowniku. Zaprawiały się do boju, ćwicząc z kijami albo z pożyczonymi karabinami, i marzyły o walce na froncie, twarzą w twarz z wrogiem, ale zatrudniano je w transporcie, zaopatrzeniu, w kuchni i w szpitalu, pod pretekstem, że broni sowieckiej i meksykańskiej ledwie starczało dla mężczyzn i szkoda, żeby się marnowała w damskich rękach. Parę miesięcy później, kiedy wojska narodowców zajęły dwie trzecie terytorium Hiszpanii i posuwały się naprzód, spełniło się ich marzenie o walce na pierwszej linii frontu. Dwie z nich zostały zgwałcone i zamordowane przez oddziały marokańskie. Trzecia przeżyła trzy lata wojny domowej, a później jeszcze sześć lat drugiej wojny światowej, przemieszczając się po Europie, zawsze w konspiracji, aż w 1950 roku udało się jej wyemigrować do Stanów Zjednoczonych. Zamieszkała w Nowym Jorku, gdzie poślubiła żydowskiego intelektualistę, który walczył w Brygadzie Lincolna, ale to całkiem inna historia.

Guillem był rok starszy od Roser Bruguery. Podczas gdy ona rzeczywiście zasługiwała na przezwisko „nowicjuszki", poważna, w niemodnym ubraniu, on był królem życia, pyszałkowaty i arogancki. Ale jej wystarczyło przyjrzeć mu się lepiej i dostrzegła, że pod pozorem nonszalancji kryje dziecięce serce, zagubione i romantyczne. Podczas kolejnych przyjazdów do Barcelony dało się zauważyć, jak Guillem stopniowo poważnieje, aż w końcu nic nie pozostało z tamtego narwanego nastolatka, który kradł świeczniki; stał się dojrzałym mężczyzną ze zmarszczonymi brwiami, z trudem hamował gniew i tylko czekał na prowokację, żeby wybuchnąć. Spał w koszarach, ale spędził też parę nocy w domu rodziców, głównie po to, żeby się spotkać z Roser. Gratulował sobie, że udało mu się uniknąć więzi uczuciowych, które przysparzały smutku żołnierzom rozłączonym z narzeczoną czy rodziną. Wojna pochłaniała go całkowicie, nie chciał się rozpraszać, ale uczennica ojca nie przedstawiała zagrożenia dla jego kawalerskiej swobody, traktował to jako niewinną rozrywkę. Roser mogła wyglądać atrakcyjnie, jak jej się uważnie przyjrzeć w dobrym świetle, ale nie robiła nic, by swoją urodę podkreślić, i ta jej prostota poruszała jakąś tajemną strunę w duszy Guillema. Przyzwyczaił się, że robi wrażenie na kobietach, i nie mógł nie zauważyć, że Roser też uległa jego urokowi, chociaż ona sama nie była zdolna do kokieterii. „Ta dziewczyna podkochuje się we mnie, nic dziwnego, skoro cały jej świat to fortepian i piekarnia, przejdzie jej", myślał. „Uważaj, Guillem, ta dziewczyna to świętość i jeśli zauważę, że jej nie szanujesz, to...", ostrzegał go ojciec. „Co też ojcu przychodzi do głowy! Roser jest jak siostra". Ale siostrą nie była, na szczęście. Wnosząc po tym, jak rodzice ją traktowali, Roser musiała być dziewicą, jedną z niewielu, jakie się jeszcze uchowały w Hiszpanii republikańskiej. Oczywiście nie zamierzał przekroczyć granicy, absolutnie, ale przecież nie liczyły się drobne wyrazy czułości, muśnięcie kolanem pod stołem, zaproszenie do kina, gdzie mógł ją dotykać w ciemnościach, kiedy ona płakała wzruszona i drżała targana sprzecznymi uczuciami: nieśmiałością i pożądaniem. Na odważniejsze pieszczoty mógł sobie pozwolić z niektórymi towarzyszkami, wyzwolonymi *milicianas*, chętnymi i doświadczonymi.

Gdy skończyła się przepustka i z Barcelony wrócił na front, zamierzał skoncentrować się na tym, jak przeżyć i zwyciężyć, ale trudno mu było zapomnieć poważny wyraz twarzy i jasne spojrzenie Roser Bruguery. Nigdy by się nie przyznał, jak bardzo mu zależało na jej listach i paczkach z łakociami, skarpetkami i szalikami, które robiła dla niego na drutach. Nosił jej zdjęcie w portfelu, jedyne, jakie tam nosił. Roser stała przy fortepianie, może podczas koncertu, w ciemnej skromnej sukience, nieco dłuższej niż jej codzienne stroje, z krótkimi rękawami i koronkowym kołnierzykiem, w absurdalnym mundurku uczennicy maskującym jej kształty. Na tym czarno-białym kartoniku Roser wydawała się odległa jak za mgłą, była kobietą bez wdzięku, bez wieku, bez wyrazu; w sferze domysłu pozostawał kontrast między jej oczami w kolorze bursztynu i czarnymi włosami, jej prosty, klasyczny nos, wyraziste brwi, odstające uszy, długie palce, zapach mydła, szczegóły, które sprawiały ból Guillemowi, kiedy je sobie nagle przypominał, na jawie czy we śnie. Skupienie na tych szczegółach mógł przypłacić życiem.

* * *

Dziewięć dni po pogrzebie ojca, w niedzielę po południu, Guillem Dalmau zjawił się w domu bez zapowiedzi, w poobijanym samochodzie wojskowym. Roser wyszła mu na spotkanie, wycierając ręce ścierką, i w pierwszej chwili nie rozpoznała chudego, zmizerowanego mężczyzny, którego dwaj *milicianos* podtrzymywali z obu stron. Nie widziała go cztery miesiące, cztery miesiące podtrzymywania nadziei pojedynczymi zdaniami, które jej z rzadka przysyłał, relacjonując wydarzenia w Madrycie, bez czułych słów, wiadomości niczym doniesienia, na kartkach wyrwanych z zeszytu, nabazgrane szkolną kaligrafią. Tu wszystko bez zmian, na pewno słyszałaś, że bronimy miasta, moździerze podziurawiły mury jak sito, wszędzie ruiny, faszyści dysponują niemiecką i włoską amunicją, są tak blisko, że czujemy zapach tytoniu, który ci dranie palą, słyszymy ich rozmowy, krzyczą do nas, żeby nas sprowokować, ale sami są pijani ze strachu, poza Maurami, ci są jak hieny, niczego się nie boją, wolą rzeźnickie noże niż karabiny, walczą twarzą w twarz, żeby poczuć smak krwi; oni codziennie wspierani są nowymi posiłkami, ale nie posuwają się ani o metr; nam doskwiera brak wody i prądu, jedzenia jest niewiele, jednak jakoś sobie radzimy; u mnie wszystko w porządku. Połowa budynków się wali, ledwie nadążamy z usuwaniem ciał zabitych, zostają tam, gdzie spotkała ich śmierć, aż do następnego dnia, gdy ich wywiozą, żeby gdzieś pochować, nie udało się ewakuować wszystkich dzieci, nawet sobie nie wyobrażasz, jakie uparte są niektóre matki, nie słuchają, odmawiają wyjazdu, nie chcą się z nimi rozstać, kto je tam zrozumie. A jak się miewa Twój fortepian? Co słychać u rodziców? Powiedz matce, żeby się o mnie nie martwiła.

– O Jezu! Guillem, na litość boską, co ci się stało! – Kiedy Roser witała go w progu, z wrażenia odezwało się w niej katolickie wychowanie.

Guillem nie odpowiedział, głowa zwisała mu na piersi, nogi miał jak z waty. W tym momencie z kuchni wyszła Carme; wydawało się, że krzyk, jaki wydała, wznosi się od stóp aż do gardła, aż przeszedł w atak kaszlu.

– Uspokójcie się, towarzyszki. Nie jest ranny. Jest chory – zapewnił jeden z *milicianos*.

– Tędy. – Roser pokazała niosącym Guillema drogę do pokoju, który wcześniej do niego należał, a teraz był zajmowany przez nią. Mężczyźni położyli go na łóżku i wyszli; wrócili chwilę później z plecakiem, kocem i karabinem Guillema. Szybko się pożegnali, życząc wszystkim pomyślności. Zdesperowana Carme zanosiła się kaszlem, a tymczasem Roser ściągnęła z nóg chorego dziurawe buty i brudne śmierdzące skarpetki, starając się opanować mdłości. Nie wchodziło w grę, żeby go zabrać do szpitala, gdzie aż się roiło od infekcji, ani wezwać lekarza – wszyscy byli zajęci przy rannych.

– Carme, trzeba go umyć, on się klei od brudu. Może uda się pani go napoić. Ja biegnę na pocztę zadzwonić do Víctora. – Dziewczyna szukała pretekstu, żeby wyjść z domu i nie oglądać Guillema nagiego, utytłanego we własnych ekskrementach i moczu.

Przez telefon Roser opisała Víctorowi objawy: wysoka gorączka, trudności z oddychaniem, biegunka.

– Jęczy, kiedy się go dotyka. Musi go bardzo boleć, przede wszystkim brzuch, ale i reszta ciała; wiesz, że twój brat nigdy się nie skarżył.

– Roser, to tyfus. Na froncie wybuchła epidemia, przenoszona przez wszy, pchły, zanieczyszczoną wodę i brud. Spróbuję wpaść jutro, ale trudno mi się wyrwać ze szpitala, mamy tu pełne ręce roboty, codziennie dziesiątkami przywożą rannych. Na razie trzeba go nawodnić i obniżyć gorączkę. Zawiń go w mokre ręczniki i daj do picia przegotowaną wodę ze szczyptą soli i cukru.

Guillem Dalmau spędził dwa tygodnie pod opieką matki i Roser, pod kontrolą brata, sprawowaną na odległość z Manresy; Roser dzwoniła do niego codziennie, zdając mu relację ze stanu chorego i słuchając instrukcji, jak postępować, żeby się nie zarazić. Przede wszystkim trzeba się pozbyć wszy, najlepiej spalić ubranie, zdezynfekować wszystko ługiem, używać dla Guillema osobnych naczyń i myć ręce po każdym bezpośrednim kontakcie. Pierwsze trzy dni były krytyczne. Gorączka podskoczyła do czterdziestu stopni, majaczył, głowa tak go bolała, że aż się zwijał z bólu, wymiotował, ciałem wstrząsał suchy kaszel, a substancja, którą wydalał, miała płynną konsystencję i kolor zupy z groszku. Czwartego dnia spadła mu gorączka, ale nie udało się go obudzić. Víctor polecił potrząsnąć nim i zmusić, żeby się napił wody, a potem pozwolić mu się wyspać. Musiał odpocząć i nabrać sił.

Opieka nad chorym spadła na Roser, ponieważ Carme, z powodu wieku i złego stanu płuc, była bardziej narażona na zakażenie. Roser spędzała całe dni w domu, przy łóżku Guillema, czytając albo robiąc na drutach, a tymczasem Carme wychodziła na lekcje czytania i pisania, a potem stała w kolejkach. Roser nadal pracowała nocami, bo płacono jej chlebem. Przydział soczewicy ograniczał się do pół kwaterki dziennie na osobę i nie został w mieście ani jeden kot na pieczeń ani gołąb na rosół, a chleb, jaki przynosiła Roser, był twardy jak cegła i smakował trocinami; oliwę, prawdziwy luksus, mieszano z olejem silnikowym, żeby mieć jej więcej. Ludzie uprawiali warzywa w wannach i na balkonach. Wymieniano rodzinne pamiątki i precjoza na ziemniaki i ryż.

Mimo że Roser nie widywała swojej rodziny, utrzymywała kontakty z niektórymi wieśniakami z okolicy i od nich zdobywała warzywa, kawałek koziego sera i kiełbasę w tych rzadkich okazjach, kiedy zdarzało się świniobicie. Carme nie stać było na zakupy na czarnym rynku, gdzie zresztą niewiele dało się kupić do jedzenia, ale gdy potrzebowała papierosów czy mydła, to tylko tam. Chcąc wzmocnić Guillema, który wyglądał jak szkielet, Carme naruszyła skromne oszczędności pozostawione przez męża i wysłała Roser do Santa Fe z misją kupienia czegokolwiek, co by się nadawało na zupę. Wiedziała, że Marcel Lluís trzymał te pieniądze, planując wysłać rodzinę jak najdalej od Hiszpanii, ale tak naprawdę nikt z nich nie myślał poważnie o emigracji. Co mieliby do roboty we Francji czy gdziekolwiek indziej? Jak mogliby zostawić dom, dzielnicę, język, krewnych i przyjaciół? Prawdopodobieństwo wygrania wojny było coraz mniejsze i po cichu z rezygnacją liczyli się z ewentualnością negocjowania pokoju i nieuchronnością faszystowskich represji, ale woleli to niż emigrację. Chociaż Franco nie znał litości, nie mógł przecież wymordować wszystkich Katalończyków. Tak więc Roser zainwestowała pieniądze w zakup dwóch kur i podróżowała z drobiem ukrytym w torbie, którą przywiązała sobie do brzucha, pod sukienką, żeby jej nie wyrwał jakiś desperat albo nie skonfiskowali żołnierze. Wyglądała na ciężarną, więc ustąpiono jej miejsce w autobusie, gdzie siedziała, starannie ukrywając pakunek, drżąc, żeby kwoki nie narobiły rabanu. Carme wyłożyła gazetami podłogę w jednym pokoju i zrobiła z niego prowizoryczny kurnik. Żywiły kury okruchami chleba i resztkami jedzenia z Rosynanta, a czasem Roser udawało się wynieść ukradkiem trochę jęczmienia i żyta z piekarni. Ptaki szybko otrząsnęły się z traumy podróży w torbie i wkrótce Guillem mógł liczyć na jedno czy dwa jajka na śniadanie.

Po paru dniach rekonwalescencji choremu wróciła chęć życia, ale siły miał tylko tyle, by usiąść na łóżku i słuchać, jak Roser gra w salonie na fortepianie albo czyta na głos kryminały. Nigdy nie był dobrym czytelnikiem, w dzieciństwie przechodził z klasy do klasy tylko dzięki matce, która mu sprawdzała prace domowe, i dzięki Víctorowi, który je za niego odrabiał. Gdyby tak Roser mogła mu czytać na madryckim froncie, gdzie całymi godzinami nic się nie działo, byłoby wspaniale. Książek mieli pod dostatkiem, ale jemu litery tańczyły przed oczami. Roser przerywała lekturę, żeby posłuchać opowieści o żołnierskim życiu, o ochotnikach z ponad pięćdziesięciu krajów, którzy przyjechali, by walczyć i umierać na nie swojej wojnie, o Amerykanach z Brygady Lincolna, którzy zawsze walczyli na pierwszej linii i ponosili największe straty. „Powiadają, że ponad trzydzieści pięć tysięcy mężczyzn i kilkaset kobiet przybyło do Hiszpanii, by się rozprawić z faszyzmem, popatrz, no, Roser, jaka ważna jest ta wojna". Opowiadał o braku wody, prądu i latryn, o korytarzach zasypanych gruzem, śmieciami, kurzem i potłuczonym szkłem. „W wolnych chwilach jest czas, by samemu się uczyć i nauczać innych. Matka byłaby zachwycona, udzielając lekcji chłopakom, którzy nie umieją czytać ani pisać; wielu z nich nigdy nie chodziło do szkoły". Ale oszczędzał jej opowieści o szczurach, wszach, o odchodach, moczu i krwi, o rannych towarzyszach, którzy wykrwawiali się, czekając całymi godzinami, aż dotrą do nich sanitariusze z noszami, o głodzie i o manierkach z niedogotowaną fasolą, o zimnej kawie, o szalonej odwadze jednych, którzy sami wystawiali się na kule, i o panicznym lęku drugich, zwłaszcza najmłodszych, od niedawna na froncie, tych z Poboru Osesków, z którymi na szczęście nie miał bliższego kontaktu, bo chybaby mu serce pękło z żalu. A przede wszystkim pod żadnym pozorem nie przyznałby się Roser do tego, że jego towarzysze dokonywali masowych egzekucji, wiązali więźniów po dwóch, wywozili ciężarówkami za miasto, zabijali bez skrupułów i chowali w zbiorowych grobach. Ponad dwa tysiące ofiar w samym tylko Madrycie.

**

Zaczęło się lato. Słońce zachodziło coraz później, a dzień składał się z coraz dłuższych, gorących, leniwych godzin. Guillem i Roser spędzali tyle czasu razem, że zdążyli dobrze się poznać. Przerwy pomiędzy wspólnym czytaniem i rozmowami stawały się coraz dłuższe, a milczenie wypełniało poczucie wzajemnej bliskości. Po kolacji Roser zasypiała w łóżku, które dzieliła z Carme, i spała do trzeciej nad ranem, kiedy biegła do piekarni piec racjonowany chleb, wydawany ludziom o świcie.

Radio, gazety i głośniki na ulicach tryskały optymizmem. W powietrzu rozbrzmiewały piosenki *milicianos* i płomienne przemówienia La Pasionarii, że lepiej umrzeć, stojąc, niż żyć na klęczkach. Nie przyjmowano do wiadomości, że wróg jest coraz bliżej, mówiono o strategicznej zmianie pozycji. Również nie wspominano o racjonowaniu żywności, o braku wszystkiego, od jedzenia po lekarstwa. Víctor Dalmau przedstawiał swojej rodzinie wersję bardziej realistyczną od tej płynącej z głośników. Mógł ocenić sytuację na froncie, wyciągając wnioski z tragicznych pociągów z ciężko rannymi, którzy masowo umierali w jego szpitalu. „Muszę wrócić na front", powtarzał Guillem, ale zanim udało mu się założyć kamasze, już opadał bez sił na łóżko.

Codzienne rytuały, takie jak pielęgnowanie Guillema w ciężkiej chorobie, mycie gąbką, opróżnianie nocnika, podawanie łyżeczką papki, czuwanie nad jego snem i znów mycie, opróżnianie nocnika i karmienie, cała ta niekończąca się rutyna troski i miłości, utwierdziły Roser w przekonaniu, że to jedyny mężczyzna, którego mogła kochać. Nigdy nie będzie innego, co do tego nie miała najmniejszych wątpliwości. W dziewiątym dniu rekonwalescencji, widząc wyraźną poprawę, Roser pojęła, że pod żadnym pretekstem nie zatrzyma go dłużej w łóżku, gdzie pozostawał do jej wyłącznej dyspozycji. Lada dzień Guillem wróci na front. Tyle było strat w ludziach w ostatnim roku, że do armii republikańskiej brano wyrostków, starców i kryminalistów, którym dawano do wyboru walkę na froncie lub gnicie w więzieniu. Roser obwieściła Guillemowi, że pora wstać z łóżka i że na początek musi wziąć porządną kąpiel. Zagrzała wodę w największym garnku, jaki znalazła w kuchni, wsadziła Guillema do balii, namydliła od góry do dołu, a kiedy go spłukała i wytarła ręcznikiem, był jak nowy. Zdążyła tak dobrze go poznać, że jego nagość nie robiła już na niej wrażenia. Guillem również przestał się jej wstydzić; w rękach Roser czuł się, jakby wracał do dzieciństwa. „Ożenię się z nią, jak wojna się skończy", postanowił w duchu, wdzięczny za jej troskę. Aż do tej chwili nic bardziej nie kłóciło się z jego charakterem niż perspektywa ożenku i zapuszczenia korzeni w jakimś miejscu. Wojna zwolniła go z robienia planów na przyszłość. „Nie nadaję się do czasów pokojowych", myślał, „lepiej być żołnierzem niż robotnikiem w fabryce, a co innego mógłby robić bez wykształcenia taki porywczy typ jak ja". Ale Roser, świeża i niewinna, o dobrym sercu, stała się jego częścią, jej wspomnienie towarzyszyło mu w okopach i im więcej o niej myślał, tym bardziej jej potrzebował i tym ładniejsza mu się wydawała. Jej atrakcyjność była dyskretna, jak ona cała. W najgorszych dniach tyfusu, kiedy grzązł w bagnie bólu i strachu, desperacko trzymał się Roser, żeby się nie pogrążyć. Gdy majaczył, jedynym kompasem stawała się pochylona nad nim jej troskliwa twarz, jedyną kotwicą jej oczy, już to waleczne, to znów radosne i łagodne.

Ta pierwsza kąpiel w balii przywróciła Guillema do świata żywych. Powstał z martwych pod dotykiem namydlonego gałganka, piany na włosach, kubłów ciepłej wody i rąk Roser na jego ciele, rąk pianistki, energicznych, zręcznych i precyzyjnych. Wytarła go, założyła mu piżamę ojca, ogoliła, obcięła włosy i paznokcie, które zdążyły urosnąć niczym szpony. Policzki Guillema nadal były zapadnięte, a oczy zaczerwienione, ale już nie przypominał tego stracha na wróble, którego wnieśli dwaj *milicianos*. Później Roser podgrzała kawę, która została ze śniadania, i dolała do niej trochę koniaku, dla kurażu.

– Jestem gotów iść z tobą na zabawę – uśmiechnął się Guillem do swojego odbicia w lustrze.

– Jesteś gotów wrócić do łóżka – zadecydowała Roser, podając mu filiżankę. – Ze mną.

– Co powiedziałaś?

– To, co słyszałeś.

– Chyba nie masz na myśli...

– Właśnie to mam na myśli i ty też powinieneś – potwierdziła, ściągając sukienkę przez głowę.

– Co ty robisz? Matka może wrócić w każdej chwili.

– Jest niedziela. Carme teraz tańczy sardany na placu, a potem pójdzie stać w kolejce na poczcie, żeby porozmawiać z Víctorem.

– Mogę cię zarazić...

– Jeśli dotąd mnie nie zaraziłeś, to trudno, żebyś to zrobił teraz. Nie wykręcaj się. Rusz się, Guillem – ponagliła go, zdejmując stanik i majtki i popychając go w stronę łóżka.

Nigdy nie obnażyła się w obecności mężczyzny, ale straciła nieśmiałość w czasach racjonowania wszystkiego, ciągłego niepokoju, podejrzliwości wobec sąsiadów i przyjaciół, stałej obecności anioła śmierci. Dziewictwo, tak cenione w szkole zakonnej, teraz, w wieku dwudziestu lat, ciążyło jej niczym defekt. Nic nie było pewne, przyszłość nie istniała, mieli tylko tę chwilę, żeby się nią nacieszyć, zanim wojna im jej nie odbierze.

* * *

O klęsce Republiki przesądziła bitwa nad Ebro, która rozpoczęła się w lipcu 1938 roku; miała trwać cztery miesiące i zostawić po sobie bilans trzydziestu tysięcy zabitych; w ich liczbie znalazł się

Guillem Dalmau, który zginął tuż przed masowym exodusem pokonanych. Sytuacja republikanów była beznadziejna; liczyli jeszcze na pomoc Francji i Anglii, ale mijały dni i nic nie wskazywało, że ją otrzymają. Żeby zyskać na czasie, skupiono cały wysiłek i większość sił na operacji przeprawy przez Ebro; republikanie chcieli przedostać się na terytorium okupowane przez wroga, przejąć magazyny broni i pokazać światu, że losy wojny nie są jeszcze przesądzone, że jeśli otrzyma konieczne wsparcie, Hiszpania może pokonać faszyzm. Osiemdziesiąt tysięcy żołnierzy zostało przetransportowanych z największą ostrożnością pod osłoną nocy na wschodni brzeg rzeki, mieli się przeprawić i po drugiej stronie stawić czoło nieprzyjacielskiej armii, znacznie nad nimi górującej liczebnością i uzbrojeniem. Guillem dołączył do mieszanych brygad 45 Dywizji Międzynarodowej razem z ochotnikami angielskimi, amerykańskimi i kanadyjskimi; oni zawsze byli w awangardzie, stanowili siłę uderzeniową i sami siebie nazywali mięsem armatnim. Walczyli na urwistym terenie podczas wyjątkowo upalnego lata, mając przed sobą wroga, za sobą rzekę, a nad sobą niemieckie i włoskie samoloty.

Atak z zaskoczenia dał pewną przewagę siłom republikańskim. Zbliżając się do linii frontu, żołnierze przeprawiali się przez rzekę w zaimprowizowanych łodziach, ciągnąc za sobą wystraszone juczne muły. Inżynierowie konstruowali mosty pontonowe, które odbudowywano nocą z taką samą szybkością, z jaką bombardowano je w ciągu dnia. Na wysuniętym posterunku Guillemowi przychodziło spędzać całe dni bez jedzenia i wody, gdy nie docierało zaopatrzenie, całymi tygodniami nie mył się, sypiał na kamieniach, cierpiał na biegunkę i porażenie słoneczne, atakowany przez ostrzał wroga, komary i szczury, które pożerały, co się da, nie oszczędzając poległych. Do głodu, pragnienia, skrętu kiszek i wycieńczenia dochodził jeszcze piekielny upał. Guillem był tak odwodniony, że już nie miała czym się pocić jego spalona, spękana, czarna skóra, przypominająca łuskę jaszczurki. Zdarzało się, że całymi godzinami skulony, z karabinem w ręce, napinając ciało i zaciskając zęby, czekał na śmierć, a później zdrętwiałe nogi odmawiały mu posłuszeństwa. Czuł, że osłabiony tyfusem już nie odzyskał dawnej formy. Towarzysze ginęli w przerażającym tempie, a on się zastanawiał, kiedy przyjdzie kolej na niego. Rannych ewakuowano nocą samochodami bez świateł, żeby uniknąć ostrzelania z samolotów, niektórzy, ciężej ranni, prosili, by ich dobić, bo perspektywa wpadnięcia w ręce wroga wydawała się stokroć gorsza niż śmierć. Trupy, które rozkładały się i śmierdziały w bezlitosnym słońcu, bo nie było jak ich usunąć, przykrywano kamieniami albo palono, podobnie jak padłe konie i muły, bo nie dało się kopać grobów w tym kamienistym, twardym jak beton gruncie. Guillem wystawiał się na kule i granaty, żeby dotrzeć do poległych, zidentyfikować ich i zdobyć coś osobistego, co można by przekazać rodzinie.

Nikt spośród walczących nie rozumiał, na czym miała polegać strategia umierania na brzegach Ebro, skoro nie udawało im się posuwać w głąb terytorium frankistowskiego, a przeliczany na straty w ludziach koszt utrzymania pozycji był absurdalnie wysoki, ale okazywanie niezadowolenia traktowano jako akt tchórzostwa czy zdrady i surowo karano. Guillem służył pod rozkazami amerykańskiego oficera, odważnego jak lew, z Brygady Lincolna, absolwenta uniwersytetu w Kalifornii. Choć w sprawach wojskowych nie miał najmniejszego doświadczenia, pokazał, że wojna to jego żywioł, był urodzonym żołnierzem i potrafił rozkazywać, podwładni go uwielbiali. Guillem jako jeden z pierwszych zaciągnął się na ochotnika do robotniczej milicji w Barcelonie, kiedy panował socjalistyczny ideał równości, który rewolucja rozciągnęła na wszystkie sektory społeczeństwa, nie wykluczając wojska, gdzie nikt się nie wywyższał ani nie posiadał więcej niż inni; oficerowie nie cieszyli się większymi przywilejami w stosunku do prostych żołnierzy, ani w kwestii jedzenia, ani ubrania. Żadnej hierarchii, protokołu, stawania na baczność i salutowania, osobnych sklepów, lepszej broni i specjalnych samochodów dla wyższych szarży, lśniących oficerek, usłużnych adiutantów i kucharzy, jak w zwykłym wojsku, a na pewno w wojsku Franco. To się zmieniło w pierwszym roku wojny, kiedy częściowo przygasł rewolucyjny entuzjazm.

Guillem obserwował zdegustowany, jak niepostrzeżenie powracały w Barcelonie burżuazyjne obyczaje, podział na klasy, zadufanie jednych i serwilizm drugich, łapówkarstwo, prostytucja, przywileje bogatych, którym niczego nie brakowało, ani jedzenia, ani tytoniu, ani modnych ubrań, podczas gdy pozostała część społeczeństwa musiała sobie wszystkiego odmawiać, zdana na racjonowanie. Guillem zauważył również zmiany w wojsku. Armia Ludowa, utworzona w drodze poboru, wchłonęła ochotniczą milicję robotniczą i narzuciła tradycyjną hierarchię i dyscyplinę. Mimo to oficer amerykański nadal wierzył w triumf socjalizmu, dla niego równość nie tylko była możliwa, ale wręcz nieunikniona, i wprowadzał ją w życie niczym religię. Podkomendni traktowali go jak równego sobie towarzysza, ale nigdy nie kwestionowali jego rozkazów. Amerykanin nauczył się hiszpańskiego na tyle, żeby móc na bieżąco tłumaczyć to, co im opowiadał po angielsku na temat bitwy nad Ebro. Jej celem była obrona Walencji i przywrócenie kontaktu z Katalonią, oddzieloną od strefy republikańskiej szerokim pasem ziemi podbitej przez narodowców. Guillem go szanował i poszedłby za nim w ogień, czy rozumiał powody czy nie. W połowie września Amerykanin dostał postrzał w plecy i padł obok Guillema bez jęku. Leżąc na ziemi, nadal zagrzewał swoich ludzi do walki, dopóki nie stracił przytomności. Guillem z drugim żołnierzem zanieśli go na noszach za kupę gruzu, gdzie miał bezpiecznie czekać na sanitariuszy, którzy dopiero nocą mogli podejść do nich i zabrać rannego do punktu pierwszej pomocy. Parę dni później Guillem dowiedział się, że nawet jeśli przeżyje, brygadzista zostanie inwalidą. Z całego serca życzył mu szybkiej śmierci.

Amerykanin poległ tydzień przed tym, jak rząd republikański ogłosił wycofanie z Hiszpanii cudzoziemskich ochotników, licząc na to, że Franco, którego wspierali żołnierze niemieccy i włoscy, postąpi tak samo. Tak się nie stało. Oficer amerykański, pochowany pospiesznie w bezimiennym grobie, nie przedefilował z towarzyszami po ulicach Barcelony, gdzie wiwatowali na ich cześć wdzięczni Katalończycy podczas masowej ceremonii, którą każdy z nich miał wspominać do końca swoich dni. Najbardziej zapadły im w pamięć słowa pożegnania, jakie wygłosiła La Pasionaria, której niezmordowany entuzjazm dodawał ducha republikanom w ciągu tych lat. Nazwała ich krzyżowcami wolności, bohaterami, dzielnymi i zdyscyplinowanymi idealistami, którzy porzucili swoje domy i kraje, i przybyli, by dać z siebie wszystko, a w nagrodę oczekiwali tylko honorowej śmierci za Hiszpanię. Dziewięć tysięcy tych krzyżowców zostało tu na zawsze, pochowanych w hiszpańskiej ziemi. Zakończyła, zapraszając ich, by po zwycięstwie wrócili do Hiszpanii, gdzie będzie na nich czekać ojczyzna i przyjaciele.

Propaganda frankistowska przez megafony i ulotki zrzucane z samolotów namawiała do kapitulacji, obiecując chleb, sprawiedliwość i wolność, ale wszyscy wiedzieli, że dezerterzy kończyli w więzieniu albo w zbiorowym grobie, który sami sobie musieli wykopać. Słyszeli, że w miejscowościach okupowanych przez frankistów zmuszano wdowy i rodziny rozstrzelanych do płacenia za zużytą do tego celu amunicję. A egzekucje dochodziły do dziesiątków tysięcy; popłynęło tyle krwi, że jak zapewniali wieśniacy, następnego roku wyciągane z ziemi cebule były czerwone, a w ziemniakach znajdowano ludzkie zęby. Tak czy inaczej, pokusa przejścia na stronę wroga w zamian za kawałek chleba sprawiła, że niejeden dezerterował, na ogół najmłodsi spośród rekrutów. Kiedyś Guillem musiał użyć siły, żeby zdyscyplinować chłopaka z Walencji, który ze strachu stracił głowę; celując mu w czoło, groził, że go zabije, jeśli opuści pozycję. Uspokajał go przez dwie godziny i na szczęście nikt nie zauważył tego incydentu. Trzydzieści godzin później chłopiec już nie żył.

Pośród tego piekła, gdy nie mogli liczyć nawet na minimalną aprowizację, czasami pojawiała się karetka z workiem korespondencji. To Aitor Ibarra wziął na siebie misję podniesienia na duchu walczących. Prywatna korespondencja nie należała do priorytetów na froncie nad Ebro i prawdę mówiąc, niewielu żołnierzy otrzymywało listy – cudzoziemcy z Brygad Międzynarodowych ze względu na odległość od rodzin, a wielu spośród Hiszpanów, zwłaszcza tych z południa, dlatego że pochodzili z rodzin niepiśmiennych. Do Guillema Dalmau miał kto pisać. Aitor żartował, że ryzykował własną skórę, żeby dostarczać korespondencję jednemu tylko odbiorcy. Czasem wręczał mu wiele listów naraz, związanych sznurkiem w spory pakunek. Zawsze trafiał się jakiś list od matki i od brata, ale większość wysyłała Roser, która pisała do niego codziennie, jeden czy dwa akapity, a kiedy nazbierało się w ten sposób parę stron, wkładała je do koperty i niosła na punkt poczty wojskowej, podśpiewując najpopularniejszą piosenkę *milicianos*: „Chcesz mi posłać list, kochana, / to wiesz, gdzie ja teraz mieszkam: / Trzecia Brygada Mieszana, / front i linia ognia pierwsza". Nie mogła wiedzieć, że Ibarra pozdrawiał Guillema słowami tej samej piosenki albo jakiejś podobnej, gdy mu wręczał przesyłkę. Bask śpiewał nawet we śnie, żeby odpędzić strach i oczarować swoją dobrą gwiazdę niczym wróżkę, by mu przyniosła szczęście.

* * *

Frankistowskie oddziały nieubłaganie posuwały się naprzód, podbiły już większość kraju i upadek Katalonii był tylko kwestią czasu. Panika ogarnęła miasto, ludzie szykowali się do ucieczki, wielu z nich już to zrobiło. W połowie stycznia 1939 roku Aitor Ibarra zjawił się w szpitalu w Manresie za kierownicą rozklekotanej ciężarówki z dziewiętnastoma ciężko rannymi. Wyruszali w dwudziestu jeden, ale dwóch zmarło w czasie transportu i ich ciała zostały gdzieś po drodze. Wielu cywilnych lekarzy porzuciło pracę, a reszta starała się zapobiec panice wśród pacjentów. Również członkowie rządu republikańskiego zdecydowali się emigrować, licząc na to, że uda im się rządzić na odległość, z Paryża, co tylko podminowało morale ludności cywilnej. W tym czasie narodowcy byli już niespełna dwadzieścia pięć kilometrów od Barcelony.

Ibarra nie spał od pięćdziesięciu godzin. Oddał smutny ładunek i osunął się wyczerpany w ramiona Víctora Dalmau, który wyszedł mu na spotkanie. Umieścił go w swojej królewskiej alkowie, jak nazywał kącik, gdzie pomieszkiwał, na którego wyposażenie składało się łóżko polowe, lampa naftowa i nocnik. Zdecydował się mieszkać w szpitalu, żeby nie tracić czasu na dojazd. Parę godzin później, kiedy miał przerwę w gorączkowej aktywności sali operacyjnej, zaniósł przyjacielowi miskę zupy z soczewicy, suchą kiełbasę, którą matka mu przysłała w tym tygodniu, i dzbanek kawy zbożowej. Nie od razu udało mu się go obudzić. Słaniając się ze zmęczenia, Bask pochłonął wszystko łapczywie i zaczął opowiadać o bitwie nad Ebro ze szczegółami, o których Víctor już słyszał od ciężko rannych przysyłanych do szpitala przez ostatnie miesiące. Według Ibarry armia republikańska została zdziesiątkowana i należało przygotować się na ostateczną klęskę. „W ciągu stu trzynastu dni walki zginęło ponad dziesięć tysięcy naszych i nie wiem, ilu dostało się do niewoli ani jakie były straty ludności cywilnej w zbombardowanych wsiach, nie licząc strat po tamtej stronie", opowiadał Bask. Tak jak przewidział profesor Marcel Lluís Dalmau przed śmiercią, Republika wojnę przegrała. Nie będzie negocjowania rozejmu, na który liczyły władze republikańskie, Franco oczekiwał wyłącznie bezwarunkowej kapitulacji. „Nie wierz frankistowskiej propagandzie, nie będzie litości ani sprawiedliwości. Będzie tylko morze krwi, tak jak w pozostałej części kraju. Jesteśmy w czarnej dupie".

Dla Víctora, który dzielił z Ibarrą tragiczne chwile i widział, że tamten zawsze miał na ustach przekorny uśmiech, śpiewał i żartował, ponura mina przyjaciela mówiła więcej niż jego słowa. Ibarra wyciągnął z plecaka buteleczkę alkoholu, wlał go do lury udającej kawę i podsunął Víctorowi, mówiąc: „Napij się, przyda ci się". Już od dobrej chwili rozważał, jak delikatnie przekazać Víctorowi Dalmau złą wiadomość o jego bracie, ale w końcu wypalił prosto z mostu: Guillem zginął 8 listopada.

– Jak? – Víctorowi nie przyszło do głowy żadne mądrzejsze pytanie.

– Na okopy spadła bomba. Wybacz, Víctorze, wolę oszczędzić szczegółów.

– Powiedz jak – powtórzył Víctor.

– Bomba rozerwała na strzępy wielu żołnierzy. Nie było czasu, żeby kompletować ich ciała. Pochowaliśmy ich w kawałkach.

– Czyli nie mogliście ich rozpoznać.

– Nie mogliśmy ich dokładnie zidentyfikować, Víctorze, ale wiadomo, kto siedział wtedy w okopach. Guillem był wśród nich.

– Ale pewności nie ma, prawda?

– Obawiam się, że jest – powiedział Aitor i wyciągnął z plecaka na wpół spalony portfel, który wyglądał tak, jakby zaraz miał się rozsypać. Víctor ostrożnie zajrzał do środka i wyciągnął wojskowy numer identyfikacyjny Guillema i cudem ocalałe zdjęcie dziewczyny przy fortepianie. Przez parę minut Víctor Dalmau siedział nieruchomo obok pryczy, blisko przyjaciela, jakby mu mowę odjęło. Aitor nie odważył się go uścisnąć, chociaż bardzo chciał, i czekał u jego boku, nieruchomy i milczący.

– To jego narzeczona, Roser Bruguera. Mieli się pobrać po wojnie. – Víctor w końcu się odezwał.

– Współczuję ci, Víctor, będziesz musiał jej to powiedzieć.

– Jest w ciąży, chyba w szóstym czy siódmym miesiącu. Nie mogę jej tego zakomunikować, nie mając stuprocentowej pewności, że Guillem nie żyje.

– Jakich jeszcze dowodów potrzebujesz, Víctorze? Nikt nie uszedł z życiem z tamtej dziury.

– Może wcale go tam nie było.

– Wtedy miałby portfel w kieszeni, gdzieś by był i coś byśmy o nim wiedzieli. Minęły dwa miesiące. Nie wydaje ci się, że portfel to wystarczający dowód?

W weekend Víctor Dalmau pojechał do Barcelony do matki, która czekała na niego z przyprawioną czosnkiem potrawą z czarnego ryżu z ośmiornicą. Porcję ryżu kupiła na czarnym rynku, a za ośmiornicę zapłaciła w porcie zegarkiem męża. Większość tego, co łowili rybacy, konfiskowało wojsko, a drobna część przeznaczona dla ludności cywilnej miała trafić do szpitali i sierocińców – ale każdy wiedział, że nie brakowało ryb na stołach polityków ani w burżuazyjnych hotelach i restauracjach. Widząc, jak bardzo postarzała się jego matka przytłoczona problemami i zmartwieniami, jak zmalała i schudła, patrząc na Roser kwitnącą, promieniejącą wewnętrznym światłem właściwym kobietom w ciąży, z wyraźnym brzuchem, Víctor nie odważył się oznajmić, że Guillem nie żyje; jeszcze trwała żałoba po śmierci Marcela Lluísa. Parę razy zbierał się, by to powiedzieć, ale słowa zamierały mu w piersi i postanowił zaczekać, aż Roser urodzi albo aż się skończy wojna. Uznał, że trzymając na rękach niemowlę, Carme przyjmie z mniejszym bólem wiadomość o stracie syna, a Roser o śmierci ukochanego.

3

·1939·

Minęły dni wieku, przyszły po nich
godziny, odkąd żyjesz na wygnaniu...

PABLO NERUDA
ARTIGAS, Z CYKLU *PIEŚŃ POWSZECHNA*

Tego dnia w końcu stycznia, kiedy rozpoczął się exodus, który później zostanie nazwany Wielką Ewakuacją, w Barcelonie o poranku było tak zimno, że zamarzała woda w rurach, pojazdy i zwierzęta przywierały do lodu, a niebo pokryło się czarnymi chmurami, jakby przeżywało głęboką żałobę. Jak daleko sięgali pamięcią, ludzie nie pamiętali tak srogiej zimy. Oddziały frankistowskie zbliżały się od strony Tibidabo i wszyscy wpadli w panikę. Setki jeńców Armii Narodowej wyciągnięto z cel i stracono w ostatniej chwili. Żołnierze, wśród których było wielu rannych, wyruszyli w kierunku granicy z Francją, poprzedzani całymi tysiącami cywilów, całych rodzin, dziadków, matek, dzieci, niemowląt przy piersi, a każdy z tym, co mógł zabrać, jedni autobusami czy ciężarówkami, inni rowerami, z wózkami, konno, na mułach, a zdecydowana większość pieszo, uginając się pod ciężarem tobołów, w których nieśli dobytek, posępna procesja ludzi ogarniętych rozpaczą. Zostawiali za sobą zamknięte na klucz domy i ukochane przedmioty. Zwierzęta początkowo podążały za kawalkadą, ale wkrótce pogubiły się w zamieszaniu rejterady i zostały w tyle.

Víctor Dalmau przez całą noc przygotowywał rannych, którzy mieli zostać ewakuowani nielicznymi dostępnymi samochodami, ciężarówkami lub pociągiem. Koło ósmej rano zrozumiał, że powinien zastosować się do polecenia ojca i ocalić matkę i Roser, ale nie mógł zostawić pacjentów. Udało mu się odszukać Aitora Ibarrę i przekonać go, żeby wywiózł obie kobiety. Bask miał stary niemiecki motocykl z wózkiem, który w czasie pokoju był jego największym skarbem, ale z braku paliwa nie używał go przez ostatnie trzy lata. Dla bezpieczeństwa trzymał go w garażu kolegi. Uznał, że okoliczności usprawiedliwiają podjęcie ekstremalnych środków i ukradł ze szpitala dwa kanistry benzyny. Motocykl, dzieło znakomitej technologii Teutonów, za trzecim razem zapalił, jakby długa bezczynność nie wpłynęła na jego kondycję. O wpół do jedenastej Aitor zajechał z hałasem i w obłokach spalin przed dom rodziny Dalmau, z trudem wymijając po drodze uciekających ludzi, którzy tłoczyli się na ulicach. Carme i Roser już na niego czekały, bo Víctorowi udało się je zawiadomić. Jego polecenia były jasne: mają trzymać się Aitora Ibarry, przedostać się przez granicę, a po drugiej stronie za pośrednictwem Czerwonego Krzyża zlokalizować Elisabeth Eidenbenz, zaufaną pielęgniarkę. Ona będzie ich kontaktem, kiedy wszyscy znajdą się we Francji.

Kobiety spakowały ciepłą odzież, trochę jedzenia i zdjęcia rodzinne. Do ostatniej chwili Carme wątpiła w sens ucieczki, mówiła, że żadne nieszczęście nie trwa stu lat i być może wystarczy poczekać, a wszystko jakoś się ułoży; nie czuła się na siłach zaczynać życie od początku w nowym miejscu, ale Aitor opowiedział jej, z własnego doświadczenia, co się dzieje, kiedy wkraczają faszyści. Zaczynają od wywieszania wszędzie flag i odprawienia uroczystej mszy na rynku, zmuszając wszystkich do obecności. Zwycięzcy są witani owacyjnie przez tłum wrogów Republiki, którzy przez trzy lata ukrywali swoje poglądy, i przez wielu innych, którzy ze strachu na wszelki wypadek wolą przyklaskiwać i udawać, że nigdy nie brali udziału w rewolucji. Wierzymy w Boga, wierzymy w Hiszpanię, wierzymy we Franco. Kochamy Boga, kochamy Hiszpanię, kochamy generalissimusa Francisca Franco. A zaraz potem zaczyna się czystka. Najpierw aresztują tych, którzy walczyli, jeśli uda się ich zlokalizować, nieważne w jakim stanie, i osoby zadenuncjowane przez innych jako kolaboranci czy podejrzani o jakąkolwiek działalność uznawaną za antyhiszpańską czy antykatolicką, a więc: członków związków zawodowych, partii lewicowych, ludzi wyznających inne religie, agnostyków, masonów, profesorów, nauczycieli, naukowców, filozofów, esperantystów, cudzoziemców, Żydów, Romów i tak dalej, lista ciągnęła się bez końca.

– Reperkusje są barbarzyńskie, pani Carme. Proszę sobie wyobrazić, że odbierają dzieci matkom i umieszczają je w sierocińcach prowadzonych przez zakonnice, gdzie wpajają im jedyną prawdziwą religię i swoisty patriotyzm.

– Moje dzieci są już na to za stare.

– To tylko pierwszy z brzegu przykład. Chcę pani uświadomić, że nie ma innego wyjścia, musi pani jechać ze mną, żeby uniknąć rozstrzelania za walkę z analfabetyzmem rewolucjonistów i za to, że nie chodziła pani do kościoła.

– Słuchaj, młody człowieku, mam pięćdziesiąt cztery lata i gruźliczy kaszel. Długo nie pociągnę. Co mnie czeka na wygnaniu? Wolę umrzeć we własnym domu, w moim mieście, czy jest Franco, czy go nie ma.

Aitor perorował jeszcze kwadrans, próbując ją przekonać, aż wtrąciła się Roser.

– Pani Carme, proszę jechać z nami, ja i pani wnuk pani potrzebujemy. Za jakiś czas, kiedy się gdzieś osiedlimy i będzie wiadomo, jaka jest sytuacja w Hiszpanii, będzie pani mogła wrócić, jeśli zechce.

– Ty, Roser, jesteś silniejsza niż ja i masz więcej energii. Poradzisz sobie beze mnie. Nie płacz, dziewczyno...

– Jak mam nie płakać? Co ja bez pani zrobię?

– No dobrze, ale zapamiętaj sobie, że robię to dla ciebie i dla dziecka. Najchętniej bym została, a co ma być, to będzie.

– Zbierajmy się, najwyższy czas – nalegał Aitor.

– A kury?

– Wypuśćcie je, ktoś się nimi zajmie. Szybko, nie ma na co czekać.

Roser chciała jechać na siedzeniu za Aitorem, ale oboje przekonali ją, żeby wsiadła do wózka, gdzie istniało mniejsze ryzyko uszkodzenia ciąży czy wywołania poronienia. Carme, okutana w swetry i przykryta czarną, wełnianą, nieprzemakalną kastylijską peleryną, ciężką jak dywan, zajęła miejsce z tyłu. Była tak lekka, że gdyby nie ta peleryna, uniósłby ją wiatr. Poruszali się powoli; po drodze wymijali ludzi, pojazdy i juczne zwierzęta, ślizgając się na oszronionej drodze i broniąc się przed desperatami, którzy próbowali siłą się dosiąść.

Paniczna ucieczka tysięcy drżących z zimna istot z Barcelony przypominała dantejski spektakl, dopóki powoli nie przekształciła się w powolną procesję, której tempo nadawali ranni, inwalidzi, starcy i dzieci. Do exodusu dołączyli pacjenci szpitali mogący chodzić o własnych siłach, innych wywieziono pociągami w różnych kierunkach, a reszta była skazana na noże i bagnety Maurów. Wkrótce zostawili za sobą miasto i znaleźli się w polu. Z mijanych po drodze wiosek wychodzili mieszkańcy z pakunkami na wózkach, ciągnąc zwierzęta, i dołączali do ludzkiej rzeki. Jeśli ktoś posiadał coś cennego, wymieniał to na miejsce w nielicznych pojazdach; pieniądze nie były nic warte. Kiedy muły i konie ciągnące wozy uginały się pod ciężarem i padały po drodze, mężczyźni zakładali uprząż i ciągnęli sami, a kobiety popychały z tyłu. Na drodze porzucano przedmioty, których ludzie nie mieli siły nieść dalej, od walizek po meble; również martwi i ranni leżeli tam, gdzie padli, bo nikt nie zatrzymywał się, żeby udzielić im pomocy. Odruchy współczucia znikły, każdy dbał tylko o siebie i swoich bliskich. Samoloty Legionu Condor obniżały lot, siejąc śmierć; zostawał po nich ślad w postaci rzeki krwi zmieszanej z błotem i lodem. Wśród ofiar było dużo dzieci. Brakowało jedzenia. Najbardziej zapobiegliwi zabrali zapasy na dzień lub dwa, inni cierpieli głód, chyba że jakiś wieśniak zdecydował się przyjąć coś na wymianę. Aitor przeklinał teraz swoją decyzję pozbycia się kur. Setki tysięcy przerażonych uciekinierów zmierzało w stronę Francji, gdzie witała ich kampania strachu i nienawiści. Nikt nie czekał na tych cudzoziemców, odrażających, brudnych istot, zbiegów, dezerterów, przestępców, czerwonych, jak ich nazywała prasa; mieli szerzyć epidemie, dopuszczać się gwałtów i kradzieży i podżegać do komunistycznej rewolucji. Od trzech lat pojawiali się Hiszpanie, uciekający przed wojną; przyjmowano ich bez nadmiernej sympatii, ale rozproszeni po całym kraju nie rzucali się w oczy. Po klęsce republikanów zdawano sobie sprawę, że napłynie ich więcej, władze liczyły się z bliżej nieokreśloną liczbą, z dziesięcioma czy piętnastoma tysiącami, co już alarmowało francuską prawicę. Nikomu nie przyszło do głowy, że w ciągu zaledwie paru dni na granicy będzie się tłoczyć prawie pół miliona uchodźców, wycieńczonych, zagubionych, u kresu sił. Natychmiast władze zamknęły przejścia graniczne, a następnie zaczęły rozważać, jak rozwiązać ten problem.

* * *

Wcześnie zapadła noc. Przez chwilę padał deszcz, niedługo, ale ta chwila wystarczyła, by zamienić ziemię w błoto. Potem temperatura spadła kilka stopni poniżej zera i zaczął wiać wiatr, przeszywający zimnem niczym sztyletem do szpiku kości. Wędrowcy musieli się zatrzymać, nie dało się kontynuować marszu w ciemności. Kulili się z zimna tam, gdzie zastała ich noc, przykrywali się mokrymi kocami, matki tuliły dzieci, mężczyźni próbowali chronić swoje rodziny, starcy się modlili. Aitor Ibarra umieścił obie kobiety w wózku, gdzie miały na niego czekać, usunął z motoru kabel, żeby nikt się na niego nie pokusił, i zszedł na bok, szukając miejsca, gdzie mógłby się wypróżnić; od miesięcy nękała go biegunka, jak prawie wszystkich na froncie. Niedaleko drogi natknął się na coś dużego; poświecił latarką i zobaczył leżącego muła, może złamał nogę albo padł z wycieńczenia. Żył jeszcze. Wyciągnął pistolet i dobił go. Ten pojedynczy strzał, różniący się od wrogich serii z karabinu maszynowego, przyciągnął paru ciekawskich. Aitor był przyzwyczajony do słuchania rozkazów, nie ich wydawania, ale w tamtej chwili nieoczekiwanie obudził się w nim talent organizacyjny: mężczyznom przydzielił oprawienie zwierzęcia, a kobietom pieczenie mięsa na małych ogniskach; musiały być jak najmniejsze, żeby nie przyciągać uwagi samolotów. Pomysł podchwycili inni i wkrótce z różnych stron zaczęły dochodzić pojedyncze strzały. Zaniósł Carme i Roser dwie porcje na wpół surowego mięsa i dwa kubki wody, którą zagrzał nad ogniskiem. „Wyobraźcie sobie, że to kawa z koniakiem, tylko bez kawy", powiedział, dolewając do kubków trochę koniaku. Zachował resztę mięsa na później, zakładając, że mróz je zakonserwuje, razem z połową bochenka chleba, zdobytego w zamian za lornetkę włoskiego pilota, rozbitka. Jak przypuszczał, ta lornetka przeszła już przez niejedne ręce, zanim trafiła do niego, i pewnie dalej będzie krążyć po świecie, aż całkiem się rozpadnie.

Carme wykręciła się od jedzenia pod pretekstem, że mięso jest za twarde na jej zęby i oddała swoją porcję Roser. Już przemyśliwała, jak pod osłoną nocy wymknąć się po kryjomu i zniknąć. Ciężko jej było oddychać na mrozie, każdy wdech kończył się kaszlem, czuła ból w klatce piersiowej, dusiła się. „Niechbym wreszcie złapała zapalenie płuc", mamrotała pod nosem. „Pani Carme, proszę tak nie mówić, niech pani pomyśli o synach", przekonywała ją Roser, gdy dosłyszała jej słowa. A jak nie na zapalenie płuc, to może zamarznięcie na śmierć jest dobrym wyjściem, pomyślała Carme; kiedyś czytała, że w ten sposób popełniali samobójstwo starcy na biegunie północnym. Chciała poznać mającego się urodzić wnuka czy wnuczkę, ale to pragnienie stawało się coraz bardziej ulotne, jak sen. Zależało jej tylko na tym, by Roser dotarła cała i zdrowa do Francji, tam urodziła, i by dołączyli do niej Víctor i Guillem. Nie chciała być ciężarem dla młodych, w jej wieku żaden z niej pożytek, sami dotarliby dalej i szybciej. Roser musiała odgadnąć jej intencje, bo pilnowała jej aż do chwili, gdy zmorzył ją sen i skulona zamknęła oczy. Nie słyszała, kiedy Carme się wymknęła, po cichu jak kot.

Pierwszy zauważył jej nieobecność Aitor, kiedy jeszcze było ciemno; nie budząc Roser, poszedł szukać Carme w nieprzebranej masie doświadczonej przez los ludzkości. Latarką świecił pod nogi, żeby na kogoś nie nadepnąć; wyobrażał sobie, że również Carme trudno było się poruszać i nie mogła za bardzo się oddalić. Świt zastał go błądzącego wśród ludzi i tobołków; wołał ją po imieniu, podobnie jak inni, którzy też szukali bliskich. Nagle jakaś mniej więcej czteroletnia dziewczynka, z głosem ochrypłym od płaczu, mokra, sina z zimna, przywarła mu do nogi. Aitor wytarł jej nos, żałując, że nie ma czym okryć małej, i wziął ją na barana, licząc na to, że ktoś ją rozpozna, ale tu nikt się nie przejmował cudzym losem. „Jak ci na imię, ślicznotko?" „Nuria", wyszeptała dziewczynka, a on próbował ją rozweselić, nucąc popularne, wszystkim znane wojskowe przyśpiewki, które od wielu miesięcy stale miał na ustach. „Śpiewaj ze mną, Nuria, śpiewanie jest dobre na smutek", namawiał, ale dziewczynka nadal płakała. Niósł ją w ramionach, przeciskając się wśród ludzi i wołając Carme, aż trafił na stojącą na poboczu ciężarówkę, przy której pielęgniarki rozdawały grupie dzieci chleb i mleko. Kiedy powiedział, że mała szuka rodziny, poleciły mu zostawić ją pod ich opieką, razem z innymi zagubionymi dziećmi z ciężarówki. Godzinę później, gdy poszukiwania Carme nie odniosły skutku, Aitor wrócił do Roser. Wtedy oboje zdali sobie sprawę, że Carme odeszła, zostawiając im pelerynę.

Wstał dzień i zdesperowany tłum wznowił marsz; sprawiał wrażenie ogromnej, ciemnej, przemieszczającej się powoli plamy. Wybuchła panika, kiedy zaczęto rozpowiadać, że granica została zamknięta i że coraz więcej ludzi tłoczy się przy przejściach. Dzieci, starcy i ranni, którzy od wielu godzin nic nie jedli, opadli z sił. Setki pojazdów, od furmanek po ciężarówki, porzucano po obu stronach drogi – albo zwierzęta nie miały siły ciągnąć, albo paliwo się skończyło. Aitor zrezygnował z podążania za tłumem i postanowił przedzierać się przez góry na własną rękę, a nuż się uda znaleźć jakieś niestrzeżone przejście przez granicę. Roser nie chciała wyruszyć bez Carme, ale próbował ją przekonać, że na pewno Carme dotrze do granicy ze wszystkimi i spotkają się we Francji. Kłóciliby się jeszcze długo, gdyby Aitor nie stracił cierpliwości i nie zagroził, że pójdzie sam i zostawi ją na łasce losu. Roser za mało go znała, żeby wiedzieć, czego się po nim spodziewać, dlatego potraktowała jego groźbę poważnie. W dzieciństwie Aitor chodził po górach z ojcem; teraz dałby wiele, żeby mieć starego pod ręką. Nie tylko on wpadł na ten pomysł: różne grupy kierowały się w stronę szczytów. Jeżeli trasa wyglądała na ciężką dla Roser, z brzuchem, spuchniętymi nogami i rwą kulszową, co dopiero mówić o rodzinach z dziećmi i dziadkami czy o żołnierzach po amputacji, owiniętych zakrwawionymi bandażami. Motocykl przydawał się tylko na drodze, teraz Bask zastanawiał się, czy Roser, w jej stanie, da radę iść pieszo.

* * *

Tak jak Aitor przewidział, motocyklem dotarli do podnóża góry; podjechali jeszcze kawałek, motor dymił i chrypiał, aż w końcu się zatrzymał. Dalej musieli iść. Po ukryciu w krzakach maszyny, którą uważał za wierniejszą od najlepszej żony, Aitor ucałował ją na pożegnanie i obiecał, że po nią wróci. Roser pomogła mu przepakować i podzielić bagaż – teraz musieli wszystko nieść na plecach.

Większość rzeczy należało zostawić i ograniczyć się do tego, co niezbędne: ciepłego ubrania, butów na zmianę, resztek jedzenia i francuskich pieniędzy, w które Víctor, zawsze przewidujący, zaopatrzył Aitora. Roser narzuciła na siebie pelerynę i włożyła dwie pary rękawiczek; musiała dbać o dłonie, jeśli jeszcze kiedyś chciała grać na pianie. Zaczęli wspinaczkę. Roser szła powoli, ale była zdeterminowana i nie robiła postojów; Aitor ją popychał i podciągał na trudniejszych odcinkach, żartował i dodawał otuchy, jakby się wybierali na piknik. Ci nieliczni podróżni, którzy wybrali tę samą trasę i dotarli aż tutaj, pozdrawiali ich i szli dalej, nie zatrzymując się. Wkrótce zostali sami. Wąska ścieżka, śliska od lodu, zniknęła. Nogi zapadały się w śniegu. Musieli wymijać skały i powalone drzewa tuż nad brzegiem przepaści. Jeden fałszywy krok i skończyliby sto metrów niżej. Kamasze Aitora, które podobnie jak lornetka należały do oficera wrogiej armii, poległego w walce, były znoszone, ale i tak chroniły jego stopy lepiej niż miejskie obuwie Roser. Oboje szybko stracili czucie w stopach. Ogromna, urwista, biała od śniegu góra wznosiła się groźnie na tle ciemnego nieba. Aitor bał się, że zabłądzą, i zrozumiał, że w najlepszym razie upłynie wiele dni, zanim dotrą do Francji, lecz pod warunkiem że dołączą do jakiejś grupy, bo sami nie mają szans. Przeklinał w duchu swoją decyzję zejścia z głównej drogi, ale uspokajał Roser i zapewniał ją, że zna teren jak własną kieszeń.

Wieczorem dostrzegli w oddali słabe światło i ostatkiem sił dotarli do niewielkiego obozowiska. Z daleka widział ludzkie cienie i Aitor zdecydował się podjąć ryzyko, nawet gdyby to byli narodowcy, bo w przeciwnym razie musieliby spędzić noc zakopani w śniegu. Poprosił, żeby Roser na niego zaczekała, a sam po cichu zakradł się na odległość pozwalającą rozpoznać czterech mężczyzn przy niewielkim ognisku, chudych, zarośniętych, w łachmanach; jeden z nich miał zabandażowaną głowę. Nie posiadali koni, mundurów, wojskowych kamaszy ani namiotów; ci obdartusi nie wyglądali na żołnierzy wrogiego wojska, ale mogli to być zbójnicy.

Na wszelki wypadek odbezpieczył pistolet, ukryty pod płaszczem, niemieckiego lugera, prawdziwy skarb w tych czasach, zdobyty parę miesięcy temu dzięki korzystnej wymianie, i podszedł bliżej, machając przyjaźnie. Jeden z mężczyzn, z karabinem, wyszedł mu na spotkanie, a parę kroków dalej ubezpieczali go dwaj inni ze strzelbami, tak samo ostrożni i nieufni jak on. Mierzyli się wzrokiem z bezpiecznej odległości. W tym momencie zaryzykował i pozdrowił ich po katalońsku i w euskera, *Bona nit! Kaixo! Gabon!* Po chwili ciszy, która Aitorowi wydawała się nie mieć końca, ten wyglądający na szefa przywitał go krótkim *Ongi etorri, burkide!* Aitor zrozumiał, że to jego towarzysze, najprawdopodobniej dezerterzy. Aż się pod nim ugięły nogi, z ulgą. Mężczyźni podeszli bliżej, otoczyli go i upewnieni co do jego pokojowych zamiarów, powitali, poklepując po ramieniu. „Ja jestem Eki, a ci dwaj to Izan i jego brat Julen", powiedział ten z karabinem. Następnie Aitor się przedstawił; wyjaśnił, że jest w towarzystwie ciężarnej kobiety, i poszli razem po Roser. Przyprowadzili ją, podtrzymując pod ramiona, praktycznie niosąc, do skromnego obozowiska, które dla przybyszów wydawało się luksusem, bo miało brezentowy dach nad głową, światło i jedzenie.

Później czas upłynął im na wymianie złych wiadomości i na dzieleniu się puszkami grochu, podgrzewanymi nad ogniskiem, i odrobiną alkoholu z menażki Aitora. Proponował im również mięso z muła i kawałek chleba, który trzymał w plecaku. „Zachowaj te zapasy, wam się przydadzą bardziej niż nam", zdecydował Eki. Dodał, że jutro ma do nich dotrzeć góral z prowiantem. Aitor chciał jednak jakoś wynagrodzić gościnność i oddał im tytoń. W ostatnich dwóch latach tylko ludzie bardzo zamożni i politycy mogli sobie pozwolić na pochodzące z przemytu papierosy, inni musieli się zadowolić mieszanką suszonej trawy i lukrecji, wystarczającą zaledwie na jedno sztachnięcie. Woreczek z angielskim tytoniem Aitora został przyjęty w nabożnym skupieniu. Skręcali papierosy i palili w ciszy, w ekstazie. Roser zjadła swoją porcję grochu, po czym przygotowali dla niej prowizoryczny namiot i butelkę z gorącą wodą, do rozgrzania zmarzniętych stóp. Kiedy ona odpoczywała, Aitor opowiadał gospodarzom o upadku Barcelony, nieuniknionej klęsce Republiki i o chaosie Wielkiej Ewakuacji. Mężczyzn nie zaszokowały te informacje, bo nastawiali się na taki rozwój wypadków. Uszli z życiem z Guerniki, zabytkowego baskijskiego miasta zrównanego z ziemią przez budzące grozę samoloty Legionu Condor, które zostawiły po sobie śmierć i gruzy, i cudem uniknęli ognia wywołanego przez bomby zapalające, kryjąc się w pobliskich lasach. Walczyli do ostatniego dnia w Korpusie Wojska Euzkadi podczas bitwy pod Bilbao. Zanim miasto wpadło w ręce wroga, władze przeprowadziły ewakuację ludności cywilnej do Francji, w czasie gdy żołnierze kontynuowali walkę podzieleni na bataliony. Rok po upadku Bilbao Izan i Julen dowiedzieli się, że ich ojciec i młodszy brat trafili do więzienia frankistowskiego i zostali rozstrzelani. Z całej licznej rodziny przeżyli tylko oni. Wtedy postanowili wykorzystać najbliższą okazję i zdezerterować; demokracja, Republika i wojna straciły sens, sami już nie wiedzieli, o co mieliby walczyć. Błądzili po lasach i urwistych zboczach, w żadnym miejscu nie zatrzymując się dłużej niż parę dni, a za nieformalnego dowódcę uznawali Ekiego, bo dobrze znał Pireneje.

W ostatnich tygodniach, w miarę jak zbliżał się nieuchronnie koniec wojny, natykali się na innych uciekinierów. Nigdzie nie byli bezpieczni. We Francji nie spotkaliby się z szacunkiem należnym pokonanemu wojsku, wycofujących się żołnierzom czy uchodźcom: patrzono by na nich jak na dezerterów. Zostaliby aresztowani i deportowani do Hiszpanii, w ręce generała Franco. Nie mając dokąd się udać, krążyli to tu, to tam małymi grupkami; jedni, chcąc ocalić życie, kryli się w jaskiniach lub w trudno dostępnych miejscach i czekali, aż sytuacja się unormuje, inni z samobójczą determinacją walczyli w partyzantce z potężną armią zwycięską. Nie mogli się pogodzić z ostateczną klęską rewolucyjnych ideałów, którym tyle poświęcili, ani tym bardziej nie chcieli przyjąć do wiadomości, że te ideały zawsze były tylko iluzją. Ale to nie dotyczyło tych napotkanych w górach braci – oni stracili wiarę we wszelkie ideały, ani też Ekiego, który pragnął tylko przeżyć i wrócić kiedyś do żony i dzieci.

Młody mężczyzna z zabandażowaną głową, niebiorący udziału w rozmowie, okazał się Asturyjczykiem. Odniesiona rana sprawiła, że stracił słuch i był jak zamroczony. Jego towarzysze żartowali sobie, że nie mogą się go pozbyć, nawet gdyby chcieli, bo bardzo celnie strzela; z zawiązanymi oczami mógł trafić do zająca, nie zdarzało mu się chybić i to dzięki niemu czasami jedli mięso. Faktycznie, przygotowali parę królików na wymianę za inne produkty, które następnego dnia miał im dostarczyć znajomy góral. Aitor zwrócił uwagę na surową czułość, z jaką pozostali traktowali Asturyjczyka, niczym niedorozwinięte dziecko. Baskowie uznali, że ich goście są małżeństwem i kazali Aitorowi zająć miejsce w namiocie koło żony, a to znaczyło, że dwaj z nich będą musieli spędzić noc pod gołym niebem. „Będziemy się zmieniać", uspokoili go i nie chcieli się zgodzić, żeby również Aitor wziął udział w tej zmianie. Co by to była za gościnność, protestowali.

Aitor położył się obok Roser, zwiniętej w kłębek, żeby chronić brzuch, a on przytulał się do jej pleców, żeby ją ogrzać. Bolały go kości, drętwiał i bał się o bezpieczeństwo, a nawet życie przyszłej matki; czuł się za nią odpowiedzialny, tak jak obiecał Víctorowi Dalmau. Kiedy wspinali się pod górę, Roser przekonywała go, że jest silna i że nie powinien o nią się martwić. „Aitorze, wychowałam się w górach, pasąc kozy zimą i latem, jestem przyzwyczajona do niepogody, nie męczę się tak łatwo". Musiała odgadnąć jego obawy, bo ujęła jego dłoń i położyła sobie na brzuchu, żeby poczuł ruch. „Nie martw się, Aitorze, to dziecko jest bezpieczne i całkiem zadowolone", powiedziała, ziewając. I wtedy ten wesoły, dzielny Bask, który napatrzył się na śmierć i cierpienie, przemoc i zło, zapłakał po cichu z twarzą ukrytą za głową kobiety. Jej zapachu nigdy nie miał zapomnieć. Płakał nad jej losem, bo jeszcze nie wiedziała, że jest wdową, opłakiwał Guillema, który nie pozna swego dziecka ani nie przytuli narzeczonej, opłakiwał Carme, która odeszła bez pożegnania, i opłakiwał siebie samego, bo czuł się bardzo zmęczony i po raz pierwszy w życiu zwątpił w swoją szczęśliwą gwiazdę.

* * *

Następnego dnia wczesnym rankiem zjawił się góral, na którego czekali; jechał powoli na starej szkapie. Przedstawił się jako Ángel, czyli anioł, do usług, i dodał, że imię jest jakby dla niego stworzone, bo faktycznie był aniołem dla uciekinierów i dezerterów. Przywiózł prowiant, na który czekali, naboje do strzelb i butelkę wódki – miała im umilić czas i posłużyć do czyszczenia rany Asturyjczyka. Kiedy zmieniali mu opatrunek, Aitor zauważył, że ma głęboką ranę i wgniecioną czaszkę. Tylko niska temperatura nie dopuściła do infekcji; ten człowiek musiał być z żelaza, skoro jeszcze żył. Góral potwierdził pogłoski o zamknięciu granicy przez Francję już dwa dni temu, co zablokowało setki tysięcy uciekinierów, którzy czekali, przymierając z głodu i zimna na oczach uzbrojonych strażników.

Ángel twierdził, że jest pasterzem, ale Aitor wiedział swoje; wyglądał na przemytnika, jak jego ojciec, to zajęcie przynosiło o wiele więcej korzyści niż wypasanie kóz. Gdy już to sobie wyjaśnili, okazało się, że góral znał starego Ibarrę, bo w tych okolicach wszyscy koledzy po fachu się znali. Przejść granicznych było niewiele, a przeszkód dużo, do tego klimat równie srogi jak władze po obu stronach granicy. W tych okolicznościach solidarność stawała się niezbędna. „Nie jesteśmy przestępcami, świadczymy niezbędne usługi, jak zapewne wiesz od ojca. To prawo popytu i podaży", dodał. Potwierdził, że Francuzi podwoili straże na przejściach i żeby się przedostać do Francji, trzeba było przewodnika, który prowadził sobie tylko znaną drogą, niebezpieczną o każdej porze roku, a najbardziej zimą. On ją dobrze znał, bo na początku wojny wykorzystał tę trasę do przeprowadzenia brygadzistów międzynarodowych do Hiszpanii. „Ci cudzoziemcy to w sumie fajne chłopaki, ale głównie mieszczuchy, dlatego niektórzy odpadli po drodze. Kto się ociągał albo spadł w przepaść, już tam zostawał". Sam zaproponował, że przeprowadzi ich na drugą stronę, i zgodził się przyjąć wynagrodzenie we francuskiej walucie. „Pańska żona może jechać na koniu, a my pójdziemy pieszo", zdecydował.

Rankiem, po wypiciu razem z innymi lury mgliście przypominającej kolorem kawę, Aitor i Roser pożegnali się z mężczyznami i wyruszyli w dalszą drogę. Przewodnik uprzedził ich, że będą szli, dopóki się nie ściemni, i jeśli uda im się nie zatrzymywać częściej niż to konieczne, powinni dotrzeć przed nocą do bacówki. Aitor obserwował go nieufnie, z obawą, czy ich nie zaatakuje. W tej pustce, na nieznanym terenie, łatwo by mu przyszło poderżnąć im gardła. Więcej wartości niż pieniądze miał jego pistolet, scyzoryk, kamasze i peleryna. Szli całymi godzinami, przemoknięci, zmarznięci, u kresu sił, zapadając się w śniegu. Długie odcinki drogi Roser pokonywała pieszo, żeby ulżyć koniowi, o którego jego pan dbał tak, jakby był jego leciwym krewnym. Zatrzymali się parę razy na odpoczynek; pożywili się resztkami mięsa i chlebem, popili roztopionym śniegiem. Kiedy zaczęło się zmierzchać i ledwo widzieli na oczy od szronu na rzęsach, Ángel pokazał im w oddali jakąś wypukłość. Tam mieli się schronić na noc.

W rzeczywistości było to coś w rodzaju zadaszenia z kamieni ułożonych jak cegły jedne na drugich, z wąskim otworem bez drzwi, którym najpierw wepchnęli konia, żeby nie zamarzł na dworze. Otworzyła się przed nimi przestrzeń dużo większa, niż się to zapowiadało z zewnątrz, niska, okrągła, zaopatrzona w drewno, snopki słomy, wiadro na wodę, dwie siekiery i parę naczyń kuchennych. Aitor rozpalił ogień, żeby przyrządzić jednego z królików Ángela, a ten wyciągnął z sakwy wędlinę, twardy ser i ciemny suchy chleb, o wiele lepszy niż ten, który wypiekała Roser w barcelońskiej piekarni. Po posiłku i oporządzeniu konia ułożyli się do snu na słomie, przykryci kocami, przy ognisku. „Jutro, nim wyruszymy w dalszą drogę, musimy zostawić to miejsce tak, jak je zastaliśmy. Trzeba narąbać drzewa i napełnić wiadro śniegiem. I jeszcze jedna sprawa: słuchaj, *gudari*, nie potrzebujesz broni, możesz spać spokojnie. Jestem przemytnikiem, nie bandytą", powiedział Ángel.

***

Pokonywanie Pirenejów zajęło im trzy długie dni i tyleż nocy, ale dzięki Ángelowi nie zabłądzili, nie musieli spać pod gołym niebem i każdy dzień kończyli pod dachem. Drugą noc spędzili w chacie dwóch węglarzy, którzy mieli psa z wyglądu przypominającego wilka. Mężczyźni, których praca polegała na przerabianiu drzewa na węgiel, byli surowi i niezbyt gościnni, ale zgodzili się przyjąć ich pod swój dach za pieniądze. „Uważaj na nich, *gudari*, to Włosi", ostrzegł Ángel Aitora na stronie. To podsunęło Baskowi pomysł, by przekonać ich do siebie paru zapamiętanymi włoskimi piosenkami. Kiedy już lody zostały przełamane, razem zjedli, wypili i wyciągnęli zgraną talię kart. Okazało się, że nie mieli szans z Roser, która w szkole zakonnej nauczyła się grać w tute, a także oszukiwać. Tak tym rozbawiła węglarzy, że bez żalu oddali kawałek suchego salami, o który się założyli. Roser usnęła na workach rozłożonych na ziemi, z nosem w szorstkiej sierści psa, zwiniętego w kłębek przy jej boku, szukającego jej ciepła. Gdy rano się żegnali, ucałowała każdego węglarza trzykrotnie, zgodnie z włoskim zwyczajem, i oświadczyła, że nawet w łóżku na puchowym piernacie nie spałoby się jej wygodniej. Pies odprowadził ich spory kawałek, idąc przy nogach Roser.

Trzeciego dnia wędrówki po południu Ángel oświadczył, że od tego miejsca muszą sobie radzić sami. Byli bezpieczni, teraz zostawało im tylko zejść na dół. „Idźcie tym zboczem, aż znajdziecie starą ruderę. Tam będziecie mogli przenocować". Podzielił się z nimi chlebem i serem, wziął umówioną zapłatę i na pożegnanie uścisnął ich oboje. „Twoja żona to czyste złoto, *gudari*, opiekuj się nią. Przeprowadziłem setki osób, od zaprawionych w boju żołnierzy po kryminalistów, ale nigdy mi się nie trafił ktoś, kto by wszystko znosił bez słowa skargi, tak jak ona. I to z brzuchem. Jestem pełen podziwu".

Kiedy godzinę później zbliżali się do zapowiedzianej rudery, już z daleka zauważyli mężczyznę z karabinem, który wyszedł im naprzeciw. Zatrzymali się, wstrzymując oddech. Aitor trzymał za plecami pistolet gotowy do strzału. Przez chwilę, która wydawała się wiecznością, obserwowali się nawzajem z odległości pięćdziesięciu metrów; w końcu Roser postąpiła krok naprzód, wołając, że są uchodźcami. Gdy mężczyzna zorientował się, że to kobieta i że przybysze są bardziej wystraszeni niż on, opuścił broń i zawołał po katalońsku: *Veniu, veniu, no us faré res**. Nie byli pierwszymi ani nie będą ostatnimi uchodźcami, którzy tamtędy przechodzą, powiedział, i dodał, że tego dnia rano jego syn uciekł do Francji, żeby nie wpaść w ręce frankistów. Zaprowadził ich do rozsypującego się budynku, który miał tylko połowę dachu i klepisko zamiast podłogi, poczęstował resztkami jedzenia, które stały na kuchni, i oddał lichą, ale czystą pryczę, gdzie wcześniej sypiał jego syn. Kiedy parę godzin później zjawiło się kolejnych trzech Hiszpanów, też zostali przyjęci przez tego dobrego człowieka. Rano ugościł ich bulionem, czyli posoloną gorącą wodą z kawałkami ziemniaków i ziołami wzmacniającymi, jak twierdził, odporność na mróz. Pokazał im drogę, a zanim wyruszyli, podarował Roser pięć kostek cukru, wszystkie, jakie posiadał, żeby osłodzić podróż dziecku.

Grupa uchodźców, z Aitorem i Roser na czele, wyruszyła w stronę granicy. Szli przez cały dzień i zgodnie z tym, co im po-

---

* Chodźcie, chodźcie, nic wam nie zrobię (przyp. tłum.).

wiedział Katalończyk, który ich gościł w nocy, pod wieczór dotarli do wzniesienia, a stamtąd dostrzegli jasne okna w domach. Wiedzieli, że to Francja, bo w Hiszpanii nikt nie zapalał świateł z obawy przed nalotami. Schodzili na dół, kierując się światłami, aż dotarli do drogi; nie uszli daleko, bo wkrótce pojawił się wóz *garde mobile*, francuskiej wiejskiej żandarmerii; poddali się bez oporu, bo przecież to była Francja solidarna, Francja wolności, równości i braterstwa, Francja z lewicowym rządem, na czele którego stał socjalista. Żandarmi zrewidowali ich brutalnie i zabrali Aitorowi pistolet, scyzoryk i niewielką ilość pieniędzy, jakie mu jeszcze zostały. Inni Hiszpanie nie mieli przy sobie broni. Zaprowadzono ich do spichlerza przy młynie, przeznaczonego na tymczasowe schronienie dla uchodźców, przybywających setkami. W środku tłoczyło się pełno ludzi, mężczyzn, kobiet i dzieci, ściśniętych, przerażonych, głodnych, duszących się z braku wentylacji w pomieszczeniu gęstym od zbożowego pyłu. Do zaspokojenia pragnienia służyła woda w bidonach podejrzanej czystości. Nie było latryn, tylko otwory w ziemi za szopą, nad którymi musieli kucać pod okiem strażników. Kobiety płakały upokorzone, a strażnicy sobie z nich kpili. Aitor uparł się, żeby towarzyszyć Roser, a kiedy tamci zobaczyli, jak dziewczyna niepewnie chwieje się pod ciężarem brzucha, musieli się zgodzić. Później oboje przycupnęli gdzieś w kącie i podzielili się ostatnim kawałkiem chleba i suchym salami od Włochów, a on starał się chronić ją przed tłumem i przed rozpaczą ogarniającą ludzi przetrzymywanych w szopie. Rozeszła się pogłoska, że to był punkt tranzytowy i że niebawem zostaną przetransportowani do *centre de rétention administrative*, cokolwiek by to miało znaczyć.

Następnego dnia wywieźli kobiety i dzieci wojskowymi ciężarówkami. Rodziny ogarnięte paniką żandarmi rozdzielali siłą. Roser uścisnęła Aitora, podziękowała mu serdecznie za wszystko, co dla niej zrobił, i uspokoiła go, że wszystko będzie dobrze, a następnie spokojnie wsiadła do ciężarówki. „Odnajdę cię, Roser, obiecuję!", Aitor zdążył jeszcze krzyknąć na pożegnanie, po czym padł na kolana, ogarnięty bezsilną złością, i przeklinał los.

* * *

W czasie gdy duża część ludności cywilnej uciekała, jak się dało, w stronę francuskiej granicy, a za nią niedobitki pokonanej armii, Víctor Dalmau, razem z wolontariuszami i lekarzami, którzy jeszcze pozostali w pracy, przygotowywał do ewakuacji rannych ze szpitala – mieli wyruszyć pociągami, karetkami i ciężarówkami. Z powodu ograniczonych możliwości dyrektor szpitala musiał podjąć drastyczną decyzję pozostawienia na miejscu pacjentów w ciężkim stanie, którzy i tak zmarliby w drodze; trzeba było wykorzystać transport dla lepiej rokujących. Jechali upchani w bydlęcych wagonach i w rozklekotanych ciężarówkach, ściśnięci na podłodze, przemarznięci, znużeni, bez jedzenia, niektórzy tuż po operacji, ślepi, po amputacji, z tyfusową gorączką, z dyzenterią czy gangreną. Personel medyczny, nie dysponując środkami przynoszącymi ulgę w cierpieniu, mógł im tylko zaproponować wodę, dobre słowo, a czasem, kiedy umierający o to prosił, modlitwę.

Víctor już dwa lata pracował ramię w ramię z doświadczonymi lekarzami; wiele się nauczył na froncie, a drugie tyle w szpitalu, gdzie nikt go nie pytał o kwalifikacje, tam liczyło się tylko zaangażowanie. Czasem sam zapominał, że brakowało mu paru lat studiów do uzyskania dyplomu, i nie przyznawał się przed pacjentami, że nie jest lekarzem, żeby nie stracili do niego zaufania. Widział potworne rany, uczestniczył w amputacjach bez znieczulenia, asystował przy śmierci wielu nieszczęśników i już mu się wydawało, że ma skórę grubą jak krokodyl, niewrażliwą na cierpienie i przemoc, ale ta dramatyczna podróż wagonami, w charakterze opiekuna, podłamała jego morale. Pociągi docierały do Gerony i tam należało czekać na następny transport. Po trzydziestu ośmiu godzinach bez jedzenia i bez snu, kiedy próbował napoić chłopaczka umierającego na jego rękach, poczuł ból w klatce piersiowej. „Serce mi pękło", wymamrotał. W tym momencie pojął głęboki sens tych słów; wydawało mu się, że słyszy dźwięk pękającego szkła, czuł, że esencja jego istoty rozpływa się, zostawiając po sobie pustkę; nie pamiętał przeszłości, jego świadomość nie ogarniała teraźniejszości, nie miał nadziei na przyszłość. Doszedł do wniosku, że tak musiała wyglądać śmierć z wykrwawienia tych wszystkich mężczyzn, którym nie udało się pomóc. Za dużo bólu, za dużo podłości w tej bratobójczej wojnie; klęska była lepsza niż dalsze zabijanie i umieranie.

Francja obserwowała z przerażeniem, jak na granicy koncentrowała się nieprzeliczona, sponiewierana ludzka masa, którą z trudem, za pomocą broni, utrzymywali na dystans francuscy żołnierze i budzące postrach oddziały kolonialne z Senegalu i Algierii, na koniach, w turbanach, z karabinami i biczami. Kraj mógł nie wytrzymać tego masowego exodusu „niepożądanych", jak ich oficjalnie zaklasyfikowano. Trzeciego dnia wybuchł skandal na arenie międzynarodowej i rząd pozwolił wejść kobietom, dzieciom i starcom. Za nimi powoli wchodzili pozostali cywile, a na końcu żołnierze maszerujący w ostatnim stadium głodu i wyczerpania, rozbrojeni, ale z wzniesioną pięścią. Po obu stronach drogi zalegały całe góry karabinów. Zostali doprowadzeni pod eskortą, pieszo, bez odpoczynku, do zaimprowizowanych naprędce obozów koncentracyjnych. *Allez! Allez-y!*, strażnicy na koniach poganiali ich groźbami, przekleństwami i biczami.

Gdy już wszyscy zapomnieli o rannych, sprowadzono tych, którzy jeszcze trzymali się życia. Razem z nimi wjechali do Francji Víctor i towarzyszący rannym lekarze i pielęgniarze. Było im łatwiej przekroczyć granicę niż pierwszej fali uchodźców, ale nie czekało ich lepsze przyjęcie. Często rannych opatrywano byle jak w szkołach, na dworcach, a nawet na ulicach, bo w miejscowych szpitalach nie znalazło się dla nich miejsce i nikt ich tam nie chciał. W całej masie „niepożądanych" oni najbardziej potrzebowali pomocy. Brakowało środków i personelu medycznego dla tylu pacjentów. Víctorowi pozwolono nadal opiekować się chorymi, za których czuł się odpowiedzialny, i dzięki temu cieszył się względną swobodą.

***

Kiedy rozłączono ją z Aitorem, Roser z innymi kobietami i dziećmi trafiła do obozu Argelès-sur-Mer, trzydzieści pięć kilometrów od granicy, gdzie zgromadzono dziesiątki tysięcy Hiszpanów. Obóz, ogrodzony i pilnowany przez żandarmów i oddziały Senegalczyków, zlokalizowano na plaży. Nic tylko piasek, morze i drut kolczasty. Roser zrozumiała, że byli więźniami pozostawionymi swojemu losowi, i zmobilizowała wszystkie siły, żeby przeżyć za wszelką cenę; skoro wytrzymała przeprawę przez góry, zniesie cokolwiek by się działo – dla dziecka, które nosi w brzuchu, dla siebie samej i dla nadziei, że kiedyś połączą się z Guillemem. Uchodźców trzymano pod gołym niebem, gdzie znosili zimno i deszcz, bez podstawowych warunków higieny: nie było ani latryn, ani wody pitnej. Z drążonych przez nich studni wypływała słona woda, mętna i skażona odchodami, moczem i trupami, których nie usunięto na czas. Kobiety trzymały się w zwartych grupach, żeby się bronić przed seksualną agresją strażników i niektórych uchodźców, którzy po stracie wszystkiego stracili też opory moralne. Roser rękami wygrzebała jamę, w której spała i która chroniła ją przed tramontaną. Lodowaty wiatr niósł ze sobą ostry piasek kaleczący skórę, oślepiający, wbijający się wszędzie i powodujący łatwo ulegające zakażeniu urazy. Raz dziennie rozdawano wodnistą zupę z soczewicy i czasem jeszcze zimną kawę albo przejeżdżały ciężarówki, z których zrzucano bochenki chleba. Mężczyźni walczyli na śmierć i życie, żeby je zdobyć; kobietom i dzieciom dostawały się okruchy, jeśli ktoś z litości podzielił się z nimi swoją porcją. Wielu umierało, od trzydziestu do czterdziestu osób dziennie, najpierw dzieci na dyzenterię, potem starcy na zapalenie płuc, a w następnej kolejności pozostali. Nocami zawsze ktoś dyżurował, żeby budzić innych co dziesięć, piętnaście minut: musieli zmieniać pozycję, żeby we śnie nie zamarznąć na śmierć. Pewna kobieta, która wykopała jamę obok Roser, obudziła się z martwą pięciomiesięczną córeczką, gdy temperatura spadła poniżej zera. Inni uchodźcy zajęli się ciałem dziewczynki, żeby je pochować gdzieś na uboczu. Roser przez cały dzień towarzyszyła matce; kobieta milczała, bez łez, ze wzrokiem utkwionym w dal. W nocy poszła na brzeg i tak długo szła przed siebie, aż zniknęła pod wodą. Nie była wyjątkiem. Kiedyś świat będzie musiał wystawić za te krzywdy rachunek: w obozach francuskich zmarło prawie piętnaście tysięcy osób, z głodu, wycieńczenia, z powodu złego traktowania i chorób. Na każde dziesięcioro dzieci przeżywało jedno.

W końcu władze umieściły kobiety i dzieci w osobnej części plaży, oddzielonej od mężczyzn podwójnymi zasiekami z drutu kolczastego. Zaczęto zwozić materiały do budowy baraków, czym zajmowali się sami uchodźcy; część mężczyzn robiła zadaszenie w sektorze kobiecym. Roser poprosiła o rozmowę z wojskowym, zwierzchnikiem obozu, i przekonała go do zorganizowania reglamentacji tej niewielkiej ilości jedzenia, jaką dysponowano, żeby matki nie musiały walczyć o kawałek chleba dla swoich dzieci. W tym samym czasie Czerwony Krzyż przysłał dwie pielęgniarki ze szczepionkami i mlekiem w proszku, które pouczały kobiety, że wodę przeznaczoną dla niemowląt trzeba filtrować przez szmatkę i gotować parę minut przed użyciem. Przywiozły też koce, ciepłe ubrania dla dzieci i listę rodzin francuskich gotowych zatrudnić Hiszpanki w charakterze pomocy domowej lub do pracy w rodzinnych firmach. Niestety, preferowane były kobiety bezdzietne. Przez pielęgniarki Roser przekazała wiadomość Elisabeth Eidenbenz, w nadziei, że zastanie ją we Francji. „Powiedzcie jej, że jestem szwagierką Víctora Dalmau i że jestem w ciąży".

Elisabeth Eidenbenz najpierw towarzyszyła walczącym na froncie, a potem, w obliczu nieuchronnej klęski, dołączyła do tłumu uchodźców. Biały fartuch i niebieska peleryna ochroniły ją przed zatrzymaniem, kiedy przekraczała granicę. Wiadomość od Roser była jedną z wielu próśb o pomoc i pewnie nie uznałaby jej za priorytetową, gdyby nie nazwisko Víctora Dalmau. Myślała o nim z sympatią jako o nieśmiałym mężczyźnie, który grał na gitarze i chciał się z nią ożenić. Zastanawiała się czasem, co się z nim dzieje, i pocieszała się, że na pewno przeżył. Dzień po otrzymaniu wiadomości udała się do Argelès-sur-Mer w poszukiwaniu Roser Bruguery. Znała pożałowania godne warunki, jakie panowały w obozach koncentracyjnych, a mimo to wzruszył ją widok tej rozczochranej, brudnej, bladej kobiety, z podkrążonymi, zaczerwienionymi od piasku oczami, tak chudej, że wydawało się, jakby brzuch był przyklejony do szkieletu. Mimo zaniedbanego wyglądu Roser trzymała się prosto, mówiła spokojnie i zachowywała się z godnością, jak zawsze. Nic w jej słowach nie pozwalało domyślać się przygnębienia czy rezygnacji, tak jakby miała pełną kontrolę nad sytuacją.

– Víctor podał pani imię jako kontakt i zapewnił, że może pani nam wszystkim pomóc się odnaleźć.

– Kto z tobą jest?

– Na razie nikt, ale dołączą Víctor i jego brat Guillem, ojciec mojego dziecka, Aitor Ibarra, nasz przyjaciel, i prawdopodobnie pani Dalmau, matka Víctora i Guillema. Kiedy dotrą, proszę im powiedzieć, gdzie jestem. Mam nadzieję, że mnie odnajdą, zanim urodzę.

– Słuchaj, Roser, nie możesz tu zostać. Organizuję pomoc dla kobiet w ciąży i dla tych, które karmią piersią. Żaden noworodek nie przeżyje w takim obozie.

Opowiadała, że otworzyła dom dla przyszłych matek, ale zapotrzebowanie przekraczało możliwości, jakimi dysponowali, i że marzyło się jej stworzenie prawdziwego domu matki, oazy dla kobiet i niemowląt pośród wielkiego cierpienia. Miała na oku opuszczony pałacyk w Elnie, ale najpierw trzeba go podnieść z ruin, a to może trwać wiele miesięcy.

– A ty, Roser, nie możesz czekać, musisz natychmiast opuścić to miejsce.

– Jak?

– Dyrektor wie, że cię zabieram. Tak naprawdę zależy im tylko na tym, żeby się pozbyć uchodźców, próbują zmusić wszystkich do repatriacji. Każdy, kto znajdzie opiekę lub pracę, jest wolny. Chodźmy.

– Tu jest wiele kobiet i dzieci, są też ciężarne.

– Zrobię, co w mojej mocy. Wrócę po nie.

Na zewnątrz czekało na nie auto z identyfikatorem Czerwonego Krzyża. Elisabeth uznała, że Roser przede wszystkim potrzebuje ciepłego posiłku, i po drodze zabrała ją do pierwszej lepszej restauracji. Nieliczni klienci, którzy tam się znaleźli o tej porze, nie ukrywali odrazy na widok śmierdzącej żebraczki w towarzystwie schludnej pielęgniarki. Roser zjadła cały chleb, jaki leżał na stole, zanim podano im pieczonego kurczaka. Młoda Szwajcarka prowadziła samochód, jakby to był rower, zygzakiem pośród innych pojazdów, zjeżdżając na pobocza, lekceważyła pierwszeństwo na skrzyżowaniach i znaki drogowe, jakby jej nie obowiązywały, dzięki czemu w krótkim czasie dotarły do Perpignan. Zabrała Roser do czegoś w rodzaju domu matki, w którym schroniło się osiem młodych kobiet, część z nich w ostatnim miesiącu ciąży, inne z noworodkiem przy piersi. Przyjęto ją z typową dla Hiszpanów życzliwością, bez nadmiernego sentymentalizmu, wręczono ręcznik, mydło i szampon i wysłano pod prysznic, a w międzyczasie poszukano dla niej ubrania. Godzinę później Roser stanęła przed Elisabeth czysta, z mokrą głową, ubrana w czarną spódnicę, krótką tunikę, która zakrywała jej brzuch, i buty na obcasie. Tej samej nocy Elisabeth zawiozła ją do domu pary angielskich kwakrów, których poznała na madryckim froncie, gdzie dostarczali żywność i odzież ofiarom konfliktu i zapewniali opiekę dzieciom.

– Posłuchaj, Roser, zostaniesz z nimi, jak długo będzie trzeba, co najmniej do czasu porodu. A potem zobaczymy. To dobrzy ludzie. Kwakrzy są zawsze tam, gdzie są najbardziej potrzebni. To święci, jedyni święci, jakich ja szanuję.

4

· 1 9 3 9 ·

Smakuję cnoty i wady
drobnomieszczańskie mieszkańców przedmieścia...

PABLO NERUDA
PRZEDMIEŚCIA, Z CYKLU POŻÓŁKŁE SERCE

„Królowa Pacyfiku" wypłynęła z Valparaíso na początku maja,
a do portu w Liverpoolu zawinęła dwadzieścia siedem dni później. W Europie wiosna ustępowała miejsca niespokojnemu
latu, witanemu werblami nieuniknionej wojny. Parę miesięcy
wcześniej europejskie mocarstwa podpisały układ monachijski,
umacniający wpływy Hitlera. Cywilizowany świat znieruchomiał,
obserwując ekspansję nazistów. Jednak na pokład „Królowej Pacyfiku" echa zbliżającego się konfliktu docierały przytłumione
odległością i hałasem silników Diesla, dzięki którym to ważące
17702 tony pływające miasto przemierzyło dwa oceany. Stu
sześćdziesięciu dwojgu pasażerom drugiej klasy i czterystu czterdziestu sześciorgu trzeciej rejs się dłużył, ale w pierwszej kla-
sie niedogodności związane z podróżą morską wyciszała wyrafinowana atmosfera; tam dni mijały szybko, a uderzenia fal nie
psuły przyjemności żeglugi. Do górnego pokładu praktycznie
nie dochodził szum silników, tam dominowały miłe dla ucha

dźwięki muzyki tła, konwersacje w różnych językach dwustu osiemdziesięciu pasażerów, nieustanna krzątanina marynarzy i oficerów ubranych na biało od stóp do głów i kelnerów w uniformach ze złotymi guzikami, słychać było orkiestrę i żeński kwartet smyczkowy, i nieustanne pobrzękiwanie kryształowych kieliszków, porcelanowej zastawy stołowej i srebrnych sztućców. Kuchnia odpoczywała tylko o najciemniejszej godzinie przed świtem.

W swoim apartamencie, składającym się z dwóch sypialni, dwóch łazienek, salonu i tarasu, Laura del Solar jęczała, usiłując wbić się w elastyczny gorset, a jej balowa suknia już czekała na łóżku. Przeznaczona była na uroczysty wieczór, przedostatni w czasie tego rejsu, na który pasażerowie pierwszej klasy wyciągali z kufrów najbardziej eleganckie stroje i najcenniejsze klejnoty. W tej drapowanej sukni z niebieskiej satyny z kolekcji Chanel, zamówionej w Buenos Aires, jej krawcowa z Santiago już popuściła sześć centymetrów w szwach, ale po tygodniach spędzonych na statku Laura ledwie się w niej mieściła. Tymczasem przed fazowanym lustrem jej mąż, Isidro del Solar, z zadowoloną miną poprawiał biały krawat dobrany do eleganckiego smokingu. Nie tak łakomy i bardziej zdyscyplinowany niż żona, utrzymywał stałą wagę i w wieku pięćdziesięciu dziewięciu lat nadal uważał się za przystojnego mężczyznę. Niewiele się zmienił, od kiedy się pobrali, podczas gdy ona padła ofiarą macierzyństwa i słodyczy. Laura osunęła się na fotel obity tapicerką gobelinową, spuściła głowę i zrozpaczona załamywała ręce.

– Laurita, co się dzieje?

– Isidro, nie pogniewałbyś się, gdybym ci nie towarzyszyła tej nocy? Boli mnie głowa.

Mąż stanął przed nią z niezadowoloną miną, dzięki której zawsze osiągał swój cel.

– Laurita, zażyj ze dwie aspiryny. Dziś jest kolacja kapitańska. Kosztowało mnie sporo trudu przekupienie majordoma, żeby nam wyznaczył stół w eksponowanym miejscu. Będzie nas przy nim ośmioro i twoja nieobecność rzucałaby się w oczy.

– Ale ja się źle czuję, Isidro...

– Postaraj się. Dla mnie to kolacja biznesowa. Przy stole będzie senator Trueba i dwaj angielscy przedsiębiorcy zainteresowani kupnem mojej wełny. Pamiętasz, wspominałem ci o nich? Już otrzymałem ofertę z fabryki mundurów wojskowych z Hamburga, ale z Niemcami trudno się dogadać.

– Nie sądzę, żeby żona senatora Trueby wzięła w niej udział.

– Ta kobieta to dziwaczka, mówią, że rozmawia z duchami – skomentował Isidro.

– Wszyscy czasami rozmawiamy ze zmarłymi, Isidro.

– Co za głupoty opowiadasz, Laurito!

– Nie mieszczę się w sukni.

– I to ma być problem, te parę kilo nadwagi? Załóż inną. W każdej dobrze wyglądasz – zasugerował to, co do znudzenia powtarzał jej przy wielu okazjach.

– Jak miałam nie utyć? Jedyne, co robiliśmy na statku, to jedzenie i jedzenie.

– No, ale mogłaś ćwiczyć, pływać w basenie na przykład.

– Ja miałabym się pokazać w kostiumie kąpielowym!

– Lauro, nie mogę cię zmusić, ale zrozum, że twoja obecność na kolacji jest bardzo ważna. Nie zostawiaj mnie na lodzie. Pomogę ci zapiąć suknię. Załóż szafirowy naszyjnik, będzie świetnie się prezentował.

– Jest bardzo ostentacyjny.

– Nic podobnego. Jest skromny, w porównaniu z klejnotami, które widzieliśmy na innych kobietach, tu, na statku – zdecydował Isidro, otwierając sejf kluczykiem wyciągniętym z kieszonki kamizelki.

Ona zatęskniła za tarasem z kameliami w domu w Santiago, za Leonardem, bawiącym się w tej oazie spokoju, gdzie ona mogła spokojnie robić na drutach i modlić się z dala od gorączkowej, hałaśliwej aktywności męża. Isidro del Solar był jej przeznaczony, ale małżeństwo ciążyło jej niczym obowiązek. Zazdrościła młodszej siostrze, słodkiej Teresie, zakonnicy klauzurowej, której dzień upływał na medytacjach, pobożnych lekturach i haftowaniu posagu dla narzeczonych z dobrych domów. Podziwiała jej życie poświęcone Bogu, bez męczących rozrywek, bez melodramatów wywoływanych przez dzieci i krewnych, bez użerania się z domową służbą, bez tracenia czasu na wizyty, bez odgrywania roli oddanej małżonki. Isidro był wszechobecny, cały świat krążył wokół niego, jego pragnień i wymagań. Taki był jego dziadek i ojciec, tacy byli wszyscy mężczyźni.

– Rozchmurz się, Laurito – dodawał jej animuszu Isidro, zakładając jej naszyjnik i walcząc z mikroskopijnym zamkiem. – Chcę, żebyś się dobrze bawiła i żeby ta podróż pozostawiła ślad w twojej pamięci.

Niezatarty ślad w jej pamięci pozostawiła podróż, którą odbyli parę lat temu na pokładzie transatlantyku „Normandie", tuż po jego zwodowaniu, z mesą na siedmiuset stołowników, lampami i abażurami zaprojektowanymi przez Renégo Lalique'a, dekoracją w stylu art déco i zimowym ogrodem z egzotycznymi ptakami w klatkach. Pokonując w ciągu zaledwie pięciu dni dystans między Francją a Nowym Jorkiem, państwo del Solar doświadczyli luksusu niespotykanego w Chile, gdzie umiar uważany był za cnotę. Im więcej ktoś miał pieniędzy, tym staranniej je ukrywał i tylko imigranci arabscy, dorobiwszy się na handlu, wystawiali swoje bogactwo na pokaz, ale Laura kogoś takiego nigdy nie spotkała; ci ludzie nie należeli do jej kręgu towarzyskiego i tak miało pozostać. Na „Normandie" odbywała z mężem drugą podróż poślubną, pozostawiwszy piątkę dzieci pod opieką dziadków, angielskiej bony i służących. Czekała ją niespodzianka – podczas rejsu znów zaszła w ciążę, kiedy najmniej się tego spodziewała. Żyła w przekonaniu, że to w trakcie tej krótkiej podróży poczęli Leonarda, biedne stworzenie, jej Dzidziusia. Chłopiec urodził się parę lat po Ofelii, która do tej pory była najmłodsza w rodzinie.

„Królowa Pacyfiku" nie mogła konkurować luksusem z „Normandie", ale też niczego jej nie brakowało. Laura śniadanie jadła w łóżku, zgodnie ze swoim zwyczajem; przed dziesiątą rano ubierała się, żeby pójść na mszę do kaplicy, stamtąd wychodziła na pomost odetchnąć świeżym powietrzem na specjalnie dla niej zarezerwowanym leżaku, a kelner przynosił bulion wołowy i kanapki; później udawała się na obiad, co najmniej czterodaniowy; zaraz potem był podwieczorek, z bułeczkami i ciasteczkami. Ledwie starczało czasu na sjestę i kilka partii kanasty, a już należało się przebierać na koktajl i kolację, robić dobrą minę i udawać, że się słucha cudzych opinii. Wieczorne zabawy należały do rutyny dnia. Isidro był lekki w tańcu i miał dobry słuch, ale ona poruszała się z gracją foki wyrzuconej na brzeg. Na przekąskę o północy, kiedy orkiestra odpoczywała, podawano *foie gras*, kawior, szampan i desery. Odmawiała sobie pierwszych trzech, ale nie mogła się oprzeć słodyczom. Poprzedniej nocy szef kuchni, Francuz z fantazją, zaprezentował prawdziwą czekoladową orgię pod różnymi postaciami, zwieńczoną pomysłową fontanną: z pyszczka kryształowej ryby tryskała rozpuszczona czekolada.

Dla niej ta podróż stała się kolejnym ustępstwem wymuszonym przez męża. Gdyby to rzeczywiście miały być wakacje, wolałaby jechać do swego majątku na południu albo do letniego domu na plaży w Viña del Mar, gdzie czas płynął powoli i rozkosznie. Długie spacery, herbatka pod drzewami, odmawianie różańca z dziećmi i służbą. Dla męża ta podróż do Europy stanowiła okazję do zacieśniania kontaktów zawodowych i towarzyskich oraz przygotowywania gruntu pod nowe interesy. Miał wypełniony terminarz na każdą stolicę, którą planowali odwiedzić. Laura czuła się oszukana, to nie są prawdziwe wakacje, ale Isidro był wizjonerem, jak sam siebie określał. W rodzinie Laury uważano to za podejrzane; łatwość zarabiania pieniędzy w handlu wyróżniała nowobogackich, *parvenus* czy nuworyszy, karierowiczów. Tolerowali ten defekt Isidra, ponieważ nikt nie podważał jego pochodzenia, a wywodził się on z dobrej rodziny kastylijsko--baskijskiej, bez domieszki krwi arabskiej czy żydowskiej. Pochodził z rodu del Solar o nieposzlakowanej opinii, z wyjątkiem jego ojca, który w dojrzałym wieku zakochał się w zwykłej nauczycielce i zdążył spłodzić z nią dwójkę dzieci, zanim romans się wydał. Jego liczna parantela i inne rodziny z dobrego towarzystwa stanęły murem za małżonką i legalnymi potomkami, ale on nie chciał porzucić kochanki. Skandal go pogrążył. Isidro miał wtedy piętnaście lat. Mimo że nadal mieszkał w tym samym mieście, nigdy więcej nie zobaczył ojca, który spadł o kilka stopni w surowej hierarchii klasowej i usunął się ze swego dawnego otoczenia. Tego dramatu nie komentowano głośno, ale wszyscy o nim wiedzieli. Bracia opuszczonej małżonki wyznaczyli jej niewielką pensję i znaleźli pracę dla Isidra, najstarszego z rodzeństwa, który musiał porzucić szkołę. Chłopiec okazał się bardziej inteligentny i przedsiębiorczy niż cała jego parantela razem wzięta i w ciągu paru lat osiągnął poziom materialny odpowiadający jego pochodzeniu. Szczycił się tym, że nic nikomu nie zawdzięczał. W wieku dwudziestu dziewięciu lat, kiedy już się dorobił na różnych interesach akceptowanych w jego środowisku, takich jak hodowla owiec w Patagonii, import antyków z Ekwadoru i Peru oraz majątek ziemski, może niezbyt dochodowy, ale dodający mu prestiżu, dzięki czemu cieszył się dobrą reputacją, poprosił o rękę Laury Vizcarra. Rodzina narzeczonej, wywodząca się od don Pedra de Vizcarra, pełniącego obowiązki gubernatora Kolonii w XVI wieku, była klanem katolickim, ultrakonserwatywnym, niedbającym o wykształcenie i wsobnym: jego członkowie żyli, żenili się i umierali we własnym gronie, nie mieszając się z innymi i nie wykazując zainteresowania nowymi prądami epoki. Nie interesowały ich nauka, sztuka i literatura. Isidro został przyjęty, ponieważ zyskał sobie powszechną sympatię, ale

też potrafił wykazać, że jest spokrewniony z rodem Vizcarra
ze strony matki.

* * *

Na pokładzie „Królowej Pacyfiku" Isidro del Solar spędził dwadzieścia parę dni na kultywowaniu znajomości i uprawianiu sportu:
grał w ping-ponga i trenował szermierkę. Rano truchtem okrążał
parę razy pokład, a kończył dzień po północy w towarzystwie przyjaciół i znajomych w barze i salonie dla palaczy, gdzie damy nie
były mile widziane. Panowie o interesach wspominali tylko mimo-
chodem, bo okazywanie zainteresowania tym tematem nie należało
do dobrego tonu, natomiast kwestie polityczne budziły żywe zainteresowanie. Śledzili aktualne wydarzenia dzięki gazetce pokłado-
wej; były to dwie kartki zadrukowane wiadomościami z telegrafu,
rozprowadzane rano wśród pasażerów. Po południu te informacje
już się dezaktualizowały; wszystko zmieniało się w zawrotnym tempie, znajomy świat wywracał się do góry nogami. W porównaniu
z Europą odległe Chile na szczęście było rajem zacofania. Owszem,
mieli akurat rząd centrolewicowy, a prezydent, mason, znienawi-
dzony przez prawicę, reprezentował Partię Radykalną (w „dobrych
domach" nie wymawiało się jego nazwiska), ale ktoś taki na pewno długo nie porządzi. Ta pospolita lewica z jej prymitywnym re-
alizmem nie zagrzeje długo miejsca w Chile, już oni się o to po-
starają. Isidro dołączał do żony w porze obiadu i popołudniowych
spektakli. Na statku było kino, teatr, sala koncertowa, cyrk, brzu-
chomówcy i hipnotyzerzy oraz jasnowidze; ich pogadanki wywoły-
wały fascynację dam i kpiny mężczyzn. Isidro, ekstrawertyk i syba-
ryta, cieszył się życiem z cygarem w jednej i kieliszkiem w drugiej
ręce, nie przejmując się zgorszeniem małżonki, której zdaniem
ta nieuzasadniona wesołość miała posmak grzechu i rozpusty.

Laura przeglądała się w lustrze i z trudem powstrzymywała łzy.
Ta suknia wyglądałaby wspaniale na innej kobiecie, myślała; ona

nie zasługuje ani na nią, ani na prawie nic z tego, czym dysponowali. Zdawała sobie sprawę ze swojej uprzywilejowanej pozycji; miała szczęście, rodząc się w rodzinie Vizcarra i wychodząc za mąż za Isidra del Solar, również z wielu innych przywilejów, otrzymanych nie wiadomo jakim cudem, bez żadnego wysiłku czy świadomego dążenia z jej strony. Zawsze ktoś się nią opiekował i jej usługiwał. Wydała na świat sześcioro dzieci i w życiu nie zmieniła pieluchy ani nie przygotowała butelki z mlekiem; tym się zajmowała poczciwa Juana, która nadzorowała mamki i służbę. Juana wychowała jej dzieci, poczynając od najstarszego, już prawie dwudziestodziewięcioletniego Felipe. Laurze nigdy nie przyszło do głowy zapytać Juanę, ile ona ma lat ani od jak dawna pracuje w jej domu, nie pamiętała też, skąd się u nich wzięła. Bóg zbyt hojnie ją obdarował. Dlaczego właśnie ją? Czego oczekiwał w zamian? – nie miała pojęcia, i ten dług wobec Boga nie dawał jej spokoju. Na „Normandie" z ciekawości wybrała się obserwować życie na pokładzie trzeciej klasy, wbrew zakazom mieszania się z pasażerami z innego poziomu ze względów sanitarnych, jak mogła przeczytać na drzwiach swojej *suite*. Gdyby tak nieszczęśliwie się złożyło, że pojawi się przypadek gruźlicy czy innej zakaźnej choroby, mogłoby się to skończyć dla wszystkich kwarantanną, pouczył ją oficer, który ją przywołał do porządku. To, co Laurze udało się zobaczyć, potwierdziło jej obserwacje z czasów, gdy w towarzystwie członkiń Stowarzyszenia Katolickich Dam udawała się rozdawać dary ludziom z marginesu: że biedacy dziwnie pachną, mają inny kolor i ciemniejszą cerę, matowe włosy, wyblakłe ubranie. Kim byli pasażerowie trzeciej klasy? Nie chodzili w łachmanach i nie znajdowali się w tak beznadziejnej sytuacji jak biedacy w Santiago, ale pokrywała ich ta sama szara niczym popiół patyna. „Dlaczego oni, a nie ja?", zastanawiała się wtedy Laura z mieszanymi uczuciami ulgi i wstydu. Pytanie to rozbrzmiewało w jej głowie jak natrętny hałas. Na „Królowej Pacyfiku" podział na klasy był podobny jak na „Normandie", ale kontrast mniej się rzucał w oczy, bo czasy się zmieniły i ich parowiec nie obfitował w luksusy. Owi pasażerowie klasy turystycznej, jak nazywano teraz tych z niższych pokładów, którzy wsiedli na pokład w Chile, Peru i w innych portach na Pacyfiku, to byli funkcjonariusze, urzędnicy, studenci, drobni handlowcy, imigranci, wybierający się z wizytą do rodziny w Europie. Laura zdała sobie sprawę, że spędzali czas o wiele przyjemniej niż pasażerowie pierwszej klasy, że panowała tam odświętna, wesoła atmosfera, ludzie śpiewali, tańczyli, popijali piwo, urządzali gry i konkursy i nikt nie zakładał tweedowej marynarki do obiadu, jedwabnej sukni na popołudniową herbatkę i stroju wieczorowego do kolacji.

W przedostatnią noc na statku Laura, stojąc w balowej sukni przed lustrem, wyperfumowana, z naszyjnikiem odziedziczonym po matce, marzyła o kieliszku sherry z paroma kroplami waleriany, po którym najchętniej położyłaby się do łóżka, zasnęła i spała całymi miesiącami, aż do końca podróży, aż znów się znajdzie w przyjaznej atmosferze domu, w swoich chłodnych pokojach, z Leonardem. Bardzo za nim tęskniła, co za męczarnia przebywać tak długo z dala od syna; może po powrocie on jej nie pozna, niestety, jego pamięć była zawodna, jak wszystko w nim. A może jest chory? Lepiej o tym nie myśleć. Bóg dał jej pięcioro normalnych dzieci, a później zesłał tego aniołka, czystą, niewinną duszyczkę. Spałaby, gdyby dało się spać. Frustracja trawiła jej żołądek, Laura czuła szmery w klatce piersiowej. „To zawsze ja muszę ustąpić, a Isidro robi, co chce, na pierwszym miejscu on, na drugim on i na trzecim on, tak mi powtarza, jakby to miało śmieszyć, a ja się na to zgadzam. Wolałabym być wdową!", pomyślała. Nie, trzeba odpędzić powracające grzeszne myśli modlitwą i pokutą. Pragnienie śmierci drugiej osoby to grzech śmiertelny; owszem, Isidro ma zły charakter, ale jest znakomitym mężem i ojcem, nie zasługuje na to perwersyjne życzenie własnej żony, kobiety, która mu przysięgła lojalność i posłuszeństwo, kiedy się pobierali, przysięgła przed ołtarzem. „Wariatka ze mnie, na dodatek gruba", westchnęła i nagle ten wniosek wydał się jej zabawny. Mimo woli na jej twarzy pojawił się wesoły uśmiech, co jej mąż uznał za zgodę. „To mi się podoba, moja śliczna", powiedział i wszedł do łazienki, nucąc coś pod nosem.

* * *

Ofelia weszła do apartamentu rodziców bez pukania. W wieku dziewiętnastu lat nie pozbyła się dziecięcej arogancji, kiedyż ona w końcu dorośnie, wzdychał jej ojciec i nadal rozpieszczał prezentami swoją ulubienicę, jedyną z całej szóstki potomstwa, która była podobnie jak on śmiała i uparta, odporna na wszelkie zabiegi wychowawcze. W szkole nie przykładała się do nauki, skończyła ją tylko dlatego, że zakonnice chciały się jej pozbyć. Niewielkie poczyniła postępy podczas dwunastu lat nauki, ale udało się jej ukryć swoją ignorancję, bo sprawiała miłe wrażenie, wyczuwała, kiedy lepiej się nie odzywać, i miała wyostrzony zmysł obserwacji. Opanowanie historii czy tabliczki mnożenia przekraczało jej możliwości, ale znała na pamięć teksty wszystkich piosenek, jakie nadawano przez radio. Ojciec obawiał się, że ta roztargniona, kokieteryjna dziewczyna o wyzywającej urodzie może się stać łatwym łupem dla mężczyzn bez skrupułów. Wszyscy oficerowie na pokładzie i połowa pasażerów płci męskiej, nawet starcy, nie spuszczali z niej oka, co do tego nie miał wątpliwości. Niejeden wychwalał przed nim jej talent, niby że chodziło o akwarele, które Ofelia malowała na pokładzie, ale nie po to się tam kręcili, żeby podziwiać banalne obrazki, tylko z całkiem innego powodu. Nie mógł się doczekać, kiedy Matías Eyzaguirre, człowiek o krańcowo odmiennym charakterze, ożeni się z nią i przejmie całą odpowiedzialność, a on będzie mógł wreszcie odetchnąć, ale też dobrze było trochę poczekać, bo jeśli wyjdzie za mąż za wcześnie, tak jak jej siostry, szybko zmieni się w zgryźliwą matronę.

Z perspektywy Chile, kraju położonego na odległym południowym krańcu Ameryki, podróż do Europy stawała się długą, kosztowną odyseją, na którą niewiele rodzin mogło sobie pozwolić. Państwo del Solar nie należeli do grona właścicieli największych chilijskich fortun, co byłoby możliwe, gdyby ojciec Isidra zostawił mu w spadku to, co sam odziedziczył i co w całości przepuścił, zanim porzucił rodzinę, ale niewiele im do tego poziomu brakowało. W każdym razie pozycja towarzyska bardziej niż od pieniędzy zależała od pochodzenia. W przeciwieństwie do wielu zamożnych rodzin o mentalności prowincjonalnej Isidro uważał za konieczne zobaczyć świat. Chile było wyspą, ograniczoną od północy niegościnną pustynią, od wschodu nieprzystępnym łańcuchem Andów, od zachodu Pacyfikiem, a od południa zamarzniętym kontynentem, Antarktydą; nie bez powodu Chilijczycy dusili się we własnym sosie, podczas gdy za granicą nabierał zawrotnego tempa wiek XX. Isidro traktował podróżowanie jako niezbędną inwestycję. Obu synów, ledwie osiągnęli stosowny wiek, wysłał do Stanów Zjednoczonych i do Europy, i chętnie zaproponowałby to samo córkom, ale wyszły za mąż, nim znalazł stosowną chwilę, żeby się tym zająć. Starał się nie popełnić podobnego błędu w przypadku Ofelii; musiał wyciągnąć ją z zatęchłej, świętoszkowatej atmosfery Santiago, żeby nabrała kulturalnej ogłady. Miał cichą nadzieję, skrywaną nawet przed żoną, że uda się zostawić Ofelię w szkole dla panien w Londynie na zakończenie ich podróży po Europie. Rok lub dwa lata brytyjskiej edukacji dobrze by jej zrobiły: mogłaby się podciągnąć z angielskiego, którego uczyła się od dziecka z boną i prywatnymi nauczycielami, tak jak pozostałe dzieci, oczywiście z wyjątkiem Leonarda. Angielski może stać się językiem przyszłości, chyba że Niemcy przejmą kontrolę nad Europą. Szkoła w Londynie to było to, przez co jego córka powinna przejść, zanim wyjdzie za Matíasa Eyzaguirrego, oficjalnego, wieloletniego narzeczonego, który tymczasem robił karierę.

Ofelia zajmowała drugi pokój w ich apartamencie, z osobnym wejściem. W jej kabinie ciągle panował chaos: pootwierane kufry, walizki i pudła na kapelusze, rozrzucone ubrania, buty i kosmetyki, na podłodze rakiety tenisowe i modne czasopisma. Zdając się na służących, dziewczyna nie zastanawiała się, kto po niej sprząta i porządkuje cały ten zamęt, i beztrosko szła przez życie, siejąc wokół siebie rozgardiasz. Wystarczyło zadzwonić i jak za dotknięciem czarodziejskiej różdżki zjawiał się ktoś ze służby. Tej nocy wyciągnęła z bałaganu lekką, dopasowaną sukienkę, a kiedy ojciec ją w niej zobaczył, zawołał zdegustowany:

– Skąd panna wzięła ten strój prostytutki?

– Takie są teraz modne, papo. Chciałby mnie ojciec widzieć w habicie jak ciotkę Teresę?

– Proszę sobie za wiele nie pozwalać. Co by Matías sobie pomyślał, gdyby Ofelię zobaczył w tym stroju!

– Otworzyłby usta z wrażenia, jak zawsze, papo. Proszę sobie nie robić złudzeń, nie mam zamiaru za niego wyjść.

– To po co tyle czasu zawracać mu głowę?

– To dewot.

– A co, lepiej, żeby był atcistą?

– Ani jedno, ani drugie, papo. Mamo, przyszłam pożyczyć naszyjnik babci, ale widzę, że już go mama założyła. Ładnie wygląda.

– Ależ proszę, dziecko, na młodej osobie lepiej będzie się prezentował – szybko zareagowała matka i zaczęła manipulować przy zapięciu.

– Ani mi się waż, Lauro! Zapomniałaś, że chcę cię w nim widzieć dziś w nocy? – zamknął temat mąż.

– Co za różnica, Isidro, naszej córce byłoby w nim do twarzy.

– Nie gadaj głupstw! Dość tego. Ofelio, proszę założyć szal albo kamizelkę, ten dekolt jest za duży – polecił, mając jeszcze w pamięci wstyd, jakiego się najadł na balu maskowym wydanym z okazji przekroczenia równika, kiedy Ofelia zaprezentowała się przebrana za odaliskę: z welonem na twarzy i w skąpej piżamie.

– Papciu, może papcio udawać, że mnie nie zna. Na szczęście nie muszę siadać do stołu z tymi starymi nudziarzami. Mam nadzieję, że przytrafią mi się jacyś przystojniacy.

– Proszę liczyć się ze słowami! – zdążył jeszcze upomnieć ją ojciec, zanim wyszła, wyginając się jak tancerka flamenco.

Kolacja kapitańska zdaniem obu pań del Solar ciągnęła się bez końca. Po deserze, na który podano wulkan bez i lodów z płomieniem w środku, matka wycofała się z migreną do apartamentu, a córka w salonie powetowała sobie wcześniejszą nudę, tańcząc swinga granego przez doborowych trębaczy. Wypiła za dużo szampana i zakończyła tańce w dyskretnym miejscu na pokładzie, całując się ze szkockim oficerem, który miał włosy w kolorze marchewki i ciekawskie ręce. Tam ją znalazł ojciec. „Na litość boską, co za wstyd! Czy Ofelia nie wie, że plotki lecą jak na skrzydłach? Matías dowie się, zanim jeszcze przybijemy do portu w Liverpoolu. Na pewno!"

* * *

W Santiago, w domu przy ulicy Mar del Plata, panował nastrój przedłużonych wakacji. Państwo od czterech tygodni podróżowali i już nawet pies za nimi nie tęsknił. Ich nieobecność nie miała wpływu na codzienną rutynę ani nie ujmowała obowiązków służbie, ale przynajmniej nie trzeba było się spieszyć. Przez radio cały czas leciały słuchowiska, bolera i futbol, każdy mógł sobie pozwolić na sjestę. Nawet Leonardo, bardzo przywiązany do matki, wydawał się zadowolony i przestał o nią pytać. To była ich pierwsza rozłąka, i zamiast płakać z tego powodu, Dzidziuś wykorzystał czas, żeby poznać zakazane zakątki tej trzypiętrowej posiadłości, ze strychem, garażem, piwnicą i mansardą na poddaszu. Opieka nad domem i młodszym bratem przypadła najstarszemu synowi, ale Felipe wywiązywał się z tego zadania powierzchownie, bo nie leżała mu rola głowy rodziny, absorbowały go o wiele ciekawsze sprawy. Najbardziej palącym tematem politycznym stała się kwestia uchodźców hiszpańskich, tak więc nie interesowało go, czy podano do stołu wodnistą zupę czy raki, czy przypadkiem Dzidziuś nie śpi w łóżku z psem, nie sprawdzał też domowych rachunków i kiedy zasięgano jego opinii w jakiejkolwiek kwestii, odpowiadał, żeby robili tak jak zawsze.

Juana Nancucheo, Metyska, z ojca Kreola i matki Indianki z plemienia Mapuczów z odległego południa, w trudnym do określenia wieku, niewysoka, ale solidnej budowy, jak stare pnie w dziewiczych lasach, z długim warkoczem i oliwkową cerą, o surowych obyczajach, lojalna z zasady, zarządzała domem od niepamiętnych czasów. Z wprawą dyrygowała trzema służącymi, kucharką, praczką, ogrodnikiem i mężczyzną, do którego należało pastowanie podłóg, przynoszenie drewna i węgla, opieka nad drobiem i wykonywanie ciężkiej roboty; nikt nie pamiętał jego imienia, mówiono o nim po prostu „człowiek na posyłki". Jedyną osobą niepodlegającą Juanie był szofer; mieszkał nad garażem i słuchał tylko poleceń państwa, chociaż, jej zdaniem, ta sytuacja stwarzała okazję do wielu nadużyć; na wszelki wypadek miała go na oku, nie ufała mu, przekonana, że sprowadza do siebie kobiety. „W tym domu jest za dużo służby", powtarzał Isidro del Solar. „To kogo ma pan zamiar wyrzucić, szefie?", natychmiast ucinała temat. „Nikogo, tak tylko mówię", szybko się wycofywał. „Coś w tym jest", Juana w duchu przyznawała mu rację; dzieci już wyrosły i wiele pokoi zamknięto na głucho. Dwie najstarsze córki były zamężne i już miały własne dzieci, drugi syn studiował zmiany klimatyczne na Karaibach („A co tu studiować, klimat trzeba znosić jaki jest, i tyle", twierdziła Juana), natomiast Felipe się wyprowadził. Zostawała najmłodsza córka, panienka Ofelia, która miała wyjść za mąż za takiego miłego, dżentelmeńskiego, zakochanego po uszy panicza Matíasa, no i Dzidziuś, jej aniołek, który zawsze przy niej będzie, bo nigdy nie dorośnie.

Państwo wcześniej też podróżowali, kiedy dzieci były małe, zanim urodził się Leonardo, a ona zostawała niczym pani na włościach. Wtedy wypełniała swoje obowiązki bez najmniejszego zarzutu, ale tym razem państwo postanowili zlecić nadzór Felipemu, tak jakby ona okazała się za głupia do tej roli. Tyle lat służyła rodzinie i tak jej odpłacają, myślała. Chciała się spakować i odejść, ale nie wiedziała dokąd. Miała sześć czy siedem lat, gdy została podarowana Vicentemu Vizcarrze, ojcu Laury, w rewanżu za jakąś przysługę. To było wtedy, kiedy pan Vizcarra handlował szlachetnymi gatunkami drewna, ale już nic nie zostało z tamtych pachnących lasów na terenach Mapuczów, obalonych piłą i siekierą: zostały zastąpione pospolitymi drzewami, stojącymi w równych rzędach jak żołnierze na apelu, przeznaczonymi na papier. Juana, wtedy bosa smarkula, po hiszpańsku znała zaledwie parę słów – jej językiem był mapudungún. Mimo że wyglądała na dzikuskę, Vizcarra przyjął ją, bo odmowę dłużnik potraktowałby jako straszną zniewagę. Zabrał ją do Santiago i przekazał żonie, która z kolei powierzyła małą służącym, żeby ją przyuczyły do podstawowych prac, resztę Juana opanowała sama, a jej jedyną szkołą była umiejętność słuchania i posłuszeństwo. Kiedy Laura, jedna z córek rodziny Vizcarra, wyszła za mąż za Isidra del Solar, towarzyszyła jej jako służąca. Juana kalkulowała, że w tym czasie mogła mieć jakieś osiemnaście lat, chociaż nikt nie zadbał o wyrobienie metryki i oficjalnie nie istniała. Od samego początku Isidro i Laura del Solar wyznaczyli jej rolę gosposi i darzyli pełnym zaufaniem. Któregoś dnia odważyła się zapytać nieśmiało, czy może państwo zechcieliby płacić jej trochę, nie dużo, „i przepraszam, że o to proszę", ale ona ma pewne wydatki, pewne potrzeby. „Ależ, na Boga, przecież należysz do rodziny, jak mielibyśmy ci płacić!", usłyszała w odpowiedzi. „Przepraszam, ale do rodziny nie należę, ja tylko służę". Wtedy Juana Nancucheo zaczęła otrzymywać wypłatę; uszczuplała ją o słodycze dla dzieci i o nową parę butów raz w roku, resztę oszczędzała.

Nikt nie znał lepiej niż ona każdego członka rodziny, była strażniczką ich sekretów. Kiedy urodził się Leonardo i okazało się, że jest inny niż pozostali, z tą jego słodką buzią lunatyka, Juana postanowiła żyć tak długo, jak będzie trzeba nim się opiekować, aż do końca. Dzidziuś miał problemy z sercem i zdaniem lekarzy nie było mu pisane długie życie, ale instynkt i uczucie kazały Juanie wątpić w tę diagnozę. Dzięki jej cierpliwości chłopiec nauczył się jeść sam i korzystać z łazienki. Inne rodziny ukrywały takie dzieci i wstydziły się, jakby Bóg ich pokarał, ale dzięki niej Dzidziuś uniknął takiego traktowania. Jeśli tylko był czysty, nie krzyczał i nie tupał nogami, rodzice przedstawiali go gościom tak samo jak pozostałe dzieci.

＊＊

Felipe, najstarszy syn, był oczkiem w głowie Juany Nancucheo i po narodzinach Leonarda nadal nim pozostał, ale każdego z nich kochała inaczej. Uważała Felipe za swojego mentora, za kogoś, kto będzie jej podporą na starość. Zawsze był dobrym dzieckiem i dla niej takim pozostał. Pod presją rodziny wybrał zawód adwokata, ale tak naprawdę interesowały go sztuka, konwersacje, idee, nic, z czego, zdaniem ojca, miałby jakiś pożytek. Felipe uczył Juanę czytać, pisać i rachować, w miarę jak on sam opanowywał tę sztukę w szkole katolickiej, w której pobierały edukację dzieci z najbardziej konserwatywnych, liczących się w kraju rodzin. To była ich wspólna tajemnica. Juana ukrywała jego psoty, a on stawał się dla niej źródłem wiedzy o świecie. „Co panicz teraz czyta, paniczu Felipe?" „Poczekaj, jak skończę, to ci opowiem; to o piratach", albo: „Nic, co by cię zainteresowało, Juano, to o Fenicjanach; oni żyli wieki temu i nikogo nie obchodzą, nie wiem, czemu księża uczą nas tych głupot". W miarę jak Felipe rósł wzwyż, również doroślał, ale nadal opowiadał jej, co czyta i co się dzieje na świecie; później pomógł jej zainwestować oszczędności w akcje na giełdzie, takie same, jakie kupował Isidro del Solar. W odruchu sympatii zakradał się do jej pokoju i podkładał pod poduszkę pieniądze albo cukierki. Ona dbała o jego zdrowie, bo był chorowity, ciągle się przeziębiał i cierpiał na żołądek, kiedy się zdenerwował lub zjadł coś ciężkostrawnego. Niestety, jej Felipe dorównywał w naiwności Leonardowi, nie wyczuwał fałszu ani perfidii innych ludzi. Mówiono o nim, że jest idealistą. Poza tym był roztargniony, ciągle coś gubił i miał słaby charakter – dawał się wykorzystywać.

Pożyczał ludziom pieniądze, nie licząc na zwrot, i angażował się w szlachetne akcje, które Juana uważała za bezużyteczne, bo świat jest, jaki jest, i nic na to nie poradzisz. Nie ożenił się, i słusznie, bo żadna kobieta nie zniosłaby jego fanaberii, przystających raczej świętym z kalendarza niż rozsądnemu dżentelmenowi. Również Isidro del Solar nie doceniał bezinteresowności syna; w jego uporządkowanej wizji świata mieściły się tylko akcje charytatywne. „Pewnego dnia zakomunikuje nam nowinę, że właśnie został komunistą", wzdychał. Dyskusje ojca z synem były straszne. Kończyły się trzaskaniem drzwiami, zawsze z powodów niezwiązanych z rodziną, takich jak sytuacja w kraju i na świecie, która zdaniem Juany żadnego z nich bezpośrednio nie dotyczyła. Po jednej z takich kłótni Felipe znalazł sobie mieszkanie parę ulic dalej i wyprowadził się od rodziców. Juana głośno zaprotestowała, bo kto to widział, żeby dobrze wychowany młodzieniec opuszczał dom, zanim się ożeni, ale członkowie rodziny przyjęli to mniej dramatycznie. Felipe nie zniknął, codziennie przychodził na obiad i wciąż należało pamiętać o jego diecie, a także prać i prasować jego ubranie tak, jak sobie tego życzył. Juana zaglądała do jego mieszkania, żeby nadzorować pracę służących, dwóch chudych i, jej zdaniem, brudnych Indianek. To tylko dodawało jej obowiązków, lepiej by został w kawalerskim pokoju, gderała. Wyglądało na to, że konflikt między Felipem i jego ojcem nigdy się nie skończy, ale poważny atak kolki wątrobowej doñi Laury zmusił ich do zawieszenia broni.

Juana zachowała w pamięci przyczynę ich konfliktu, nie dało się o niej zapomnieć, ponieważ wstrząsnęła całym krajem i do tej pory mówiono o niej w radiu. To się działo wiosną ubiegłego roku w czasie wyborów prezydenckich. Z trzech kandydatów faworytem Isidra del Solar był milioner oskarżany o spekulacje; Felipe zamierzał głosować na drugiego, przedstawiciela Partii Radykalnej, edukatora, adwokata i senatora; trzecim natomiast był generał sprawujący wcześniej urząd prezydenta jak dyktator, popierany w wyborach między innymi przez partię nazistowską. Ten nie podobał się nikomu z rodziny. W dzieciństwie Felipe miał kolekcję ołowianych żołnierzyków w pruskich mundurach, ale stracił całą sympatię do Niemców, kiedy Hitler doszedł do władzy. „Juano, widziałaś tych nazistów defilujących w brunatnych mundurach i z podniesionym ramieniem w centrum Santiago? Przecież to żałosne!" Tak, widziała ich i słyszała o tym Hitlerze, Felipe już wcześniej o nim wspominał.

– Pański ojciec uważa, że wygra jego kandydat.

– Tak, bo tu zawsze wygrywa prawica. Partie popierające generała chciały temu przeszkodzić i próbowały wywołać zamach stanu. Ale im się nie udało.

– Powiedzieli przez radio, że paru chłopców zabili jak psy.

– To była, Juano, garstka podekscytowanych nazistów. Zajęli budynek Uniwersytetu Chilijskiego i jeszcze jeden, naprzeciwko pałacu prezydenta. Karabinierzy i wojskowi szybko ich spacyfikowali. Wyszli z podniesionymi rękami, nieuzbrojeni, ale i tak zastrzelono ich wszystkich. Mieli rozkaz, żeby nie oszczędzać nikogo.

– Pański ojciec mówił, że sobie na to zasłużyli, bo to kretyni.

– Juano, nikt na coś takiego nie zasługuje. Ojciec powinien liczyć się ze słowami. To była rzeź niegodna Chile. Atmosfera w kraju wrze, co prawicę kosztowało porażkę w wyborach. Jak wiesz, Juano, wygrał Pedro Aguirre Cerda. Mamy prezydenta radykała.

– A co to takiego?

– To człowiek o postępowych poglądach. Zdaniem mojego ojca jest lewakiem. Każdy, kto myśli inaczej niż ojciec, to dla niego lewak.

Dla Juany lewa i prawa to były kierunki ulic, nie osób, a nazwisko prezydenta nic jej nie mówiło. Nie pochodził ze znanej rodziny.

– Pedro Aguirre Cerda reprezentuje Front Ludowy, utworzony przez partie centrowe i lewicowe, podobnie jak w Hiszpanii i we Francji. Pamiętasz, co ci mówiłem o hiszpańskiej wojnie domowej?

– Czyli tu też może się tak skończyć.

– Mam nadzieję, że nie, Juano. Gdybyś mogła głosować, głosowałabyś na Aguirre Cerdę. Obiecuję ci, że kiedyś nadejdzie dzień, gdy kobiety wezmą udział w wyborach prezydenckich.

– A pan na kogo głosował, paniczu Felipe?

– Na Aguirre Cerdę. To najlepszy kandydat.

– Pańskiemu ojcu ten jegomość się nie podoba.

– A mnie tak i tobie również.

– Ja tam nie wiem.

– To bardzo źle, kobieto, że nie wiesz. Front Ludowy reprezentuje robotników, rolników, górników z północy, osoby takie jak ty.

– Ale ja nikim takim nie jestem i pan też nie. Ja jestem służącą.

– Ty, Juano, należysz do klasy robotniczej.

– Z tego, co wiem, pan jest paniczem, nie rozumiem, dlaczego głosował pan za klasą robotniczą.

– Brak ci wykształcenia. Prezydent mówi, że rządzenie polega na edukacji. Bezpłatne szkoły powszechne, obowiązkowe dla wszystkich chilijskich dzieci. Opieka zdrowotna dla wszystkich. Wzrost zarobków. Zwiększenie roli związków zawodowych. I co ty na to?

– Mnie tam wszystko jedno.

– Jesteś strasznie zacofana, Juano! Nie może ci być wszystko jedno! Widać, że nie chodziłaś do szkoły.

– A pan, paniczu Felipe, taki wyedukowany, a sam nie umie nawet nosa wysmarkać. A skoro już rozmawiamy, to proszę, żeby mi tu pan nie przyprowadzał ludzi bez uprzedzenia. Kucharka się gniewa, a ja się denerwuję, czy później goście nie zaczną krytykować, że nie umiemy ich podjąć jak Bóg przykazał. Pańscy koleżkowie mogą sobie być bardzo wykształceni, ale sięgają po likiery naszego pana bez pytania. Niech no tylko pański ojciec wróci, zobaczymy, co powie, kiedy odkryje ubytki w piwnicy.

* * *

To była ostatnia sobota miesiąca, dzień nieformalnego zebrania Klubu Oburzonych, grupy koleżków Felipe, jak ich nazywała Juana Nancucheo. Zazwyczaj spotykali się w jego kawalerce, ale pod nieobecność rodziców przyjmował ich w domu przy Mar del Plata, gdzie mogli liczyć na wspaniałe jedzenie. Mimo że nie podobało się jej to towarzystwo, Juana robiła, co mogła, żeby zdobyć dla nich świeże ostrygi, a kucharka, baba złośliwa, ale znająca swój fach, przygotowywała wyśmienite potrawy. Przyjaciele Felipa, jak wszyscy mężczyźni z ich sfery, bywali w Klubie Unii, gdzie poruszano zarówno sprawy osobiste, jak i kwestie finansowe i polityczne kraju, ale ponure salony z panelami z ciemnego drewna, żyrandolami z kryształowymi łezkami i pluszowymi fotelami nie bardzo się nadawały do ożywionych dyskusji filozoficznych, jakie prowadzili Oburzeni. Ponadto do Klubu Unii należeli sami mężczyźni, a o wiele ciekawsze były spotkania ożywiane obecnością kobiet, wolnych i niezależnych, artystek, pisarek, wytrawnych podróżniczek, na przykład amazonki z chorwackim nazwiskiem, podróżującej samotnie do miejsc, których nie ma na mapie. Stałym tematem przez trzy lata okazała się sytuacja w Hiszpanii, a w ostatnich miesiącach los uchodźców republikańskich, wegetujących i umierających od stycznia w obozach koncentracyjnych we Francji. Masowy exodus z Katalonii w kierunku granicy francuskiej zbiegł się w czasie z katastrofalnym trzęsieniem ziemi w Chile, najgorszym w historii tego kraju. Chociaż Felipe uważał się za niereformowalnego racjonalistę, dostrzegał w tym zbiegu okoliczności moralne zobowiązanie do współczucia i solidarności. Bilans trzęsienia ziemi – ponad dwadzieścia tysięcy ofiar i zrujnowane miasta – budził grozę, ale tragedia hiszpańskiej wojny domowej, z setkami tysięcy zabitych, rannych i uchodźców, była o wiele większa.

Tego wieczoru zaszczycił ich gość specjalny, trzydziestoczteroletni Pablo Neruda, uważany za najwybitniejszego poetę swego pokolenia, a to w Chile prawdziwy wyczyn, bo tam od poetów aż się roiło. Niektóre z jego *Dwudziestu poematów o miłości* stały się częścią kultury popularnej i nawet analfabeci znali je na pamięć. Neruda pochodził z południa, z krainy deszczu i drewna; ten syn robotnika kolejowego recytował wiersze grobowym głosem i mówił o sobie, że ma toporny nos i maluśkie oczy. Mimo że uważano go za osobę kontrowersyjną, z powodu sławy i sympatii do lewicy, zwłaszcza do Komunistycznej Partii Chile, której aktywistą miał się stać w przyszłości, powoływano go na urząd konsula w Argentynie, Birmie, Sri Lance, Hiszpanii, a ostatnio we Francji, ponieważ, jak twierdzili jego wrogowie polityczni i literaccy, kolejne rządy chciały trzymać go jak najdalej od kraju. Tuż przed wybuchem wojny domowej zaprzyjaźnił się w Madrycie z intelektualistami i poetami, takimi jak Federico García Lorca, zamordowany przez frankistów, i Antonio Machado, który zmarł we Francji w przygranicznej miejscowości podczas Wielkiej Ewakuacji. Opublikował *Hiszpanię w sercu*, hymn na cześć walczącej Republiki, w pięciuset numerowanych egzemplarzach, wydrukowanych przez *milicianos* Armii Wschodniej w opactwie Montserrat na papierze spreparowanym z tego, co było pod ręką podczas wojennej zawieruchy, od zakrwawionych koszul po wrażą flagę. Poemat ukazał się również w Chile, na zwykłym papierze, ale Felipemu udało się zdobyć jeden z oryginalnych egzemplarzy. „...i ulicami krew dzieci / płynęła zwyczajnie, jak krew dzieci. [...] Przyjdźcie zobaczyć krew na ulicach, / przyjdźcie zobaczyć / krew na ulicach / przyjdźcie zobaczyć krew na ulicach!" Neruda żarliwie pokochał Hiszpanię, znienawidził faszyzm i tak bardzo się przejął losem pokonanych republikanów, że udało mu się przekonać nowego prezydenta, by przyjął pewną liczbę uchodźców w Chile, pomimo zdecydowanego sprzeciwu partii prawicowych i Kościoła. Klub Oburzonych zaprosił go, żeby o tym porozmawiać. Przyjechał do Santiago po tygodniach ubiegania się w Argentynie i Urugwaju o pomoc materialną dla uchodźców. Jak pisała prawicowa prasa, inne kraje dawały pieniądze, ale żaden nie chciał przyjąć czerwonych, tych gwałcicieli zakonnic, morderców, ludzi obeznanych z bronią, ateistów pozbawionych skrupułów i Żydów, którzy mogli stanowić zagrożenie dla bezpieczeństwa kraju.

Neruda poinformował Oburzonych, że w najbliższych dniach wyjeżdża do Paryża jako nadzwyczajny konsul do spraw emigracji hiszpańskiej.

– W delegaturze chilijskiej we Francji nie chcą ze mną rozmawiać, oni wszyscy po cichu popierają prawicę i są zdecydowani storpedować moją misję – narzekał poeta. – Rząd wysyła mnie bez grosza, a muszę zdobyć statek. Ciekawe, jakim cudem.

Wyjaśnił, że otrzymał rozkaz wyselekcjonowania specjalistów, którzy mogliby przekazać swoją wiedzę robotnikom chilijskim, osoby spokojne i uczciwe, żadnych polityków, dziennikarzy czy intelektualistów, bo z nimi nigdy nic nie wiadomo. Według Nerudy, kryterium chilijskie w kwestii emigracji zawsze było rasistowskie, konsulowie otrzymywali poufne instrukcje, by odmawiać wizy osobom różnych kategorii, ras i narodowości, poczynając od Romów, czarnych i Żydów, aż po tak zwanych ludzi ze Wschodu, cokolwiek by to miało znaczyć. Do ksenofobii dochodził teraz aspekt polityczny, żadnych komunistów, socjalistów czy anarchistów, ale ponieważ konsulowie nie otrzymali jeszcze w tej sprawie instrukcji na piśmie, pozostawał im pewien margines swobody.

Neruda otrzymał zadanie godne Herkulesa: musiał sfinansować i przygotować statek, wyselekcjonować imigrantów i zdobyć dla nich wymaganą przez rząd kwotę gwarantującą im utrzymanie, gdyby nie mieli w Chile krewnych ani znajomych, u których mogliby się zatrzymać. Musiał zdeponować w Banku Centralnym trzy miliony w walucie chilijskiej, zanim pasażerowie wsiądą na statek.

– O jakiej liczbie uchodźców rozmawiamy? – zapytał Felipe.

– Powiedzmy jakieś tysiąc pięćset osób, ale pewnie będzie więcej, bo jak mielibyśmy ściągnąć mężczyzn, a zostawić kobiety i dzieci.

– Kiedy tu przyjadą?

– W końcu sierpnia albo na początku września.

– Czyli mamy mniej więcej trzy miesiące na zorganizowanie pomocy materialnej i znalezienie dla nich zakwaterowania i pracy. Potrzebna jest też kampania informacyjna, żeby przeciwdziałać propagandzie prawicy i nastawić opinię publiczną pozytywnie do tych Hiszpanów – powiedział Felipe.

– To będzie łatwe. Zwykli ludzie sympatyzują z republikanami. Większość kolonii hiszpańskiej w Chile, Baskowie i Katalończycy, gotowi są pomóc.

O pierwszej nad ranem Oburzeni pożegnali się i Felipe odwiózł poetę swoim fordem. Kiedy wrócił, Juana już na niego czekała w salonie z dzbankiem gorącej kawy.

– Co się dzieje, Juano? Nie śpisz jeszcze?

– Słuchałam, co mówili pańscy koleżkowie.

– Podsłuchiwałaś?

– Pańscy koleżkowie jedzą jak wygłodzeni więźniowie, że nie wspomnę o tym, ile piją. A te wymalowane lalunie piją jeszcze więcej niż mężczyźni. Brak im ogłady, nie mówią ani dzień dobry, ani dziękuję.

– Nie wierzę, że czekałaś na mnie tylko po to, żeby mi to powiedzieć.

– Czekałam na pana, bo chciałam spytać, czemu ten poeta jest taki sławny. Jak zaczął recytować, myślałam, że nigdy nie skończy, gadał głupotę za głupotą, o rybach w kamizelkach, o oczach pełnych zmierzchu, to jakaś choroba?

– Metafory, Juano. To jest poezja.

– Takie głupoty to może pan wmawiać swojej babci, niech spoczywa w pokoju. Ja dobrze wiem, czym jest poezja, bo mapudungún jest czystą poezją. Założę się, że pan o tym nie wiedział! I ten cały Neruda na pewno też nie. Od wielu lat nie słyszę mojego języka, ale jeszcze pamiętam. Poezja to coś, co zostaje w głowie, czego się nie zapomina.

– Aha. A muzyka to coś, co można zanucić, prawda?

– Święte słowa, paniczu Felipe.

***

Isidro del Solar otrzymał telegram od Felipe w ostatnim dniu pobytu w hotelu Savoy, po spędzeniu całego miesiąca z żoną i córką w Wielkiej Brytanii. W Londynie zaliczyli obowiązkowe atrakcje turystyczne, robili zakupy, chodzili do teatru, na koncerty i na wyścigi konne. Ambasador Chile w Anglii, który był jednym z licznych kuzynów Laury Vizcarra, oddał im do dyspozycji oficjalny samochód, żeby mogli zwiedzić prowincję i zobaczyć uniwersytety w Oksfordzie i Cambridge. Także dzięki niemu otrzymali zaproszenie na obiad do zamku jakiegoś diuka czy markiza, nie mieli pewności co do tytułu, ponieważ w Chile tytuły szlacheckie zostały wycofane już dawno i nikt o nich nie pamiętał. Ambasador wprowadził ich w zasady postępowania i stroju: powinni udawać, że nie zauważają służby, natomiast pozdrawiać psy, nie rozmawiać o jedzeniu, ale wychwalać róże, założyć codzienne ubranie, i żeby, broń Boże, nie było nowe, żadnych falban ani jedwabnych krawatów, bo szlachta na prowincji nosiła się z wiejska. Wybrali się do Szkocji, gdzie Isidro uzyskał kontrakt na swoją wełnę z Patagonii, i do Walii, gdzie chciał zrobić to samo, ale bez powodzenia.

W tajemnicy przed żoną i córką Isidro wybrał się do pewnej *finishing school* dla panien, szkoły z tradycjami, usytuowanej w imponującej siedemnastowiecznej rezydencji naprzeciwko pałacu i ogrodów Kensington. Tam Ofelia mogłaby się uczyć dobrych manier, sztuki towarzyskiego obycia, przyjmowania gości, układania menu; zasad takich jak właściwa postawa, wywieranie dobrego wrażenia, urządzanie domu, i zdobywać inne niezbędne umiejętności. Jaka szkoda, że jego żona niczego takiego nie umie, myślał Isidro, byłby to świetny interes utworzyć podobną instytucję w Chile i zadbać o edukację tylu miejscowych panien bez ogłady. Trzeba będzie się nad tym zastanowić w przyszłości. Na razie wolał nie wtajemniczać Ofelii w swoje plany, żeby nie zaczęła się awanturować i nie zepsuła im reszty podróży. Powie jej o tym w ostatniej chwili, a wtedy może sobie tupać nogami do woli.

Znajdowali się właśnie w hotelu, w salonie pod szklaną kopułą, prawdziwej symfonii bieli, złota i kości słoniowej, pijąc obowiązkową herbatę o piątej po południu w filiżankach z porcelany w kwiatuszki, kiedy zjawił się boy hotelowy w admiralskim mundurze i wręczył im telegram od Felipa. „Uchodźcy poety zajmą pomieszczenia. Juana nie chce oddać kluczy. Proszę o instrukcje". Isidro przeczytał trzy razy i przekazał Laurze i Ofelii.

– Jaja sobie robi czy co?

– Bardzo cię proszę, tylko bez takich słów przy pannience.

– Mam nadzieję, że Felipe nie zaczął czegoś zażywać – wycedził przez zęby.

– Co mu odpowiesz?

– Niech idzie do diabła.

– Nie denerwuj się, Isidro. Lepiej w ogóle nie odpowiadać, sprawy same się ułożą.

– O co chodzi mojemu bratu? – zainteresowała się Ofelia.

– Nie mam pojęcia. Nic, co by nas dotyczyło – odpowiedział ojciec.

Kolejny telegram, o identycznej treści, zastał ich w hotelu w Paryżu. Isidro czytał, choć z trudem, „Le Figaro", bo opanował podstawy francuskiego w szkole, a nie mając pojęcia o angielskim, w Anglii nie mógł śledzić wiadomości. Z gazety dowiedział się, że Francuska Partia Komunistyczna i Służba Ewakuacji Hiszpańskich Uchodźców nabyły statek towarowy „Winnipeg" i teraz dostosowywały go do przewozu prawie dwóch tysięcy uchodźców do Chile. O mało nie dostał zawału. Tylko tego nam brakowało w ciężkich czasach, wymamrotał. Najpierw prezydent z Partii Radykalnej, później apokaliptyczne trzęsienie ziemi, a teraz chcą zaludnić kraj komunistami. Teraz dopiero telegram ujawnił swój ponury sens: syn miał zamiar ni mniej, ni więcej, tylko umieścić tę hołotę w jego domu. Szczęście, że Juana stała na straży kluczy.

– Czy mógłby mi papa wyjaśnić, o co chodzi z tymi uchodźcami? – zainteresowała się Ofelia.

– Posłuchaj, kwiatuszku, w Hiszpanii źli ludzie wywołali rewolucję, coś potwornego. Wojsko się zbuntowało w obronie ojczyzny i moralności. Oczywiście odniosło zwycięstwo.

– Jakie zwycięstwo?

– W wojnie domowej. Ocalili Hiszpanię. Ci uchodźcy, o których pisze Felipe, to tchórze, którzy uciekli i teraz są we Francji.

– Dlaczego uciekli?

– Bo przegrali i musieliby ponieść konsekwencje.

– Isidro, wydaje mi się, że wśród uchodźców jest dużo kobiet i dzieci – wtrąciła się nieśmiało Laura. – Tu piszą, że to setki tysięcy...

– Wszystko jedno. Co Chile ma z tym wspólnego? To wszystko przez tego Nerudę! Tego komunistę! Felipe wstydu nie ma, jakby nie był moim synem. Już ja z nim porozmawiam, jak wrócimy.

Laura, łapiąc go za słowo, zasugerowała, że najlepiej będzie wrócić do Santiago, zanim Felipe zrobi jakieś głupstwo, ale w gazecie pisali, że statek wypłynie w sierpniu. Czasu mieli aż nadto, żeby jechać do wód termalnych w Évian, zwiedzić Lourdes i kościół Świętego Antoniego w Padwie w Italii, gdzie Laura mogła się wywiązać z licznych ślubowań, udać się do Watykanu po błogosławieństwo na prywatnej audiencji u nowego papieża Piusa XII, osiągniętej dzięki znajomościom i pieniądzom, zanim wrócą do Anglii. Tam pozostawi Ofelię w *finishing school*, choćby siłą, i uda się z żoną w podróż powrotną do Chile na pokładzie „Królowej Pacyfiku".

II

EMIGRACJA, MIŁOŚĆ I ROZSTANIA

5

· 1939 ·

Dla nas więc tylko zostawmy gniew, łzy i ból,
nimi napełniać trzeba pustkę przeraźliwą,
i niech ognisko w nocy zapalone
przypomni nam blask spadającej gwiazdy.

PABLO NERUDA
JOSÉ MIGUEL CARRERA (1810), Z CYKLU *PIEŚŃ
POWSZECHNA*

Víctor Dalmau spędził kilka miesięcy w obozie koncentracyjnym
w Argelès-sur-Mer, nie wiedząc, że Roser też przeszła przez ten
obóz. Nie miał wiadomości od Aitora, ale zakładał, że wywiązał
się z zadania. Wtedy, kiedy on tam trafił, w obozie przebywali prawie wyłącznie żołnierze republikańscy, dziesiątki tysięcy, cierpiąc
głód, nędzę, przemoc fizyczną i upokorzenia ze strony strażników.
Warunki nadal były nieludzkie, ale najgorszą zimę mieli już za
sobą. Więźniowie robili, co mogli, żeby przeżyć i nie zwariować.
Podzieleni na partyjne frakcje, jak w czasie wojny, zwoływali rewolucyjne mityngi. Śpiewali, czytali, co im wpadło w ręce, uczyli czytać i pisać tych, którzy tego nie umieli, wydawali gazetkę – odręcz-
nie zapisaną kartkę, krążącą z rąk do rąk – i starali się zachować
godność: strzygli włosy, wyłapywali sobie nawzajem wszy, myli

się i prali odzież w lodowatej morskiej wodzie. Podzielili obóz na ulice, nadając im poetyckie nazwy, na piasku i błocie wyznaczyli aleje i place jak w Barcelonie, stworzyli orkiestrę bez instrumentów, wykonującą muzykę klasyczną i popularną w restauracjach, gdzie serwowano niewidzialne jedzenie, opisywane szczegółowo przez kucharzy i degustowane w wyobraźni przez konsumentów. Z tego, co było pod ręką, klecili szopy, baraki i lepianki. Świat stał u progu nowej wojny, a oni żyli nadchodzącymi wiadomościami i rozważali szanse wyjścia na wolność. Jeśli ktoś miał konkretny zawód, znajdował zatrudnienie w samym obozie lub na zewnątrz, ale większość, zanim trafiła do wojska, była rolnikami, drwalami, pasterzami, rybakami, jednym słowem, nie umiała nic, co przydałoby się Francji. Cały czas władze poddawały ich naciskowi, sugerując repatriację; zdarzało się, że uchodźcy faktycznie dawali się oszukać i trafiali na hiszpańską granicę.

Víctor na tej piekielnej plaży znalazł się w niewielkiej grupie lekarzy i pielęgniarzy, zajmującej się opieką nad chorymi, rannymi i szaleńcami. Wszyscy go znali jako tego, który ożywił serce martwego chłopca na Dworcu Północnym. Dzięki temu cieszył się ślepym zaufaniem pacjentów, mimo że przekonywał ich, aby w poważniejszych sprawach zasięgali rady prawdziwych lekarzy. Doba okazywała się za krótka na wszystkie jego obowiązki. Nie popadł w zniechęcenie ani depresję, dręczące większość uchodźców, przeciwnie, praca dostarczała mu emocji porównywalnych ze szczęściem. Był tak samo wychudzony i osłabiony jak wszyscy w obozie, ale nie czuł głodu, czasem nawet oddawał innym własną nędzną porcję suszonego dorsza. Jego towarzysze twierdzili, że żywi się piaskiem. Pracował od świtu, ale po zachodzie słońca jeszcze zostawało mu parę godzin. Wtedy sięgał po gitarę i śpiewał romantyczne piosenki, zalecane niegdyś przez matkę jako lekarstwo na nieśmiałość. Rzadko miał okazję wykonywać je podczas wojny, ale ich nie zapomniał. Oczywiście intonował także piosenki rewolucyjne, śpiewane chórem przez wszystkich. Gitara należała do młodego Andaluzyjczyka; chłopak nie rozstawał się z nią przez całą wojnę, wyruszył na wygnanie, nie wypuszczając jej z ręki i trzymał ją przy sobie w Argelès-sur-Mer do końca lutego, kiedy pokonało go zapalenie płuc. Ponieważ Víctor opiekował się nim do śmierci, Andaluzyjczyk zostawił mu gitarę w spadku. To był jeden z nielicznych prawdziwych instrumentów w obozie; dźwięki innych, wyobrażonych, imitowali ludzie z dobrym słuchem.

W kolejnych miesiącach w obozie stopniowo zmniejszało się przeludnienie. Starzy i chorzy umierali i chowano ich na pobliskim cmentarzu. Niektórym szczęśliwcom udawało się dzięki protekcji zdobyć wizę emigracyjną do Meksyku i Ameryki Południowej. Wielu żołnierzy wstąpiło do Legii Cudzoziemskiej, mimo brutalnej dyscypliny, jaka w niej panowała, i wątpliwej reputacji azylu dla kryminalistów, bo wszystko było lepsze od pozostawania w obozie. Ci, którzy spełniali warunki formalne, znaleźli pracę przez Stowarzyszenie Cudzoziemskich Robotników, utworzone w celu zastąpienia francuskiej siły roboczej, zmobilizowanej w obliczu wojny. Z pozostałych część wybierze się później do Związku Radzieckiego walczyć w Armii Czerwonej, inni przystąpią do francuskiego ruchu oporu. Będą ginąć tysiącami, jedni w nazistowskich obozach zagłady, drudzy w stalinowskich łagrach.

Pewnego kwietniowego dnia, gdy nieznośny zimowy chłód ustąpił miejsca wiośnie i zapowiadały się już pierwsze letnie upały, wezwano Víctora do biura komendanta obozu, gdzie ktoś na niego czekał. Zobaczył Aitora Ibarrę w słomkowym kapeluszu i białych butach. Przybysz przyglądał się dobrą minutę, zanim w tym obdartym strachu na wróble, jakiego miał przed sobą, rozpoznał Víctora. Objęli się wzruszeni, ze łzami w oczach.

– Nie masz pojęcia, bracie, jak trudno było cię odnaleźć. Nie ma cię na żadnej liście, już myślałem, że nie żyjesz.

– Prawie. A ty czemu zgrywasz eleganta?

– Raczej przedsiębiorcę. Później ci wyjaśnię.

– Co z Roser i moją matką?

Aitor poinformował go o zniknięciu Carme. Przeprowadził dochodzenie, ale niczego konkretnego się nie dowiedział, tyle tylko, że nie wróciła do Barcelony i że mieszkanie rodziny Dalmau zostało zarekwirowane. Już ktoś tam mieszka. Na temat Roser miał natomiast dobre wieści. Opowiedział mu w krótkich słowach całą historię od opuszczenia Barcelony, przejścia pieszo przez Pireneje i jak ich rozdzielono we Francji. Na pewien czas stracił z nią kontakt.

– Uciekłem przy pierwszej okazji, Víctorze, i nie wiem, czemu ty dotąd nie próbowałeś. To całkiem proste.

– Tu jestem potrzebny.

– Z tą mentalnością, towarzyszu, zawsze będziesz dostawał w dupę.

– To prawda. Nic na to nie poradzę. Ale wróćmy do Roser.

– Zlokalizowałem ją bez problemu, jak udało mi się przypomnieć nazwisko twojej przyjaciółki, tej pielęgniarki. Po tylu przeżyciach wyleciało mi z głowy. Roser przetrzymywano w tym obozie, a wyciągnęła ją Elisabeth Eidenbenz. Mieszka w Perpignan, z rodziną, która ją przygarnęła, i pracuje jako krawcowa, daje też lekcje gry na pianinie. Urodziła zdrowego chłopca; jej syn ma już miesiąc i jest najpiękniejszy na świecie.

Aitor radził sobie jak zwykle, prowadząc różne interesy. W czasie wojny zdobywał to, co najcenniejsze, od papierosów i cukru po buty i morfinę, a później wymieniał towar na inne rzeczy w mrówczym handlu zamiennym, zawsze z marginesem zysku dla siebie. Udawało mu się zdobyć w ten sposób prawdziwe skarby, jak niemiecki pistolet czy scyzoryk amerykański, którymi kiedyś zaimponował Roser. Nie były przeznaczone na wymianę i nadal zalewała go krew, gdy sobie przypominał, jak mu je odebrano. Udało mu się znaleźć kontakt w Wenezueli; jego dalecy krewni wyemigrowali tam lata temu, a teraz mieli go przyjąć i załatwić pracę. Dzięki wrodzonemu sprytowi zgromadził pieniądze na bilet i wizę.

– Wyjeżdżam za tydzień, Víctorze. Trzeba jak najszybciej uciekać z Europy: zanosi się na nową wojnę światową, która będzie gorsza niż poprzednia. Jak tylko się ustawię w Wenezueli, postaram się, żeby cię ściągnąć, i przyślę ci bilet.

– Nie mogę zostawić Roser i jej dziecka.

– Dla nich też coś wykombinuję, jasna sprawa, stary.

Wizyta Aitora dała Víctorowi do myślenia. Miał pewność, że znów znalazł się w potrzasku, w zawieszeniu, że utracił kontrolę nad własnym losem. Godzinami, chodząc po plaży, rozważał wszystkie za i przeciw swojej odpowiedzialności za chorych w obozie, aż podjął decyzję, że teraz priorytetem jest los Roser i dziecka, i jego własny. Pierwszego kwietnia Franco, jako caudillo, czyli wódz Hiszpanii, za jakiego się uważał od grudnia 1936 roku, ogłosił koniec wojny, która trwała dziewięćset osiemdziesiąt osiem dni. Francja i Wielka Brytania uznały jego rząd. Ojczyzna była stracona, nie było nadziei na powrót. Víctor wykąpał się w morzu, pocierając skórę piaskiem z braku mydła, poprosił jednego z towarzyszy, żeby mu obciął włosy, starannie się ogolił i poprosił o przepustkę, żeby się udać, jak co tydzień, do miejscowego szpitala po paczkę lekarstw. Początkowo towarzyszył mu strażnik, ale po kilku miesiącach pozwolono mu chodzić tam samemu. Wyszedł bez problemu i po prostu nie wrócił. Aitor zostawił mu trochę pieniędzy, więc mógł pozwolić sobie na pierwszy od stycznia przyzwoity posiłek, a następnie kupił szary garnitur, dwie koszule, kapelusz – wszystko używane, ale w dobrym stanie – i parę nowych butów. Jak mawiała matka, ludzie oceniają cię po butach. Zabrał go kierowca ciężarówki i dowiózł do Perpignan, gdzie udał się do biura Czerwonego Krzyża zapytać o swoją przyjaciółkę.

* * *

Eidenbenz przyjęła Víctora w zaimprowizowanym domu matki, z dzieckiem na każdej ręce; była tak bardzo pochłonięta pracą, że nie zawracała sobie głowy dawnymi romansami, zresztą między nimi nigdy do niczego nie doszło. Ale Víctor pamiętał. Kiedy zobaczył promienny wzrok i nieskazitelny biały fartuch tej zawsze pogodnej kobiety, doszedł do wniosku, że to uosobienie doskonałości, i tylko idiota mógł liczyć, że zwróci na niego uwagę; jej powołaniem nie były miłostki, ona miała misję. Gdy Elisabeth go rozpoznała, przekazała dzieci innej kobiecie i przytuliła go serdecznie.

– Ależ się zmieniłeś, Víctorze! Musiałeś wiele wycierpieć, przyjacielu.

– Nie tyle co inni. Mimo wszystko poszczęściło mi się. Ale ty wyglądasz świetnie, jak zawsze.

– Tak sądzisz?

– Jak ty to robisz, że zawsze jesteś taka schludna, spokojna i uśmiechnięta? Taką cię poznałem w ogniu walki i nadal taka jesteś, jakby te ciężkie czasy w ogóle cię nie zmieniły.

– W tych ciężkich czasach, Víctorze, muszę być silna i ciężko pracować. Szukałeś mnie z powodu Roser, prawda?

– Nie wiem, jak ci dziękować, Elisabeth, za to, co dla niej zrobiłaś.

– Nie ma za co dziękować. Musimy na nią poczekać do ósmej, wtedy skończy ostatnią lekcję gry. Nie mieszka tutaj. Jest u zaprzyjaźnionych kwakrów; oni pomagają mi zdobyć środki na utrzymanie tego domu matki.

Podczas gdy na nią czekali, Elisabeth przedstawiła go mieszkającym w żłobku matkom, pokazała mu wszystkie urządzenia, a później przy herbacie i herbatnikach opowiedzieli sobie, co się z nimi działo od czasu Teruelu, kiedy widzieli się po raz ostatni. O ósmej Elisabeth zabrała go swoim samochodem, skupiona bardziej na rozmowie niż na prowadzeniu. Víctor pomyślał, że byłoby ironią losu, gdyby po przeżyciu wojny i obozu koncentracyjnego zginął teraz rozgnieciony jak karaluch w samochodzie niedoszłej narzeczonej.

Do domu kwakrów jechało się dwadzieścia minut, a otworzyła im sama Roser. Krzyknęła na widok Víctora i zasłoniła twarz rękami, jakby zobaczyła ducha, a on ją objął i przytulił. Pamiętał ją jako szczupłą dziewczynę o wąskich biodrach i płaskich piersiach, grubych brwiach i wyraźnych rysach twarzy, jako kobietę bezpretensjonalną, którą lata miały przemienić w kościstego chudzielca w męskim typie. Ostatni raz widział ją w końcu grudnia, z wydatnym brzuchem i trądzikiem na twarzy. Macierzyństwo dodało jej ciepła, zaokrągliło kanciaste przedtem kształty; karmiła niemowlę, więc miała duże piersi, jasną skórę i lśniące włosy. Spotkanie budziło tyle emocji, że wzruszyła się nawet Elisabeth, przyzwyczajona do udziału w przejmujących scenach. Víctor nie potrafiłby opisać bratanka; wszystkie dzieci w jego wieku wyglądają jak Winston Churchill: był gruby i łysy. Kiedy mu się lepiej przyjrzał, zauważył pewne cechy rodzinne, jak ciemne oliwkowe oczy rodziny Dalmau.

– Jak ma na imię? – zapytał.

– Na razie mówimy na niego mały. Czekam na Guillema, żeby nadać mu imię i wyrobić metrykę.

W tym momencie powinien był przekazać jej złą wiadomość, ale Víctorowi znów zabrakło odwagi.

– Dlaczego nie nazwiesz go Guillem?

– Ponieważ Guillem zastrzegł sobie, że żadne z jego dzieci nie będzie się tak nazywać. Nie lubi swojego imienia. Rozmawialiśmy, że jeżeli to będzie chłopiec, dostanie na imię Marcel, a jeśli dziewczynka, Carme, na cześć twojego ojca i twojej matki.

– No to nie ma na co czekać...

– Będę czekała na Guillema.

Rodzina kwakrów, składająca się z ojca, matki i dwójki dzieci, zaprosiła Víctora i Elisabeth na kolację. Jak na Anglików, jedzenie okazało się całkiem przyzwoite. Nieźle mówili po hiszpańsku, bo lata wojny spędzili w Hiszpanii, gdzie współpracowali z organizacjami pomocy dzieciom, a po Wielkiej Ewakuacji pomagali uchodźcom. Tym mieli zamiar nadal się zajmować, ponieważ, jak mawiali i jak twierdziła Elisabeth, zawsze gdzieś jest jakaś wojna.

– Jesteśmy wam bardzo wdzięczni – powiedział Víctor. – Dzięki wam dziecko jest z nami. W obozie Argelès-sur-Mer nie przeżyłoby ani ono, ani Roser. Mam nadzieję, że nie będziemy długo nadużywać waszej gościnności.

– Nie musi pan nam za nic dziękować. Roser i chłopiec już są częścią rodziny. Po co się spieszyć?

Víctor powiedział im o swoim przyjacielu Aitorze i o zamiarze emigracji do Wenezueli, kiedy on będzie mógł ich sprowadzić. Wydawało się, że to jedyna możliwość.

– Jeżeli chcecie emigrować, może powinniście się zastanowić nad wyjazdem do Chile – zasugerowała Elisabeth. – Widziałam w gazecie ogłoszenie o statku, który zabierze tam Hiszpanów.

– Chile? A gdzie to jest? – zapytała Roser.

– Wydaje mi się, że u podnóżka świata – odpowiedział Víctor.

Następnego dnia Elisabeth odszukała tamto ogłoszenie i przekazała Víctorowi. Poeta Pablo Neruda na polecenie swego rządu przygotowywał parowiec „Winnipeg", by mógł zabrać uchodźców do jego kraju. Elisabeth dała Víctorowi pieniądze na pociąg do Paryża, żeby spróbował szczęścia z tym nieznanym mu poetą.

* * *

Kierując się planem miasta, Víctor Dalmau dotarł do alei Motte-Picquet 2, blisko Les Invalides, gdzie wznosił się elegancki gmach poselstwa Chile. Przed drzwiami stała kolejka, pilnowana przez naburmuszonego portiera. Również urzędnicy w środku byli wrogo nastawieni i nie zniżali się do odpowiedzi na pozdrowienie. Víctor uznał to za zły znak, tak samo jak ciężki, napięty klimat tej paryskiej wiosny. Hitler zachłannie wyszarpywał kęs za kęsem kolejne europejskie terytoria i czarna chmura wojny już zaciemniała horyzont. Ludzie w kolejce mówili po hiszpańsku i prawie wszyscy ściskali w ręku ten sam wycinek prasowy. Kiedy przyszła jego kolej, pokazano Víctorowi schody; zaczynały się marmurem i brązem na początkowych piętrach, ale gdy dochodziły do czegoś w rodzaju poddasza, stawały się wąskie i nędzne. Nie było windy i przyszło mu pomóc innemu Hiszpanowi, który miał jeszcze większe problemy z chodzeniem niż on; pozbawiony nogi ledwo się wspinał, trzymając się poręczy.

– Czy to prawda, że akceptują tylko komunistów? – zagadnął Víctora.

– Tak mówią. A ty kim jesteś?

– Zwykłym republikaninem.

– Może się w tym nie połapać. Lepiej powiedz poecie, że jesteś komunistą, i nie wdawaj się w szczegóły.

W małym pomieszczeniu, którego umeblowanie stanowiły trzy krzesła i biurko, przyjął go Pablo Neruda. Był młodym jeszcze mężczyzną o badawczym wzroku, z arabskimi powiekami, miał szerokie ramiona i trochę się garbił; na pierwszy rzut oka wydawał się postawny i masywny; dopiero kiedy wstał, żeby go pożegnać, Víctor mógł się przekonać o jego prawdziwej posturze. Po rozmowie trwającej niespełna dziesięć minut odniósł wrażenie, że nie ma na co liczyć. Neruda zadał mu parę rutynowych pytań, wiek, stan cywilny, wykształcenie, doświadczenie zawodowe.

– Słyszałem, że zabieracie tylko komunistów... – powiedział Víctor, zdziwiony, że poeta nie zapytał go o poglądy polityczne.

– To źle pan słyszał. Musimy zachować proporcję między komunistami, socjalistami, anarchistami i liberałami. Tak uzgodniłem ze Służbą Ewakuacji Hiszpańskich Uchodźców. Najważniejszy jest charakter danej osoby i jej użyteczność dla Chile. Rozpatruję setki wniosków i jak tylko podejmę decyzję, zawiadomię pana, proszę cierpliwie czekać.

– Gdyby pańska odpowiedź była pozytywna, proszę wziąć pod uwagę, że nie będę podróżował sam. Będzie ze mną przyjaciółka z paromiesięcznym dzieckiem.

– Co znaczy: przyjaciółka?

– Roser Bruguera, narzeczona mojego brata.

– W takim razie to pański brat powinien do mnie przyjść i wypełnić wniosek.

– Wydaje się, proszę pana, że mój brat zginął w bitwie nad
Ebro.

– Bardzo mi przykro. Ale zdaje pan sobie sprawę, że pierwszeństwo mają najbliżsi krewni, prawda?

– Rozumiem. Wrócę za trzy dni, jeśli wolno.

– Przyjacielu, za trzy dni nie będę miał jeszcze odpowiedzi.

– Ale ja tak. Bardzo dziękuję.

Tego samego popołudnia wsiadł do pociągu do Perpignan.
Przyjechał późną nocą, zmęczony. Przespał noc w zapchlonym
hotelu bez prysznica, a następnego dnia poszedł szukać Roser
w pracowni krawieckiej. Wyszli porozmawiać na ulicę. Víctor
wziął ją pod rękę, zaprowadził na ławkę na pobliskim placu i opowiedział o swojej wizycie w chilijskim poselstwie, pomijając takie
szczegóły jak nieżyczliwość chilijskich urzędników i brak gwarancji ze strony Nerudy.

– Jeśli ten poeta cię zaakceptuje, Víctorze, powinieneś jechać
i nie oglądać się na nic. Mną się nie przejmuj.

– Roser, jest coś, o czym powinienem był ci powiedzieć parę
miesięcy temu, ale za każdym razem, kiedy próbuję, czuję, jak coś
mnie chwyta za gardło i nie mogę z siebie wydusić słowa. Jakbym
nie chciał stać się tym, który...

– Guillem? To coś w związku z Guillemem? – zawołała zaniepokojona.

Víctor kiwnął głową, unikając jej wzroku. Przytulił ją mocno
i dał jej czas, żeby się wypłakała i wykrzyczała swój ból, jak zrozpaczona dziewczynka, wstrząśnięta, z twarzą ukrytą w jego używanej
marynarce, aż do ochrypnięcia, aż wyschły jej oczy. Miał wrażenie,
że Roser dała upust długo powstrzymywanym łzom, że straszna
nowina nie zaskoczyła jej, że spodziewała się tego od dawna, bo

tylko w ten sposób można było wytłumaczyć milczenie Guillema. Wiadomo, ludzie się gubią na wojnie, pary się rozdzielają, rodziny rozpraszają, ale instynkt musiał uprzedzić Roser, że on nie żyje. Choć nie prosiła o dowody, pokazał jej nadpalony portfel, a w nim fotografię, którą Guillem zawsze nosił przy sobie.

– Rozumiesz teraz, Roser, że nie mogę cię zostawić? Musisz jechać ze mną do Chile, jeżeli nas zaakceptują. We Francji też będzie wojna. Musimy chronić dziecko.

– A twoja matka?

– Nikt jej nie widział od czasu, gdy opuściliśmy Barcelonę. Zginęła gdzieś w tłumie i gdyby żyła, skontaktowałaby się ze mną albo z tobą. Jeżeli w przyszłości trafimy na jej ślad, będziemy się zastanawiać, jak jej pomóc. Na razie ty i twój syn jesteście najważniejsi, rozumiesz?

– Rozumiem, Víctorze. Co mam zrobić?

– Wybacz, Roser... Będziesz musiała wyjść za mnie za mąż.

Popatrzyła na niego z takim zdumieniem, że Víctor, chcąc nie chcąc, musiał się uśmiechnąć mimo doniosłości tej chwili. Powtórzył jej to, co usłyszał od Nerudy na temat pierwszeństwa, jakie mają rodziny.

– Ty nawet nie jesteś moją bratową, Roser.

– Wyszłam za Guillema bez papierów i księżowskiego błogosławieństwa.

– Obawiam się, że to nie wystarczy. Inaczej mówiąc, Roser, jesteś i nie jesteś wdową. Pobierzemy się natychmiast, jak się uda, to dzisiaj, i zarejestrujmy dziecko jako naszego syna. Będę jego ojcem, będę się nim opiekował, bronił i kochał, jakby był moim synem, obiecuję. To samo dotyczy ciebie.

– Nie jesteśmy zakochani...

– Za wiele wymagasz. Nie wystarczy ci czułość i szacunek? W obecnych czasach to nawet więcej, niż trzeba. Roser, nigdy nie będę ci narzucał niechcianej relacji.

– Co masz na myśli? Że nie będziesz ze mną spał?

– Dokładnie to, Roser. Nie jestem chamem.

Nie zastanawiając się długo, na ławce na placu podjęli decyzję, która miała zdeterminować całe ich życie oraz życie chłopca. W pospiesznej ucieczce wielu uchodźców dotarło do Francji bez dokumentów tożsamości, a inni stracili je po drodze i w obozach koncentracyjnych, ale oni swoje zachowali. Zaprzyjaźnieni kwakrzy zostali ich świadkami na krótkiej ceremonii zaślubin w ratuszu. Víctor wypucował swoje nowe buty i szpanował pożyczonym krawatem; Roser, z podpuchniętymi od płaczu oczami, ale już spokojna, włożyła swoją najlepszą sukienkę i wiosenny kapelusz. Po ślubie zarejestrowali dziecko jako Marcela Dalmau Bruguera. Tak samo by się nazywał, gdyby żył jego ojciec. Zjedli uroczystą kolację w domu matki Elisabeth Eidenbenz, a na deser był tort z kremem chantilly, który małżonkowie pokroili i obdzielili nim po równo wszystkich obecnych.

Tak jak Víctor zapowiedział Pablowi Nerudzie, dokładnie trzy dni później wrócił do biura poselstwa chilijskiego w Paryżu i położył mu na biurku zaświadczenie o zawarciu związku i narodzinach syna. Neruda podniósł wzrok ocieniony sennymi powiekami i przyglądał mu się kilka długich sekund, zaintrygowany.

– Widzę, młody człowieku, że ma pan temperament poety. Witam w Chile – powiedział w końcu, stawiając pieczątkę na podaniu. – Mówi pan, że pańska żona jest pianistką?

– Tak, proszę pana. Jest też krawcową.

– Mamy krawcowe w Chile, ale pianistek nam brak. Proszę się stawić z żoną i synem na molo Trompeloup w Bordeaux w piątek wczesnym rankiem. Pod wieczór odpłyniecie statkiem „Winnipeg".

– Ale my nie mamy pieniędzy na bilet...

– Nikt nie ma. Zobaczymy. I niech pan nie szykuje pieniędzy na wizę chilijską. Cokolwiek o tym myślą niektórzy konsulowie, ja uważam za oburzające brać za wizę pieniądze od uchodźców. To też załatwimy w Bordeaux.

* * *

Ten letni dzień, 4 sierpnia 1939 roku w Bordeaux, pozostał na zawsze w pamięci Víctora Dalmau, Roser Bruguery i ponad dwóch tysięcy innych Hiszpanów udających się do nieznanego, wydłużonego kraju w Ameryce Południowej, który przywarł do gór, żeby nie wpaść do morza. Neruda miał go opisać jako „płatek długi morza i wina i śniegu", ze wstęgą „z piany białej i czarnej", ale to nic nie mówiło wygnańcom o celu ich podróży. Na mapie Chile było wąskim, niekojarzącym się z niczym paskiem. Na placu w Bordeaux tłum z każdą minutą gęstniał jak mrowisko, w piekielnym upale, pod lazurowym niebem. Przybywały pociągi, ciężarówki i pojazdy wszelkiego rodzaju pełne ludzi, w większości prosto z obozów koncentracyjnych, głodnych, wycieńczonych, brudnych, bo nie mieli gdzie się umyć. Ponieważ mężczyźni całymi miesiącami przebywali z dala od żon i dzieci, połączeniu rodzin i par towarzyszyły przejmujące emocje. Wychylali się przez okienka, głośno nawoływali, rozpoznawali i przytulali zapłakani. Ojciec, który był przekonany, że jego syn zginął nad Ebro, dwaj bracia, którzy stracili ze sobą kontakt od bitwy o Madryt, zahartowany w boju żołnierz, który spotkał żonę i dzieci, gdy już stracił nadzieję, że kiedykolwiek ich zobaczy. A wszystko to w doskonałym porządku, jakby dyscyplinę mieli we krwi, co oszczędziło pracy francuskim strażnikom.

Ubrany na biało od stóp do głów Pablo Neruda, ze swoją małżonką, Delią del Carril, również w białym stroju, w kapeluszu z szerokim rondem, kierował procesem identyfikacji, konsultacji sanitarnych i selekcji, niczym półbóg, przy pomocy konsulów, sekretarzy i przyjaciół, urzędujących przy długich stołach. Autoryzacja nabierała urzędowej mocy, kiedy poeta ją podpisał zielonym atramentem i opatrzył pieczątką Służby Ewakuacji Hiszpańskich Uchodźców. Neruda rozwiązał problem wiz, wystawiając jeden zbiorowy dokument. Hiszpanie ustawiali się do grupowych zdjęć, które szybko wywoływano, następnie ktoś wycinał ze zdjęcia twarze i przyklejał je w odpowiednim miejscu na autoryzacji. Wolontariusze rozdawali wszystkim podwieczorek i przedmioty higieny osobistej. Trzysta pięćdziesięcioro dzieci otrzymało kompletną wyprawkę, a jej rozdawanie zorganizowała Elisabeth Eidenbenz.

W dniu wyjazdu poecie nadal brakowało sporo pieniędzy na opłacenie kosztów masowej ewakuacji, od sfinansowania której rząd chilijski się uchylił, bo nie dałoby się usprawiedliwić takiego wydatku wobec nieprzychylnej, podzielonej opinii publicznej. Nieoczekiwanie pojawiła się na molo mała grupa szacownych osób gotowych uiścić połowę ceny każdego biletu. Roser rozpoznała ich z daleka, podała dziecko Víctorowi, wyszła z kolejki i pobiegła się z nimi przywitać. W tej grupie stali kwakrzy, którzy ją przyjęli pod swój dach. Przybyli wypełnić zadanie, które ich wspólnota wzięła na siebie od samego początku, od XVII wieku: służyć ludzkości i szerzyć pokój. Roser powtórzyła im to, co usłyszała od Elisabeth: „Jesteście zawsze tam, gdzie was najbardziej potrzebują".

Víctor, Roser i dziecko weszli na pokład po trapie jako jedni z pierwszych. To był stary parowiec, około pięciu tysięcy ton wyporności, który już wcześniej, wożąc towary do Afryki podczas pierwszej wojny światowej, został wykorzystany do transportu żołnierzy. Miał służyć dwudziestu marynarzom załogi na krótkich trasach, a został dostosowany do przewiezienia ponad dwóch tysięcy osób podczas miesięcznego rejsu. Wstawiono pospiesznie trzypiętrowe drewniane koje w ładowni i urządzono kuchnię, mesę oraz punkt sanitarny obsługiwany przez trzech lekarzy. Na pokładzie dostali przydział kajut: Víctor z mężczyznami na dziobie, Roser z kobietami na rufie.

W kolejnych godzinach zaokrętowali się pozostali szczęśliwcy, lecz na lądzie pozostały setki uchodźców, dla których zabrakło miejsca. Wieczorem, podczas przypływu, „Winnipeg" podniósł kotwicę. Na pokładzie niektórzy płakali w ciszy, a inni śpiewali po

katalońsku, z ręką na sercu, pieśń emigranta „Słodka Katalonio, /
ojczyzno ma szczera / kto od ciebie z dala, / z tęsknoty umiera".
Zapewne przeczuwali, że nigdy nie wrócą do ojczyzny. Na molo
Pablo Neruda machał odpływającym chusteczką, aż stracił ich
z oczu. Również w jego pamięci ten dzień miał się zapisać na
zawsze, a po latach nazwał go swoim najpiękniejszym poematem:
„Niech krytyka przekreśli całą moją poezję, jeśli chce. Ale tego po-
ematu, który dziś wspominam, nikt nie zdoła wykreślić".

Prycze przypominały katakumby; trzeba było włazić do środka
na czworaka i leżeć bez ruchu na siennikach wypełnionych słomą,
które wydawały się luksusem w porównaniu z jamami drążonymi
w mokrym piasku w obozach. Na każde pięćdziesiąt osób przy-
padała jedna toaleta, a jadalnia podawała posiłki na trzy zmiany,
przestrzegane przez wszystkich bez narzekania. Po doświadczeniu nędzy i głodu ludzie odnosili wrażenie, że są w raju: od
miesięcy nie jedli ciepłego posiłku, a na statku jedzenie było proste, ale smaczne; ponadto mogli prosić o dowolną ilość dokładek
warzyw; wcześniej prześladowały ich pchły i pluskwy, a tu mogli
się myć w miskach wodą i mydłem; żyli w beznadziejnej sytuacji,
a teraz płynęli w stronę wolności. Nawet tytoń był! A także piwo
i inne trunki w małym barze dla tych, którzy mieli czym zapłacić.
Prawie wszyscy pasażerowie podjęli się pomocy w różnych pra-
cach, od obsługi maszyn po obieranie ziemniaków i zamiatanie
pokładu. Víctor natychmiast zgłosił się do pracy w ambulatorium.
Przywitali go z otwartymi ramionami, dali biały fartuch i poin-
formowali, że wielu uchodźców ma objawy dyzenterii, zapalenia
oskrzeli, a także mieli dwa przypadki tyfusu, których nie wykryła
kontrola sanitarna.

Kobiety zorganizowały opiekę nad dziećmi. Ogrodziły część
pokładu barierkami i urządziły tam przedszkole i szkołę. Od
pierwszego dnia funkcjonował żłobek, były zabawy, sztuka, gim-
nastyka, odbywały się lekcje, półtorej godziny rano i półtorej po
południu. Roser przeszła chorobę morską, tak jak prawie wszyscy,

ale gdy tylko wyzdrowiała, zaczęła uczyć dzieci gry na cymbałkach i bębenkach zaimprowizowanych na odwróconych wiadrach. Takimi możliwościami dysponowała, kiedy pojawił się drugi oficer pokładowy, Francuz z partii komunistycznej, aby przypomnieć, że Neruda zadbał o to, żeby na statku znalazły się pianino i dwa akordeony dla niej i dla tych, którzy umieją grać. Niektórzy pasażerowie zabrali własne gitary, a ktoś klarnet. Odtąd mieli muzykę dla dzieci, koncerty i tańce dla dorosłych, a nawet silny chór Basków.

Víctor Dalmau, opowiadając pięćdziesiąt lat później w telewizji o swojej emigracyjnej odysei, będzie wspomniał „Winnipeg" jako statek nadziei.

* * *

Víctor traktował podróż jak przyjemne wakacje, ale Roser, która przez parę miesięcy żyła wygodnie w domu swoich przyjaciół kwakrów, początkowo źle reagowała na tłok i smród. Nie skarżyła się, okazałaby brak taktu i niewdzięczność, poza tym wkrótce przyzwyczaiła się na tyle, że przestała zwracać uwagę na te niedogodności. Umieściła Marcela w zaimprowizowanym plecaku i zawsze go nosiła ze sobą, nawet gdy grała na pianinie, na zmianę z Víctorem; on go zabierał, kiedy nie pracował w ambulatorium. Była jedyną kobietą, która karmiła piersią, pozostałe matki, niedożywione, mogły liczyć na niezawodne butelki z mlekiem dla czterdzieściorga niemowląt na pokładzie. Kobiety zaoferowały Roser pomoc w praniu ubrań i pieluch, żeby chronić jej ręce pianistki. Pewna wieśniaczka, zahartowana przez lata ciężkiej pracy, matka siedmiorga dzieci, przyglądała się jej dłoniom, jakby ktoś je zaczarował, skoro potrafiły wydobywać z pianina muzykę, mimo że nie patrzyła na klawisze. W tych palcach tkwiła jakaś magia. Jej mąż pracował w produkcji korka przed wojną i gdy Neruda zwrócił mu uwagę, że w Chile nie ma dębów korkowych, odpowiedział krótko:

„No to będą". Poecie spodobała się ta riposta i przyznał mu miejsce na statku, podobnie jak rybakom, wieśniakom, robotnikom niewykwalifikowanym, przedstawicielom różnych zawodów, a także intelektualistom, wbrew instrukcjom rządu chilijskiego, by unikać ideowców. Neruda zlekceważył to polecenie; byłoby głupotą zostawić na lodzie mężczyzn i kobiety, którzy bohatersko bronili swoich poglądów. W głębi ducha miał nadzieję, że ożywią oni senną, wyspiarską atmosferę jego ojczyzny.

Życie na górnym pokładzie toczyło się do późna, bo na dole nie tylko nie działała wentylacja, ale panowała taka ciasnota, że trzeba było się przeciskać. Pasażerowie stworzyli dziennik z napływających wiadomości ze świata, pogarszających się w miarę jak rósł apetyt Hitlera na kolejne terytoria. Po dziewiętnastu dniach podróży, 23 sierpnia, kiedy dowiedzieli się o podpisaniu paktu o nieagresji między Związkiem Radzieckim i nazistowskimi Niemcami, wielu komunistów, którzy walczyli z faszyzmem, poczuło się zdradzonych. Różnice polityczne, obecne w rządzie Republiki, utrzymywały się na pokładzie; czasami wybuchały kłótnie z powodu dawnych win i resentymentów, szybko uciszane przez innych pasażerów, zanim zdążył interweniować kapitan Pupin; miał prawicowe poglądy i nie sympatyzował z powierzonymi mu pasażerami, ale wykonywał swoją pracę kierowany poczuciem obowiązku i przyzwoitością. Hiszpanie, nie znając tej cechy jego charakteru, obawiali się, że może ich zdradzić, zmienić kurs i wysadzić w Europie. Z uwagą obserwowali kapitana i kontrolowali trasę statku. Drugi oficer, podobnie jak większość załogi, był komunistą; on także nie spuszczał oka z kapitana.

Spędzali wieczory na recitalach Roser, chóralnych śpiewach, tańcach, grze w karty i w domino. Víctor zorganizował klub szachowy dla umiejących grać i chcących się nauczyć. Szachy obroniły go przed rozpaczą w chwilach beznadziei podczas wojny i w obozie koncentracyjnym, kiedy dusza opadała z sił i kusiło go, żeby rzucić się na ziemię i zdechnąć jak pies. W takich chwilach, jeśli nie miał przeciwnika, grał w myśli sam ze sobą na niewidzialnej szachownicy niewidzialnymi pionkami. Na statku wygłaszano również pogadanki na tematy naukowe i różne inne, ale z pominięciem polityki, bo umowa z rządem chilijskim zakazywała propagowania doktryn mogących podżegać do wybuchu rewolucji. „Innymi słowy, panowie, nie chcemy u nas wywrotowców", podsumował jeden z nielicznych Chilijczyków podróżujących na pokładzie „Winnipegu". Chilijczycy przygotowywali ich na to, co zastaną. Od Nerudy otrzymali zwięzły folder oraz list, w którym opisał realia swojego kraju: „Hiszpanie: prawdopodobnie z całej ogromnej Ameryki Chile było dla was najbardziej odległym regionem. Takim też było dla waszych przodków. Niebezpieczeństwa i niedostatek okazały się chlebem powszednim hiszpańskich konkwistadorów. Przez trzysta lat żyli w nieustającej walce z nieustraszonymi Araukanami. W tych ciężkich warunkach zrodziła się rasa przyzwyczajona znosić trudy życia. Chile bynajmniej nie jest rajem. Nasza ziemia oddaje swoje siły ludziom pracującym na niej w pocie czoła". To ostrzeżenie i inne, przekazywane przez Chilijczyków, nikogo nie przestraszyły. Dowiedzieli się, że Chile otworzyło przed nimi drzwi dzięki populistycznemu rządowi prezydenta Pedra Aguirre Cerdy, który zignorował opinię partii opozycyjnych i nie przejął się kampanią terroru, jaką rozpętały prawica i Kościół katolicki. „Czyli będziemy mieć tych samych wrogów co w Hiszpanii", zauważył Víctor. Ta wiadomość zainspirowała artystów do namalowania gigantycznego płótna na cześć chilijskiego prezydenta.

Usłyszeli też, że Chile to kraj ubogi, którego gospodarka opiera się na górnictwie, głównie miedzi, ale miało też dużo żyznej ziemi, tysiące kilometrów wybrzeża dla rybołówstwa, niekończące się lasy i tereny niemal bezludne, gdzie można było się osiedlić i całkiem nieźle prosperować. Cudowna przyroda, od księżycowej pustyni na północy po lodowce na południu, przyzwyczaiła Chilijczyków do niedostatku i klęsk żywiołowych, takich jak trzęsienia ziemi, które siały śmierć i zniszczenia, obracając wszystko w ruiny i zgliszcza, ale dla przesiedleńców wszystko to wydawało się mniejszym złem w porównaniu z tym, co przeżyli i czym miała stać się Hiszpania pod despotycznymi rządami Franco. Mówiono im, żeby się nastawili na pracę z pożytkiem dla kraju, bo sami wiele otrzymają; Chilijczycy nie gorzknieli od zbiorowych nieszczęść, lecz stawali się bardziej gościnni i hojni, zawsze otwierali przed gościem ramiona i drzwi swego domu. „Dziś dla mnie, jutro dla ciebie", taka obowiązuje zasada. Radzili też kawalerom, żeby uważali na Chilijki, bo jak na kogo zagną parol, to już po nim. Były uwodzicielskie, silne i zdecydowane, co tworzyło prawdziwie wybuchową kombinację. Wszystko to brzmiało jak bajka.

W drugim dniu podróży Víctor asystował w ambulatorium przy narodzinach dziewczynki. Widział najgorsze rany i śmierć pod każdą postacią, ale jeszcze nie miał okazji uczestniczyć w początku życia i gdy kładł nowo narodzone dziecko na piersi matki, z trudem powstrzymywał łzy. Kapitan wystawił dziewczynce metrykę urodzenia, wpisując imiona Agnes América Winnipeg. Pewnego ranka mężczyzna z górnej pryczy w sypialni Víctora nie przyszedł na śniadanie. Przypuszczając, że zaspał, nikt mu nie zakłócał spokoju aż do południa, kiedy Víctor poszedł go obudzić na obiad i zobaczył, że jest martwy. Tym razem kapitan Pupin musiał wystawić metrykę zgonu. Tego samego popołudnia po krótkiej ceremonii wrzucili do morza ciało owinięte żaglowym płótnem.

Pary rozwiązały problem braku intymności, używając łodzi ratunkowych. Do miłości obowiązywała kolejka, tak jak do wszystkiego, i na czas, gdy zakochani kryli się w łodzi, ktoś zaprzyjaźniony stał na czatach, żeby ostrzec innych podróżnych i odwrócić uwagę członków załogi. Wiedząc, że Víctor i Roser niedawno wzięli ślub, inni chcieli im ustąpić pierwszeństwa; oni dziękowali serdecznie, nie korzystając z tej możliwości, ale później, żeby nie budzić podejrzeń, że nowożeńcy przez cały miesiąc nie czują pilnej miłosnej potrzeby, parę razy udali się pojedynczo na miejsce schadzki, zgodnie z niepisanym protokołem wszystkich par, ona z rumieńcem wstydu, on czując się jak idiota, podczas gdy jakiś ochotnik spacerował z Marcelem po pokładzie. Wewnątrz łodzi było niewygodnie, duszno i śmierdziało zgniłym dorszem, ale możliwość bycia sam na sam i rozmowy szeptem bez świadków zbliżyła ich do siebie o wiele bardziej, niż gdyby uprawiali miłość. Leżąc jedno obok drugiego, ona z głową na jego ramieniu, wspominali nieobecnych, Guillema i Carme; wierząc, że przeżyła, snuli przypuszczenia na temat nieznanej ziemi, czekającej na nich na końcu świata, i robili plany na przyszłość. Najpierw poszukają mieszkania i rozejrzą się za pracą, wszystko jedno jaką, bo to jest najpilniejsze, później wezmą rozwód i odzyskają wolność. Rozmawiając o tym, posmutnieli. Roser prosiła go, żeby na zawsze pozostali przyjaciółmi, ponieważ on był jedyną rodziną, jaka jej pozostała, dla niej i dla jej dziecka. Nie czuła się częścią swojej rodziny biologicznej z Santa Fe, którą odwiedzała bardzo rzadko, od kiedy Santiago Guzmán zabrał ją do siebie, i z którą nie miała już nic wspólnego. Víctor przysiągł, że będzie dobrym ojcem dla Marcela. „Dopóki będę mógł pracować, niczego wam nie zabraknie", dodał. Jej nie o to chodziło, bo mogła utrzymywać się sama i wychowywać dziecko, ale wolała nie rozwijać tego tematu. Oboje ostrożnie mówili o uczuciach.

* * *

Pierwszym portem, do którego zawinęli w celu zaopatrzenia statku w żywność i wodę, była należąca do Francji wyspa Guadalupe, następnie kontynuowali rejs do Panamy, cały czas dręczeni obawą przed atakiem niemieckich łodzi podwodnych. Tam czekali przez wiele godzin nie wiadomo na co, aż usłyszeli przez głośniki, że pojawił się jakiś problem administracyjny. Mało brakowało, by na pokładzie wybuchł bunt, gdy pasażerowie uznali, że kapitan Pupin znalazł jakiś pretekst, żeby wrócić do Francji. Víctorowi i dwóm innym mężczyznom, wybranym ze względu na ich prawy charakter, powierzona została misja sprawdzenia, co się dzieje, i negocjowania jakiegoś kompromisu. Pupin, w bardzo złym humorze, wyjaśnił, że organizatorzy podróży nie zadbali o opłacenie przeprawy przez kanał, a teraz on tracił czas i pieniądze w tym piekle. Czy państwo zdają sobie sprawę, ile kosztuje samo tylko utrzymanie w gotowości „Winnipega"? Stracili pięć dni, zanim udało się rozwiązać problem, pięć dni oczekiwania i niepokoju; tłoczyli się na pokładzie, gdzie panował gorąc większy niż w kuźni, aż w końcu otrzymali przepustkę i wpłynęli do pierwszej śluzy. Víctor, Roser i inni pasażerowie obserwowali zafascynowani system przegród między Atlantykiem i Pacyfikiem. Przeprowadzenie statku wymagało niesłychanej precyzji; przestrzeń była tak wąska, że pasażerowie na pokładzie mogli rozmawiać z ludźmi pracującymi na lądzie. Ponieważ dostrzegli na brzegu dwóch Basków, na ich cześć chór rodaków z „Winnipegu" zaśpiewał piosenkę w euskera. W Panamie uchodźcy poczuli definitywne zerwanie z Europą: kanał oddzielał ich od ojczystej ziemi i od przeszłości.

– Kiedy będziemy mogli wrócić do Hiszpanii? – zastanawiała się Roser.

– Mam nadzieję, że szybko, przecież caudillo nie jest wieczny. Ale wszystko zależy od wojny.

– Dlaczego?

– Wojna jest nieunikniona, Roser. To będzie wojna ideologii i zasad, wojna między dwoma sposobami rozumienia świata i życia, wojna demokracji przeciw nazistom i faszystom, wojna między wolnością i autorytaryzmem.

– Franco zadeklaruje poparcie Hiszpanii dla Hitlera. Po czyjej stronie opowie się Związek Radziecki?

– To demokracja proletariacka, ale Stalinowi nie ufam. Może dogadać się z Hitlerem i stać się tyranem gorszym niż Franco.

– Víctorze, Niemców nikt nie pokona.

– Tak mówią. Zobaczymy.

Pasażerów, którzy po raz pierwszy płynęli po Oceanie Spokojnym, zaskoczyła jego nazwa, bo ze spokojem miał niewiele wspólnego. Roser, podobnie jak wielu innych, uważała, że już jest zahartowana na chorobę morską, ale znów padła ofiarą furii fal, natomiast Víctor ledwie odczuł skutki turbulencji, bo w tym czasie był zajęty w ambulatorium, przyjmując na świat kolejne dziecko. Kiedy minęli Kolumbię i Ekwador, wpłynęli na wody terytorialne Peru. Temperatura spadła, na półkuli południowej zaczęła się zima i gdy już minęły piekielne upały, trudne do zniesienia w takim tłoku, ogólny nastrój uległ zdecydowanej poprawie. Niemcy byli daleko, a prawdopodobieństwo zmiany kierunku przez kapitana Pupina zmalało praktycznie do zera. Zbliżali się do celu z mieszanymi uczuciami nadziei i obawy. Telegraf dostarczał im informacji, że ich przyjazd do Chile nadal budzi kontrowersje, że ich sytuacja jest przedmiotem zagorzałych dyskusji w Kongresie i w prasie, ale dowiedzieli się również o zaangażowaniu rządu, lewicowych partii politycznych, związków zawodowych i stowarzyszeń imigrantów hiszpańskich, zasymilowanych w Chile, w organizowanie pomocy, przygotowanie dla nich zakwaterowania oraz miejsc pracy. Nie pozostawią ich na łasce losu.

6

· 1 9 3 9 – 1 9 4 0 ·

Cienka, smukła nasza ojczyzna,
na nagim ostrzu jej noża
naszej chorągwi delikatnej płomień.

PABLO NERUDA
TAK, TOWARZYSZU, TO CZAS ODPOCZYNKU,
Z CYKLU MORZE I DZWONY

Pod koniec sierpnia „Winnipeg" dotarł do Ariki, pierwszego portu na północy Chile, dalekiego od wyobrażeń uchodźców o krajach południowoamerykańskich: nie było tam ani gęstej dżungli, ani słonecznych plaż z kokosami; krajobraz bardziej przypominał Saharę. Powiedziano im, że panuje tu klimat umiarkowany i że jest to najsuchsze zamieszkane miejsce na ziemi. Oglądali wybrzeże od strony morza; w oddali, na tle bezchmurnego nieba w kolorze lawendy, zarysowywał się łańcuch gór jak fioletowe pociągnięcie pędzla, smuga na akwareli. Statek zatrzymał się na pełnym morzu i wkrótce podpłynęli łodzią i weszli na pokład urzędnicy z Urzędu Imigracyjnego i Departamentu Konsularnego Ministerstwa Spraw Zagranicznych. Kapitan udostępnił im swoje biuro, by mogli przystąpić do rozmów z pasażerami, wydawania im dowodów osobistych, wiz oraz informowania każdego, w jakiej części kraju wyznaczono mu miejsce pobytu, kierując się jego kwalifikacjami.

Víctor i Roser z Marcelem na rękach stawili się w ciasnej kajucie kapitana przed młodym urzędnikiem konsularnym Matíasem Eyzaguirrem, który wbijał wizę do dokumentów i składał podpis.

– Tu jest informacja, że waszym miejscem przeznaczenia ma być prowincja Talca – wyjaśnił. – Uważam, że wskazywanie, gdzie mają państwo się osiedlić, to głupi pomysł tych z Urzędu Imigracyjnego. W Chile mamy absolutną wolność przemieszczania się. Proszę się tym nie przejmować i jechać tam, gdzie państwo sobie życzą.

– Pan jest Baskiem, prawda? Tak mi się wydaje, sądząc po nazwisku – zapytał Víctor.

– Moi pradziadkowie byli Baskami. Tu wszyscy jesteśmy Chilijczykami. Witajcie w Chile.

Żeby znaleźć się na „Winnipegu", który dotarł do celu z kilkudniowym opóźnieniem z powodu problemów w Panamie, Matías Eyzaguirre wyruszył w podróż do Ariki pociągiem. Był jednym z najmłodszych urzędników w departamencie i kiedy podejmowano decyzję, kto ma towarzyszyć szefowi, padło na niego. Żaden z nich nie jechał tam chętnie, ponieważ zdecydowanie sprzeciwiali się przyjmowaniu uchodźców, tej bandy czerwonych, ateistów i pewnie też kryminalistów, którzy przyjeżdżali po to, by zabrać pracę Chilijczykom teraz, tuż po trzęsieniu ziemi, gdy kraj nękany bezrobociem jeszcze nie wyszedł z recesji, ale niezależnie od swoich poglądów obaj bez szemrania wykonywali obowiązki. W porcie wsadzono ich na starą szalupę i stawiając wyzwanie falom, dotarli na parowiec, na który musieli się wspiąć po szarpanej wiatrem drabinie linowej, popychani od dołu przez nieokrzesanych francuskich marynarzy. Na pokładzie kapitan Pupin podjął ich butelką koniaku i kubańskimi cygarami. Urzędnicy wiedzieli, że Pupin odbywał tę podróż wbrew sobie i że nienawidził tego ładunku, ale czekała ich niespodzianka. Okazało się, że Pupin, pozostając przy swoich poglądach politycznych, po miesiącu spędzonym w towarzystwie Hiszpanów zmienił zdanie na ich temat. „Ci ludzie wiele wycierpieli, proszę panów. To osoby uczciwe, porządne i godne szacunku; udają się do waszego kraju z zamiarem podjęcia pracy, gotowi zacząć życie od nowa".

Matías Eyzaguirre wywodził się z rodziny, która uchodziła za arystokratyczną, katolicką i konserwatywną, przeciwną imigracji, ale kiedy stanął twarzą w twarz z każdym z uchodźców z osobna, mężczyznami, kobietami i dziećmi, zobaczył ich sytuację z innej perspektywy, podobnie jak Pupin. Wychowany w szkole katolickiej, żył pod ochronnym parasolem przywilejów swojej klasy. Jego dziadek i ojciec byli sędziami Sądu Najwyższego, a dwaj bracia adwokatami, tak więc on studiował prawo, zgodnie z oczekiwaniami rodziny, choć nie czuł powołania do tego zawodu. Przez parę lat studiował bez entuzjazmu na uniwersytecie, a następnie podjął pracę w Ministerstwie Spraw Zagranicznych dzięki stosunkom swojej rodziny. Zaczął od najniższych funkcji, ale w wieku dwudziestu czterech lat, gdy przypadło mu w udziale przybijać pieczątki z wizą na „Winnipegu", już udowodnił, że nadaje się na urzędnika i dyplomatę. Za parę miesięcy miał jechać do Paragwaju na pierwszą placówkę i liczył na to, że będzie wtedy żonaty, a przynajmniej zaręczony z kuzynką, Ofelią del Solar.

Kiedy zostały uregulowane sprawy formalne, kilkunastu pasażerów opuściło statek, bo znalazła się dla nich praca na północy, a „Winnipeg" popłynął dalej na południe wzdłuż „długiego płatka" Nerudy. Pasażerów na pokładzie opanowało coraz wyraźniejsze podniecenie. Drugiego września ukazało się na horyzoncie Valparaíso, cel ich podróży, i nocą statek zakotwiczył naprzeciw portu. Ożywienie na pokładzie zbliżało się do zbiorowego delirium, ponad dwa tysiące niecierpliwych twarzy tłoczyło się na górnym pokładzie, czekając na moment zejścia na tę nieznaną ziemię, ale zarząd portu zadecydował, że zejście na ląd nastąpi następnego dnia, w świetle poranka, bez pośpiechu. Tysiące pulsujących świateł portu i wysokich wzgórz Valparaíso konkurowało z gwiazdami i nie wiadomo było, gdzie się kończy obiecany raj, a gdzie zaczyna niebo. To chaotyczne miasto składało się ze schodów i wind, wąskich ulic nadających się tylko dla osłów, zwariowanych mieszkań zawieszonych na skałach; miasto ubogie i brudne, pełne bezpańskich psów, kupców, marynarzy i nałogów, jak prawie wszystkie porty, a mimo wszystko cudowne. Z perspektywy pokładu świeciło niczym mityczny gród obsypany diamentami. Nikt nie myślał o spaniu, wszyscy zostali na pokładzie; podziwiali magiczny spektakl i liczyli godziny. Víctor miał zapamiętać tę noc jako jedną z najpiękniejszych w życiu. Rankiem „Winnipeg" wreszcie zawinął do portu, z gigantycznym portretem prezydenta Pedra Aguirre Cerdy i chilijską flagą na burcie.

Żaden z pasażerów nie spodziewał się przyjęcia, jakie im zgotowano. Tyle razy informowano ich o rozpętanej przez prawicę dyskredytującej ich kampanii, o zdecydowanym sprzeciwie Kościoła katolickiego i o przysłowiowej ostrożności Chilijczyków, że w pierwszej chwili nie zrozumieli, co się dzieje w porcie. Zgromadzony za ograniczającymi dostęp sznurami tłum z transparentami i flagami Hiszpanii, Republiki, Kraju Basków i Katalonii wiwatami witał przybyszów. Orkiestra odegrała hymny Chile i Hiszpanii republikańskiej, a także *Międzynarodówkę*, śpiewane przez setki głosów. Narodowa pieśń chilijska streszczała w krótkich, żarliwych słowach takie narodowe cechy jak gościnność i umiłowanie wolności kraju, który ich przyjmował: „Słodka Ojczyzno, przyjmij ślubowanie, / co na ołtarzu składał Chile lud, / że dla wolnych mogiłą się staniesz, / lub w ucisku schronienie nam dasz". Na pokładzie surowi bojownicy, mający za sobą tyle brutalnych doświadczeń, nie mogli powstrzymać łez. O dziewiątej zaczęli pojedynczo schodzić po trapie z pokładu. Na dole każdy z uchodźców wchodził najpierw do namiotu służby zdrowia, gdzie był szczepiony, i zaraz potem Chile brało go w ramiona, jak to wyraził lata później Víctor Dalmau, kiedy mógł podziękować osobiście Pablowi Nerudzie.

3 września 1939 roku, w dniu uroczystego powitania w Chile hiszpańskich uchodźców, w Europie wybuchła druga wojna światowa.

* * *

Felipe del Solar przyjechał do portu Valparaíso dzień przed przybyciem „Winnipegu", bo chciał brać udział w tym, jak to określił, wydarzeniu historycznym. Zdaniem jego kamratów z Klubu Oburzonych, chyba trochę przesadził. Uważali, że jego entuzjazm w sprawie uchodźców dyktowało nie tyle dobre serce, ile przekora w stosunku do ojca i jego klanu. Spędził pół dnia na witaniu przybyszów, wmieszany w tłum ludzi, którzy przyszli tu w tym samym celu, i na rozmowach ze spotkanymi tam znajomymi. W rozentuzjazmowanym tłumie na molo kłębili się przedstawiciele rządu, reprezentacja robotników i dwie kolonie, katalońska i baskijska, z którymi był w kontakcie w ostatnich miesiącach, kiedy przygotował przyjęcie „Winnipegu", artyści, intelektualiści, dziennikarze i politycy. Wśród nich znajdował się też pewien lekarz z Valparaíso, Salvador Allende, działacz socjalistyczny, który miał wkrótce otrzymać tekę ministra zdrowia, a trzy dekady później zostać prezydentem Chile. Pomimo młodego wieku liczono się z nim w środowisku politycznym: jedni go podziwiali, inni krytykowali, ale szanowali wszyscy. Nieraz przychodził na spotkania Klubu Odrzuconych i kiedy w tłumie rozpoznał Felipa del Solar, pozdrowił go z daleka.

Felipe zdobył zaproszenie, dzięki któremu mógł wsiąść do specjalnego pociągu przewożącego podróżników z Valparaíso do Santiago. Tam miał parę godzin, żeby się dowiedzieć z pierwszej ręki, co się wydarzyło w Hiszpanii, a co on znał tylko z prasy i z nielicznych świadectw, na przykład Pabla Nerudy. Widziana z perspektywy Chile hiszpańska wojna domowa była wydarzeniem tak odległym, jakby się rozegrała w innej epoce. Pociąg jechał bez postojów, ale zwalniał na każdej stacji, bo we wszystkich miasteczkach czekali na niego mieszkańcy, którzy witali przybyszów z flagami i pieśniami, a przez okna, biegnąc wzdłuż wagonów, podawali pierogi i ciastka. Na peronie w Santiago zebrał się rozgorączkowany tłum, tak gęsty, że nie dało się ruszyć; niektórzy wspinali się na kolumny i zwisali ze stropu uczepieni belek; ludzie wznosili okrzyki, śpiewali i rzucali kwiaty. Musieli interweniować karabinierzy, żeby przeprowadzić Hiszpanów ze stacji na poczęstunek, przygotowany przez komitet powitalny, z typowymi chilijskimi potrawami na stole.

W pociągu Felipe del Solar wysłuchał wielu historii, których wspólnym mianownikiem było nieszczęście. W końcu zatrzymał się w przejściu między wagonami na papierosa z Víctorem Dalmau, a on przedstawił mu wojnę na podstawie własnego doświadczenia – krew i śmierć w polowych punktach sanitarnych i ewakuowanych szpitalach.

– To, co przeżyliśmy w Hiszpanii, jest zapowiedzią tego, czego doświadczy Europa – podsumował Víctor. – Niemcy wypróbowali na nas swoją broń, obracając w gruz całe miasta. W Europie będzie jeszcze gorzej.

– Na razie tylko Anglia i Francja stawiają opór Hitlerowi, ale na pewno wesprą ich sojusznicy. Amerykanie będą musieli się opowiedzieć – powiedział Felipe.

– A jakie stanowisko zajmie Chile? – zapytała Roser, podchodząc do nich z dzieckiem na plecach, w tym samym plecaku, który służył jej od miesięcy.

– To Roser, moja żona – przedstawił ją Víctor.

– Bardzo mi miło panią poznać. Felipe del Solar, do usług. Pani mąż opowiadał mi o pani. Jest pani pianistką, prawda?

– Tak. Przejdźmy na ty – zaproponowała Roser i powtórzyła pytanie.

Felipe opowiedział jej o licznej kolonii niemieckiej osiadłej w kraju od wielu dekad i wspomniał o nazistach chilijskich, ale uspokajał, że nie ma się czego obawiać. Na pewno Chile zachowa neutralność. Pokazał listę przemysłowców i przedsiębiorców, którzy zaoferowali Hiszpanom pracę zgodną z ich umiejętnościami, ale żadna z tych propozycji nie pasowała do Víctora. Bez dyplomu nie mógł się zajmować tym, co umiał najlepiej. Felipe doradził mu, żeby się zapisał na Uniwersytet Chilijski, bezpłatny, cieszący się prestiżem, i tam kontynuował studia medyczne. Może uznają mu lata zaliczone w Barcelonie oraz doświadczenie zdobyte podczas wojny, ale i tak będzie potrzebował paru lat na uzyskanie dyplomu.

– Przede wszystkim muszę zarobić na utrzymanie – odpowiedział Víctor. – Poszukam nocnego zajęcia, żeby móc studiować w dzień.

– Ja też potrzebuję pracy – dodała Roser.

– W twoim przypadku to będzie całkiem proste. Tu zawsze brakuje pianistów.

– To samo mówił Neruda – przypomniał sobie Víctor.

– Na razie zamieszkają państwo w moim domu – zdecydował Felipe.

Miał dwa wolne pokoje i jeszcze przed przybyciem statku powiększył grono pomocy domowej; pracowały u niego kucharka i dwie pokojówki; dzięki temu Juana straciła pretekst, żeby się wtrącać. To ona pilnowała kluczy do nieużywanych pokojów w domu rodziców i ta dobra kobieta nie zamierzała ich udostępnić, co było przyczyną jedynego nieporozumienia między nimi za całe dwadzieścia parę lat znajomości, ale ta długa zażyłość sprawiła, że nie poróżnili się na dobre z tego powodu. Kiedy przyszedł wysłany przez ojca telegram z Paryża, który zastrzegał, że żaden czerwony nie przekroczy progu jego domu, Felipe już postanowił tak wszystko zorganizować, żeby przyjąć pod swój dach kilkoro Hiszpanów. Rodzina Dalmau wydała mu się idealna.

– Jestem ci bardzo wdzięczny, ale z tego, co wiem, Komitet do spraw Uchodźców załatwił nam lokum w pensjonacie i opłacił z góry pierwszych sześć miesięcy – wymawiał się Víctor.

– Mam w domu pianino i spędzam cały dzień w kancelarii. Ty, Roser, będziesz mogła grać, ile zechcesz, i nikt ci nie będzie przeszkadzał.

Ten argument przesądził sprawę. Dom, usytuowany w dzielnicy, która na gościach zrobiła wrażenie równie ekskluzywnej jak najlepsze dzielnice Barcelony, okazał się elegancki z zewnątrz i prawie pusty w środku, bo Felipe, zdegustowany napuszonym stylem domu rodziców, kupił tylko parę niezbędnych sprzętów. Nie było zasłon w oknach, fazowanych szyb, dywanów na parkiecie, wazonów na kwiaty ani roślin doniczkowych, ściany pozostawił gołe, jednak pomimo skąpej dekoracji dało się wyczuć atmosferę wyrafinowania. Mieli do dyspozycji dwa pokoje i łazienkę; a jednej z pokojówek Felipe przydzielił funkcję niańki, żeby zapewnić opiekę Marcelowi, podczas gdy jego rodzice będą pracować.

Dwa dni później Felipe zabrał Roser do rozgłośni radiowej, której dyrektor był jego przyjacielem, i tego samego dnia zasiadła do pianina, by akompaniować w nadawanym właśnie programie. Przy okazji słuchacze zostali poinformowani o jej predyspozycjach koncertowych i doświadczeniu dydaktycznym. Później nigdy nie narzekała na brak pracy. Víctora polecił w barze Klubu Jeździeckiego, korzystając z tego samego tradycyjnego systemu, w którym zdolności mniej się liczyły niż rekomendacja. Praca od dziewiętnastej do drugiej nad ranem umożliwi zapisanie się do Szkoły Medycznej, co zdaniem Felipa nie będzie nastręczało żadnych trudności, ponieważ rektor, z rodziny Vizcarra, był krewnym jego matki. Víctor zaczął od noszenia skrzynek z piwem i mycia szkła, aż nauczył się rozpoznawać gatunki win i przygotowywać koktajle. Wtedy mógł stanąć za barem, gdzie obowiązywał strój wieczorowy, biała koszula i muszka. Miał tylko jedną zmianę bielizny i garnitur kupiony za pieniądze otrzymane od Aitora Ibarry, kiedy uciekał z Argelès-sur-Mer, ale Felipe zostawił mu do dyspozycji swoją garderobę.

Juana Nancucheo wytrzymała tydzień, nie pytając Felipa o lokatorów, ale w końcu ciekawość wzięła górę nad dumą i wyposażona w tacę bułek prosto z pieca udała się na zwiady. Drzwi otworzyła nowa pokojówka z dzieckiem na rękach. „Państwa nie ma w domu", zakomunikowała. Juana odepchnęła ją i wkroczyła do środka zdecydowanym krokiem. Przeprowadziła dokładną kontrolę i przekonała się, że czerwoni, jak ich nazywał don Isidro, byli dość czyści i porządni; zajrzała do garnków w kuchni i wydała instrukcje niańce, którą uznała za głupią smarkulę: „A matka tego smarkacza pewnie szlifuje bruk, co? Do czego to podobne, rodzić dzieci, żeby później zostawić je na pastwę losu. Ale Marcelino jest sympatyczny, co tu dużo gadać. Duże oczy, okrągła buzia, a do tego jaki odważny – rzucił mi się na szyję i złapał za warkocz", opowiadała później Felipemu.

* * *

W Paryżu czwartego września Isidro del Solar już się zastanawiał, jak zakomunikować żonie decyzję zapisania Ofelii do pensji dla panien w Londynie, kiedy zaskoczyła ich wiadomość o wybuchu wojny. Na konflikt zanosiło się od miesięcy, ale on robił wszystko, żeby powszechna panika nie przeszkodziła mu w wakacjach. Prasa musiała przesadzać. Świat zawsze był na progu jakiegoś konfliktu zbrojnego, po co od razu brać to sobie do serca, ale wystarczyło wystawić głowę za próg apartamentu, żeby zdać sobie sprawę z powagi sytuacji. Zobaczył gorączkowy ruch, pracownicy hotelu biegali z walizkami i kuframi, goście się potrącali, kobiety z małymi pieskami, mężczyźni walczący o taksówkę, zapłakane, zdezorientowane dzieci. Na ulicy też panował rozgardiasz jak na bitwie: połowa miasta postanowiła schronić się na wsi, dopóki sprawy się nie wyjaśnią; ruch blokowały pojazdy załadowane tobołami pod sam dach, których kierowcy usiłowali przeciskać się między spanikowanymi przechodniami; przez głośniki ciągle nadawano polecenia, a policjanci na koniach starali się utrzymać porządek. Isidro del Solar pojął, że nie wróci do Londynu, nie odbierze najnowszego modelu samochodu, który miał zamiar zabrać ze sobą, i nie zaokrętuje się na „Królową Pacyfiku"; wszystkie jego plany spełzły na niczym. Powinien jak najszybciej opuścić Europę. Zadzwonił do ambasadora Chile we Francji.

Spędzili trzy dni w strachu, zanim przedstawicielstwo dyplomatyczne zdobyło dla nich bilety na ostatni chilijski statek, transportowiec, który w normalnych warunkach mógł zabrać pięćdziesiąt osób, a teraz stłoczono na nim trzystu pasażerów. Żeby znaleźć miejsce dla rodziny del Solar, chciano wysadzić żydowską rodzinę, która biżuterią babci opłaciła podróż i załatwiła wizę, przekupując konsula chilijskiego. Już się zdarzało, że nie wpuszczano Żydów na pokład albo że statek z nimi wracał do punktu wyjścia, ponieważ żaden kraj nie chciał ich przyjąć. Ta rodzina, podobnie jak wielu pasażerów, opuściła Niemcy, gdzie doznali bestialskich prześladowań, bez prawa zabrania ze sobą czegokolwiek. Dla nich ucieczka z Europy była kwestią życia lub śmierci. Ofelia usłyszała, jak błagali kapitana, i z własnej inicjatywy odstąpiła im swoją kajutę, nie konsultując tego z rodzicami, chociaż w konsekwencji musiała dzielić wąską koję z matką. „W czasie kryzysu trzeba się dostosować", stwierdził Isidro, ale denerwowała go ta zbieranina ludzi różnego autoramentu, w tym sześćdziesięcioro Żydów, fatalne jedzenie, nic tylko ryż i ryż, brak wody do kąpieli i budząca lęk nocna żegluga z obawy przed nalotami. „Nie wiem, jak wytrzymamy miesiąc stłoczeni jak sardynki na tej zardzewiałej łajbie", narzekał Isidro, a tymczasem jego żona modliła się, a córka spędzała czas, bawiąc się z dziećmi i rysując portrety i scenki podpatrzone na pokładzie. Wkrótce Ofelia, zainspirowana szczodrością swojego brata, podarowała część swoich ubrań Żydom, którzy weszli na pokład, za całą garderobę mając tylko to, co na sobie. „Tyle pieniędzy wydanych w sklepach po to, żeby teraz panienka rozdawała to, co kupiliśmy, szczęście, że jej wyprawa ślubna jest w kufrach pod pokładem", denerwował się Isidro, zaskoczony gestem córki, po której nigdy by się tego nie spodziewał. Dopiero parę miesięcy później Ofelia dowiedziała się, że druga wojna światowa uchroniła ją przed pensją dla panien.

Żegluga w normalnych okolicznościach trwała dwadzieścia osiem dni, ale płynąc całą parą, omijając unoszące się miny i okręty wojenne obu stron konfliktu, pokonali odległość w dwadzieścia dwa dni. Teoretycznie byli bezpieczni, bo chroniła ich neutralna bandera chilijska, ale praktycznie łatwo sobie wyobrazić jakąś tragiczną pomyłkę, na skutek której skończyliby na dnie, ostrzelani przez Niemców czy aliantów. W Kanale Panamskim widzieli stosowanie nadzwyczajnych środków ostrożności przeciw sabotażowi, takich jak włoki denne; pojawili się też nurkowie, którzy sprawdzali, czy w śluzach nie ma bomb. Dla Laury i Isidra del Solar upał i komary były torturą; dokuczliwa niewygoda i lęk przed wojną sprawiały, że płynęli ze ściśniętym żołądkiem, ale Ofelia uważała to doświadczenie za ciekawsze niż podróż „Królową Pacyfiku", z klimatyzacją i czekoladową orgią.

Felipe czekał na nich w Valparaíso w swoim samochodzie, z wynajętą ciężarówką na bagaże, prowadzoną przez szofera rodziny del Solar. Zaskoczyła go siostra, którą zawsze uważał za głupią i pretensjonalną. Wydawała się starsza i poważniejsza, jakby wyższa, wyostrzyły się rysy jej twarzy i nie przypominała już tej pustej lalki sprzed wyjazdu, stała się interesującą młodą kobietą. Gdyby nie była jego siostrą, powiedziałby, że Ofelia jest bardzo ładna. Matías Eyzaguirre też stawił się w porcie, z samochodem i bukietem kwiatów dla niezdecydowanej narzeczonej. Podobnie jak Felipa, zaskoczyła go przemiana Ofelii. Zawsze była atrakcyjna, ale teraz wydawała mu się prześliczna; przestraszył się, że może się zjawić ktoś bardziej inteligentny lub bogatszy i mu ją odbierze. Postanowił przyspieszyć realizację matrymonialnych planów. Natychmiast poinformuje ją o swojej pierwszej misji dyplomatycznej i wykorzysta najbliższą chwilę na osobności, by wręczyć jej pierścionek z brylantami, który należał do jego prababki. Z nerwów aż się spocił, kto to może wiedzieć, jak zareaguje ta kapryśna panna na perspektywę małżeństwa i przeprowadzki do Paragwaju.

Karawana dwóch samochodów osobowych i ciężarówki minęła grupę dwudziestu młodych ludzi ze swastyką, protestujących przeciw Żydom, którzy przybyli na statku; wykrzykiwali obelgi również pod adresem tych, którzy przyszli ich przywitać. „Biedni ludzie, uciekają z Niemiec, a tu proszę, co zastają", oburzyła się Ofelia. „Nie zwracaj na nich uwagi. Zaraz ich rozpędzą karabinierzy", uspokoił ją Matías.

Podczas czterogodzinnej podróży do Santiago krętą niebrukowaną drogą Felipe, który jechał z rodzicami jednym z samochodów, zdążył im opowiedzieć, że Hiszpanie rewelacyjnie się przystosowywali do nowych warunków i w przeciągu miesiąca większość z nich już znalazła mieszkanie i pracę. Wiele rodzin chilijskich przyjęło ich pod swój dach; uważał, że to wstyd, że dysponując dużym domem, w którym pół tuzina pokoi stoi pustych, oni tego nie zrobili. „Wiem już, że trzymasz u siebie bezbożnych komunistów. Jeszcze tego pożałujesz", ostrzegł go Isidro. Felipe zaprotestował, że to żadni komuniści, jeśli już, to raczej anarchiści, a co do ateizmu, to nie można z góry przesądzać. Opowiedział im o rodzinie Dalmau, przyzwoitej i kulturalnej, i o dziecku, które uwielbiało Juanę. Isidro i Laura już wiedzieli, że wierna Juana Nancucheo zdradziła ich, że jeździ codziennie odwiedzić Marcela, sprawdza, co dostaje do jedzenia, i zabiera go do parku na słońce razem z Leonardem, bo jej zdaniem matka małego gdzieś szlifuje bruk, nigdy nie ma jej w domu, niby że z powodu fortepianu, a ojciec przesiaduje w barze. Felipe zdumiał się, ile informacji dotarło do rodziców, kiedy byli na pełnym morzu.

* * *

W grudniu Matías Eyzaguirre wyjechał do Paragwaju jako pod-
władny ambasadora, despotycznego w stosunku do swoich pra-
cowników i służalczego wobec tych, którzy stali od niego wyżej
na społecznej drabinie. Matías zaliczał się do tej drugiej kategorii. Pojechał sam, bo Ofelia nie przyjęła pierścionka pod pretekstem złożonej ojcu obietnicy pozostania w stanie wolnym do
dwudziestego pierwszego roku życia. Matías zdawał sobie sprawę, że gdyby zdecydowała się wyjść za mąż, nikt by jej w tym nie
przeszkodził, ale postanowił czekać, choć to wiązało się z dużym
ryzykiem. Wielu młodych mężczyzn było nią zainteresowanych,
ale przyszli teściowie zapewniali, że dobrze jej pilnują. „Trzeba
dać dziewczynie czas, to jeszcze dziecko. Będę się za was modlić, żebyście się pobrali i byli bardzo szczęśliwi", obiecywała doña
Laura. Matías zamierzał podbić w końcu serce Ofelii na odległość, dzięki wytrwałej korespondencji, powodzi listów miłosnych,
w końcu od tego jest poczta, a elokwencja lepiej mu wychodziła na piśmie niż w bezpośrednim kontakcie. Cierpliwości. Kochał Ofelię od dzieciństwa, byli dla siebie stworzeni, nigdy w to
nie wątpił.

Tuż przed Bożym Narodzeniem Isidro del Solar tak jak co
roku sprowadził ze wsi karmione mlekiem prosię i wynajął rzeź-
nika, żeby go oporządził na trzecim patio, z dala od oczu Laury,
Ofelii i Dzidziusia. Juana czuwała nad przemianą nieszczęsnego
zwierzęcia w mięso na pieczeń, kiełbasy, kotlety, szynkę i boczek.
Ona odpowiadała za kolację wigilijną, podczas której zbierała się
liczna rodzina, i za szopkę na kominku z gipsowymi figurkami
przywiezionymi z Włoch. Wczesnym rankiem, kiedy poszła zanieść panu kawę do biblioteki, zatrzymała się przed nim z wy-
mowną miną.

– O co chodzi, Juano?

– Po mojemu, trzeba by zaprosić tych komunistów od panicza.

Isidro del Solar podniósł głowę znad gazety i patrzył na nią skonfundowany.

– Chodzi mi o Marcelita – wyjaśniła.

– O kogo?

– Pan dobrze wie, o kim mówię. No, ten maluszek, synek komunistów.

– Komuniści nie obchodzą Bożego Narodzenia. Nie wierzą w Boga i nie przejmują się Dzieciątkiem Jezus.

Juana krzyknęła i przeżegnała się. Felipe opowiadał jej mnóstwo głupot o komunistach, o równości i walce klas, ale nigdy nie słyszała o nikim, kto by nie wierzył w Boga i nie przejmował się Dzieciątkiem Jezus. Upłynęła cała minuta, zanim odzyskała głos.

– Może i tak, proszę pana, ale maluszek nie jest niczemu winien. Myślę, że powinni przyjść tu na wigilię. Już mówiłam paniczowi i on się zgadza, podobnie jak pani Laura i Ofelita.

* * *

I tak oto państwo Dalmau spędzili swoje pierwsze Boże Narodzenie w Chile z rodziną del Solar w komplecie. Roser założyła tę samą sukienkę, w której brała ślub w Perpignan, ciemnoniebieską z aplikacją białych kwiatków na kołnierzyku, włosy spięła w kok na karku i ozdobiła siatką z czarnymi paciorkami, a do sukienki przypięła broszkę z gagatem, którą jej podarowała Carme na wieść, że spodziewa się dziecka Guillema. „Już jesteś moją synową, nie muszę tego mieć na piśmie", stwierdziła. Víctor założył trzyczęściowy garnitur z garderoby Felipa, trochę na niego za szeroki i za krótki. Kiedy zjawili się w domu przy ulicy Mar del Plata, Juana od razu zabrała Marcela do pokoju dziecinnego, żeby się bawił z Leonardem, podczas gdy Felipe zaprowadził państwa Dalmau do salonu, by dokonać prezentacji. Wcześniej opowiadał im, że w Chile klasy społeczne są jak przekładaniec z tysiącem warstw: bardzo łatwo spaść niżej, ale jest niemal niemożliwością przejść na wyższy poziom, bo pochodzenia nie kupuje się za pieniądze. Jedynymi wyjątkami są talent, jak w przypadku Pabla Nerudy, czy uroda niektórych kobiet. Tak było z babcią Ofelii, córką skromnego angielskiego kupca, uosobieniem piękności o królewskich manierach, która wzmocniła rasę, jak twierdzili jej potomkowie, rodzina Vizcarra. Gdyby Víctor i Roser byli Chilijczykami, państwo del Solar nigdy nie zaprosiliby ich do stołu, ale jako egzotyczni cudzoziemcy na razie tkwili zawieszeni w towarzyskiej próżni. Jeśli im się powiedzie, w końcu trafią do jednej z wielu pomniejszych odnóg klasy średniej. Felipe uprzedził ich, że w domu rodziców będą obserwowani niczym zwierzęta w cyrku przez nietolerancyjnych, konserwatywnych, zdeklarowanych katolików, ale kiedy ci już zaspokoją pierwszą ciekawość, zostaną przyjęci z tradycyjną chilijską gościnnością. Tak też się stało. Nikt nie zapytał o hiszpańską wojnę domową ani o przyczyny emigracji, po części z powodu ignorancji – Felipe twierdził, że lekturę prasy ograniczali do wiadomości towarzyskich w „El Mercurio" – ale również z grzeczności, żeby ich nie peszyć. Víctorowi nagle wróciła trema nastolatka, którą uważał, błędnie, jak się okazało, za przezwyciężoną, i wcisnął się w kąt między dwoma fotelami w stylu Ludwika XV, pokrytymi jedwabną tapicerką w kolorze mchu; najchętniej by milczał, a zadawane pytania zbywał monosylabami. Natomiast Roser czuła się jak ryba w wodzie; nie dała się długo prosić i już po chwili siedziała przy fortepianie i grała wesołe piosenki, podśpiewywane przez tych gości, którzy wypili o jeden kieliszek za dużo.

Największe wrażenie państwo Dalmau wywarli na Ofelii. Wiedziała o nich tylko tyle, ile zdołała wywnioskować z komentarzy Juany, i wyobrażała ich sobie jako parę stetryczałych bolszewików, mimo że Matías, który wbijał Hiszpanom wizy na „Winnipegu", mówił o nich z szacunkiem. Roser była młodą, pewną siebie osobą, bez cienia zarozumiałości, nie wyglądała też na karierowiczkę.

Opowiadała grupie ubranych na czarno kobiet, wszystkim z perłowymi naszyjnikami, zgodnie z modą obowiązującą wśród eleganckich Chilijek, że najpierw pasła kozy, potem pracowała w piekarni i w szwalni, zanim zaczęła zarabiać na życie grą na pianinie. Mówiła w sposób tak naturalny, że damy odebrały to jak opowieść o jej kaprysach. Później siadła do fortepianu, czym ostatecznie przekonała je do siebie. Ofelia nie wiedziała, czy ma się wstydzić czy zazdrościć, kiedy porównywała swoją egzystencję głupiej, próżnującej panienki z losem Roser; była zaledwie parę lat od niej starsza, jak się dowiedziała od Felipa, a już przeżyła trzy życia. Wychowała się w nędzy, przeżyła przegraną wojnę i doświadczyła tragedii wygnania, została matką i żoną, przemierzyła morza i dotarła do obcej ziemi z pustymi rękami, bez lęku. Podziwiała jej odwagę, siłę i poczucie godności, chciałaby stać się taka jak ona. Roser jakby odgadła jej myśli, podeszła do niej i ruszyły porozmawiać i zapalić na balkonie, gdzie było trochę chłodniej – Boże Narodzenie w środku lata nie mieściło się jej w głowie. Ofelia, sama nie wiedząc kiedy, zaczęła się zwierzać tej obcej kobiecie, że marzy jej się wyjazd do Paryża albo do Buenos Aires, gdzie mogłaby się poświęcić malarstwu, ale to przecież szaleństwo, bo na nieszczęście jest kobietą, niewolnicą rodziny i konwencji towarzyskich. Dodała niby żartem, choć tak naprawdę miała łzy w oczach, że największą przeszkodą jest zależność materialna: sztuką nigdy nie zarobi na utrzymanie. „Jeżeli czujesz powołanie do malarstwa, wcześniej czy później zaczniesz malować, i lepiej, żeby to się stało jak najwcześniej. Po co zaraz Paryż czy Buenos Aires? Potrzebujesz tylko dyscypliny. To tak jak z pianinem, wiesz? Rzadko kiedy da się z tego wyżyć, ale trzeba próbować", przekonywała ją Roser.

Podczas tego wieczoru Ofelia parę razy uchwyciła ogniste spojrzenie Víctora Dalmau, śledzącego każdy jej ruch w salonie, ale ponieważ on nie ruszał się z miejsca i nie przejawiał zamiaru podejścia bliżej, szeptem poprosiła Felipa, żeby ich sobie przedstawił.

– To Víctor, mój przyjaciel z Barcelony. Był *miliciano* podczas wojny domowej.

– Tak naprawdę byłem asystentem lekarza, nigdy nie strzelałem – sprostował Víctor.

– *Miliciano?* – zapytała Ofelia, która nie słyszała wcześniej tego słowa.

– Tak się nazywali ochotnicy, którzy później zostali włączeni do regularnego wojska – wyjaśnił Víctor.

Felipe zostawił ich samych. Ofelia spędziła chwilę z Víctorem, ale nie znaleźli wspólnego tematu, Víctor też nie przejawiał chęci podtrzymania rozmowy. Zapytała go o bar, o którym słyszała od Juany, i od słowa do słowa wyciągnęła z niego, że ma zamiar skończyć studia medyczne, które rozpoczął w Hiszpanii. W końcu zmęczyła ją ta konwersacja, w której więcej było pauz niż słów, i odeszła. Przyłapała go później na obserwowaniu jej, co ją trochę speszyło, chociaż ona też dyskretnie mu się przyglądała, zafascynowana ascetyczną twarzą z orlim nosem i pięknie zarysowanymi kośćmi policzkowymi, nerwowymi rękami o długich palcach i szczupłym, jędrnym ciałem. Chciałaby go uwiecznić na dużym portrecie, z karabinem, ale nagiego, w czerni i bieli na szarym tle. Aż się zarumieniła, kiedy jej to przyszło do głowy, nigdy nie malowała aktów, a o anatomii męskiej wiedziała tyle, ile udało jej się zaobserwować w muzeach Europy, gdzie większość rzeźb była okaleczona, a u pozostałych w miejscach strategicznych znajdował się listek figowy. Te najodważniejsze, jak *Dawid* Michała Anioła, rozczarowały ją wielkimi rękami i dziecinnym siusiakiem. Matíasa nie widziała nago, ale ich pieszczoty były na tyle śmiałe, żeby odgadnąć, co kryje w spodniach. Trzeba by zobaczyć, żeby wyrobić sobie opinię. Dlaczego ten Hiszpan utykał? Może to bohaterska rana z czasu wojny. Musi o to zapytać Felipa.

Zaciekawienie Ofelii Víctorem było wzajemne. On doszedł do wniosku, że pochodzili z innych planet i że ta panna to stworzenie innego gatunku, tak bardzo się różniła od kobiet, z którymi miał do czynienia w przeszłości. Wojna wszystko zniekształcała, łącznie z pamięcią. Może były gdzieś dziewczyny takie jak Ofelia, świeże, nieskalane brzydotą świata, żyjące pod kloszem, przypominające białą kartkę papieru, na której przeznaczenie pisało elegancką kaligrafią, bez skreśleń, ale on żadnej takiej nie pamiętał. Jej uroda go onieśmielała, przyzwyczaił się do kobiet przedwcześnie postarzałych z powodu nędzy lub wojny. Wydawała się wysoka, bo wszystko w niej było smukłe, poczynając od szyi po szczupłe nogi, ale kiedy do niego podeszła, zorientował się, że nie sięga mu do brody. Włosy, lśniące różnymi odcieniami mahoniu, związała czarną aksamitką, usta trzymała półotwarte, jakby miała w nadmiarze zębów, wargi pociągnięte rubinową szminką. Najbardziej fascynowały go jej szeroko rozstawione, niebieskie oczy pod łukiem brwi i nieprzytomne spojrzenie, jakby zapatrzone w morską dal. Uznał, że to pewnie efekt lekkiego zeza.

Po kolacji cała rodzina, z dziećmi i służbą, udała się do najbliższego kościoła na pasterkę. Państwo del Solar byli zaskoczeni, że ich goście z Hiszpanii, których uważali za ateistów, chcieli im towarzyszyć, a ponadto Roser uczestniczyła we mszy, odpowiadając po łacinie; nie zapomniała tego, czego nauczyła się u zakonnic. Po drodze Felipe wziął Ofelię pod rękę i został z nią w tyle, żeby postawić sprawę jasno: „Jeżeli cię przyłapię na kokietowaniu Víctora Dalmau, o wszystkim dowie się papa, zrozumiałaś? Ciekawe, jak się będzie zapatrywał na to, że wpadł ci w oko żonaty facet, imigrant bez grosza przy duszy". Ona zrobiła zaskoczoną minę, jakby nigdy nic podobnego nie przyszło jej do głowy. Felipe oszczędził Víctorowi podobnego ostrzeżenia, bo nie chciał go upokorzyć, ale postanowił zrobić wszystko, by już więcej nie spotkał jego siostry. Obawiał się, że piorunujące wrażenie, jakie na sobie wywarli, musiało zostać zauważone przez innych. Nie mylił się. Kiedy Víctor wszedł do pokoju, w którym Roser spała z Marcelem, by im życzyć dobrej nocy, ona też uprzedziła go o niebezpieczeństwie podążania tą drogą.

– Ta dziewczyna nie jest dla ciebie. Wybij ją sobie z głowy, Víctorze. Nigdy nie będziesz należał do jej środowiska, a już na pewno nie do jej rodziny.

– To nie jest najważniejsze. Są poważniejsze przeszkody niż kwestie klasowe.

– Z pewnością. Pomijając to, że jesteś biedny i moralnie podejrzany w oczach tego zamkniętego klanu, nie jesteś też nadmiernie sympatyczny.

– Zapominasz o najważniejszym: mam żonę i syna.

– Możemy wziąć rozwód.

– Roser, w tym kraju nie udziela się rozwodów i zdaniem Felipa nigdy się to nie zmieni.

– Chcesz powiedzieć, że już na zawsze jesteśmy na siebie skazani? – zawołała przerażona Roser.

– Mogłabyś to ująć mniej obcesowo. Dopóki tu mieszkamy, pozostaniemy formalnie małżeństwem, ale kiedy wrócimy do Hiszpanii, po przywróceniu Republiki, rozwiedziemy się i po krzyku.

– Oby nie trzeba było długo na to czekać, Víctorze. Póki co musimy się tu zadomowić. Chcę, żeby Marcel wyrósł na Chilijczyka.

– Może i na Chilijczyka, jeśli sobie życzysz, ale nasz dom zawsze jest i będzie kataloński, i jestem z tego dumny.

– Franco zakazał używania języka katalońskiego – przypomniała mu Roser.

– Właśnie dlatego.

7

•1940–1941•

Przespałem z tobą
całą noc, tymczasem
ciemna ziemia
krąży z ciałami żywych i umarłych...

PABLO NERUDA
NOC NA WYSPIE, Z CYKLU *WIERSZE KAPITANA*

Niezawodny chilijski system kontaktów towarzyskich ułatwił Víctorowi Dalmau matrykulację na uniwersytet i kontynuowanie studiów medycznych. Felipe del Solar przedstawił go Salvadorowi Allendemu, który był jednym z założycieli Partii Socjalistycznej, zaufanym człowiekiem prezydenta i ministrem zdrowia. Allende z żywym zainteresowaniem śledził wydarzenia w Hiszpanii: zwycięstwo Republiki, bunt wojskowych, klęskę demokracji i wprowadzenie dyktatury przez generała Franco, tak jakby przeczuwał, że pewnego dnia on też straci życie w podobnych okolicznościach w swoim kraju. Allende wysłuchał lapidarnej opowieści Víctora o wojnie i emigracji; resztę mógł sobie sam wyobrazić. Jeden telefon wystarczył, by Szkoła Medyczna uznała lata studiów Víctora w Hiszpanii i pozwoliła mu zdobyć tytuł w ciągu trzech lat. Studia okazały się intensywne. Jeśli chodzi o wiedzę praktyczną, Víctor umiał tyle co jego profesorowie, ale był słaby z teorii: czym innym jest składanie złamanych kości, a czym innym nazywanie ich po łacinie. Udał się do gabinetu ministra, żeby mu podziękować i zapytać, jak mógłby się odwdzięczyć za tę przysługę. Allende zapytał go, czy umie grać w szachy, i natychmiast zaproponował rozegranie partii. Choć przegrał, nie stracił humoru. „Jeśli chce się pan jeszcze odwdzięczyć, proszę wpaść do mnie na partyjkę następnym razem, ja do pana zadzwonię", powiedział na pożegnanie. Szachy miały stać się fundamentem przyjaźni obu mężczyzn i przyczyną drugiej emigracji Víctora Dalmau.

Roser, Víctor i chłopiec mieszkali u Felipa parę miesięcy, dopóki zarobki nie pozwoliły im coś sobie wynająć. Nie skorzystali z pomocy komitetu, wychodząc z założenia, że inni są w gorszej sytuacji. Felipe chciał ich u siebie zatrzymać, ale uznali, że i tak bardzo im pomógł, a teraz sami powinni się o siebie zatroszczyć. Przeprowadzka najbardziej dotknęła Juanę Nancucheo, bo teraz, żeby odwiedzić Marcela, musiała jechać tramwajem. Víctor i Felipe nadal utrzymywali kontakty, ale nie zanosiło się na pogłębienie przyjaźni, ponieważ obracali się w różnych kręgach i obaj byli bardzo zajęci. Felipe próbował wprowadzić Víctora do Klubu Oburzonych, ciesząc się z góry na ożywienie dyskusji, których intelektualny entuzjazm ugrzązł z czasem w trywialnych tematach, ale szybko stało się oczywiste, że nie znajdzie wspólnego języka z jego przyjaciółmi. Jedyny raz, kiedy Víctor wziął udział w spotkaniu, bronił się monosylabami przed zmasowanym atakiem pytań o jego skomplikowane życie i o hiszpańską wojnę; członkowie komitetu szybko jednak znudzili się wyciąganiem z gościa okruchów informacji i przestali zwracać na niego uwagę. Żeby nie doszło do ponownego spotkania z Ofelią, nie zapraszał go do domu rodziców.

Nocna praca Víctora w barze ledwie wystarczała na utrzymanie, ale pozwoliła mu zorientować się, na czym polega ten specyficzny zawód i przyjrzeć się klienteli. W ten sposób poznał Jordiego Molinégo, owdowiałego Katalończyka, właściciela fabryki obuwia, który wyemigrował do Chile dwadzieścia lat temu; mężczyzna przesiadywał w barze, bo tam mógł rozmawiać w swoim języku. Podczas jednej z tych długich nocy nad kieliszkiem likieru przyznał się Víctorowi, że fabryka obuwia, mimo że dochodowa, nudzi go śmiertelnie, i teraz, na starość, gdy został sam, nadszedł moment, żeby zrobić coś dla przyjemności. Zaproponował mu założenie tawerny w katalońskim stylu; on wyłoży pieniądze na rozruch, a Víctor wniesie doświadczenie. Víctor się bronił, że jego powołaniem jest medycyna, a nie stanie za barem, ale tej samej nocy, kiedy opowiedział Roser o szalonej propozycji Katalończyka, ona uznała ten pomysł za znakomity; lepiej mieć własny interes niż pracować na cudzy rachunek, a jak się nie uda, to niewielka strata, bo całe ryzyko ponosi szewc. Trzeba tylko być ostrożnym w wydatkach i pamiętać, że klienci przychodzą się napić i zapomnieć o kłopotach; cała reszta jest bez znaczenia. Zainspirowała ich piwniczka winna w Barcelonie, Rosynant, do której ojciec Víctora chadzał grać w domino aż do swoich ostatnich dni. Urządzili lokal w ponurej spelunce, zamiast stołów ustawili beczki, pod sufitem zawiesili szynki i warkocze czosnku; lokal pachniał starym winem, a jego atutem była lokalizacja w samym centrum Santiago. Roser wzięła na siebie księgowość, bo miała przytomniejszą głowę i lepszą znajomość matematyki niż obaj wspólnicy razem wzięci. Przychodziła z Marcelem na plecach i zostawiała go w kojcu za barem z jakąś zabawką, podczas gdy ona zapełniała zeszyty notatkami. Nawet najmniejszego piwa nie pominęła w swoich żmudnych rachunkach. Udało im się zatrudnić kucharkę, która potrafiła przygotować katalońską botifarrę z bakłażanem, sardelki, kalmary z czosnkiem, tuńczyka w pomidorach i inne smakołyki z dalekiego kraju, przyciągające wierną klientelę hiszpańskich imigrantów. Nazwali tawernę Winnipeg.

W ciągu osiemnastu miesięcy małżeństwa między Víctorem i Roser wytworzyła się idealna relacja bratersko-przyjacielska.

Dzielili się wszystkim, ale łóżka mieli osobne: dla niej pamięć o Guillemie była zbyt świeża, a on chciał uniknąć niepotrzebnych komplikacji. Roser uznała, że miłość zdarza się tylko raz i ona swoją szansę już wykorzystała. Víctor potrzebował jej pomocy w walce z koszmarami, ona stała się jego najlepszą przyjaciółką, coraz bliższą w miarę jak pogłębiała się ich znajomość; czasem nawet chciał przekroczyć niewidzialną granicę, zapomnieć się, objąć ją i ucałować, ale w ten sposób zdradziłby swojego brata, co mogłoby doprowadzić do fatalnych skutków. Pewnego dnia będą musieli o tym porozmawiać, o długości żałoby; ile czasu trzeba, żeby przeboleć stratę bliskiej osoby. Wyznaczenie tego dnia należało do Roser, zadecyduje, tak jak decydowała o wszystkim, a do tego czasu mógł sobie pozwolić na marzenie o Ofelii del Solar, tak jak się marzy o głównej wygranej na loterii. Zakochał się w niej od pierwszego wejrzenia, żarliwie jak nastolatek, ale ponieważ później nie zdarzyła się okazja do spotkań, uczucie szybko przeniosło się w sferę wyobraźni. Przypominał sobie jej rysy, gesty, stroje, głos; Ofelia była ulotną zjawą, którą rozwiewała byle wątpliwość. Jego miłość miała rys czysto teoretyczny, tak jak miłość trubadurów w dawnych czasach.

Od samego początku Víctor i Roser oparli swój związek na zaufaniu i wzajemnej pomocy, niezbędnych do dobrego współżycia i przezwyciężenia emigracyjnej traumy. Uzgodnili, że ich priorytetem jest Marcel, doprowadzenie go do pełnoletności. Víctor prawie zapomniał, że to nie jego syn, tylko bratanek, ale Roser o tym zawsze pamiętała i tym mocniej kochała Víctora, im bardziej on kochał jej dziecko. To, co oboje zarobili, wkładali do pudełka po cygarach na wspólne wydatki, i to Roser trzymała kasę. Co miesiąc rozkładała pieniądze do czterech kopert, po jednej na tydzień, i trzymali się rygorystycznie tej zasady, nawet jeśli trzeba było przez cały tydzień jeść fasolę i tylko fasolę. Soczewicy unikali; Víctor obrzydził ją sobie na całe życie w obozie koncentracyjnym. Jak im coś zostawało, zabierali chłopca na lody.

Różnili się charakterami i dlatego dobrze się rozumieli. Roser nigdy nie uległa uchodźczej nostalgii, nie oglądała się wstecz, nie idealizowała Hiszpanii, bo już jej nie było. Przecież nie bez powodu ją opuścili. Bezkompromisowy realizm bronił ją przed niemożliwymi do spełnienia pragnieniami, daremnymi pretensjami, zapiekłymi urazami i przed ubolewaniem nad własnym losem. Nie poddawała się zmęczeniu i rozpaczy, nie panikowała przed żadnym wysiłkiem ani poświęceniem, była zdeterminowana niczym czołg, pokonując przeszkody. Plany miała jasne i transparentne. Nie zamierzała wiecznie przygrywać w radiowych słuchowiskach, wykonując ciągle ten sam repertuar smutnych, romantycznych, dziarskich lub ponurych melodii, dostosowanych do akcji. Zbrzydły jej do imentu marsz z *Aidy* i *Nad pięknym modrym Dunajem*. Ona traktowała muzykę poważnie, jako jedyny cel w życiu, cała reszta była drugorzędna, ale umiała czekać. Jak tylko tawerna zacznie przynosić dochód i Víctor otrzyma dyplom, zapisze się na Wydział Muzyczny. Pójdzie śladem swojego mentora, będzie uczyć innych i sama komponować, tak jak Marcel Lluís Dalmau.

Natomiast jej męża dręczyły złe wspomnienia i ulegał nostalgii. Tylko Roser wiedziała o tych przypływach depresji, bo Víctor nie zaniedbywał studiów, chodził na wykłady, a nocą pracował w tawernie, niezależnie od nastroju, ale chodził zamyślony, nieobecny duchem niczym lunatyk, nie tyle z powodu niewyspania, bo był osobą, która na sen wykorzystuje krótkie chwile i potrafi drzemać, stojąc, jak koń, ale dlatego że czuł się wypalony, uwikłany w sieć odpowiedzialności. Podczas gdy Roser wyobrażała sobie przyszłość w jasnych barwach, on nie widział nic, tylko cienie. „W wieku dwudziestu siedmiu lat już jestem starcem", skarżył się, ale kiedy Roser to słyszała, oburzona rzucała się na niego jak lwica. „Nie masz jaj, wszyscy przeszliśmy koszmar, a ty, narzekając, nie doceniasz tego, co mamy, jesteś niewdzięcznikiem; po drugiej stronie morza toczy się straszna wojna, a my tu siedzimy z pełnymi brzuchami, ciesząc się pokojem, a pamiętaj, że to wygnanie prędko się nie skończy, bo przeklęty caudillo cieszy się żelaznym zdrowiem, a źli ludzie długo żyją". Jednak nocą, kiedy słyszała, jak krzyczy przez sen, łagodniała. Szła go obudzić, kładła się przy nim, tuliła go jak matka i pozwalała wyrzucić z siebie senne koszmary: amputowane kończyny, ciała rozszarpane serią z karabinu maszynowego, przebite bagnetami, rzeki krwi i doły pełne kości.

* * *

Upłynął ponad rok, zanim Ofelia i Víctor spotkali się ponownie. W tym czasie Matías Eyzaguirre wynajął na jednej z głównych ulic w Asunción okazały dom, nieodpowiadający ani jego pozycji młodszego syna, ani zarobkom urzędnika państwowego. Ambasador uznał to za fanfaronadę i wypominał przy każdej okazji. Matías ozdobił dom meblami i bibelotami przysłanymi z Chile, a jego matka specjalnie przyjechała, by przeszkolić domowy personel, co nie było takie proste, zważywszy na fakt, że służący posługiwali się językiem guarani. Uparta narzeczona w końcu wyraziła zgodę na ślub, ulegając obfitej korespondencji miłosnej; może też poskutkowały msze i nowenny zamawiane w tej intencji przez doñę Laurę. Na początku grudnia, kiedy Ofelia skończyła dwadzieścia jeden lat, Matías pojechał do Santiago na oficjalne zaręczyny, wyprawione w ogrodzie państwa del Solar w obecności najbliższych krewnych narzeczonych, około dwustu osób. Obrączki zostały poświęcone przez Vicentego Urbinę, siostrzeńca doñi Laury, charyzmatycznego kapłana i energicznego intryganta, któremu bardziej by pasował mundur pułkownika niż sutanna. Choć nie miał jeszcze czterdziestu lat, Urbina wywierał zatrważający wpływ na swoich kościelnych zwierzchników i na parafian z górnej dzielnicy, dla których był doradcą, rozjemcą i sędzią. Taka osoba w rodzinie to prawdziwy skarb.

Datę ślubu wyznaczono na wrzesień następnego roku, miesiąc, w którym zazwyczaj odbywały się eleganckie wesela. Matías założył na serdeczny palec prawej ręki Ofelii pierścionek z brylantami, mający uprzedzić ewentualnych rywali, że ta panna już jest zarezerwowana, a na lewą rękę przełoży ten pierścionek w dniu zaślubin, co będzie znakiem, że definitywnie do niego należy. Chciał jej opowiedzieć ze szczegółami, jakie poczynił przygotowania w Paragwaju, żeby ją przyjąć jak królową, ale ona przerwała mu roztargniona. „Po co się spieszyć, Matías? Do września może wiele się wydarzyć". Przestraszony, zapytał, co ma na myśli, i usłyszał, że drugą wojnę światową – może przecież dotrzeć do Chile, albo trzęsienie ziemi czy inne katastrofy, tu czy w Paragwaju. „Czyli nic, co by nas dotyczyło", uspokoił się Matías.

Ofelia wykorzystywała czas poprzedzający wesele na przygotowania: układała swoją wyprawę w kufrach i przekładała bibułką i gałązkami lawendy; obrusy, prześcieradła i ręczniki wysłała do zakonu swojej ciotki, Teresy, żeby siostry wyhaftowały na nich połączone inicjały jej i narzeczonego; umawiała się z przyjaciółkami w salonie herbacianym hotelu Crillon, przymierzała w nieskończoność suknię ślubną i resztę posagu, uczyła się od swoich sióstr zasad zarządzania domem, w czym niespodziewanie okazała się całkiem pojętna, wbrew opinii nieporadnej bałaganiary. Miała przed sobą dziewięć miesięcy do zawarcia małżeństwa, ale już kombinowała, jak wydłużyć ten czas. Czuła lęk przed podjęciem nieodwracalnej decyzji, bała się zamieszkać z Matíasem w kraju, gdzie nikogo nie zna, z dala od rodziny, wśród Indian Guarani, bała się macierzyństwa, bała się, że skończy sfrustrowana i podporządkowana mężowi, jak matka i siostry, ale alternatywa wyglądała jeszcze gorzej. Gdyby została starą panną, w sprawach materialnych znalazłaby się na łasce ojca i brata, Felipa, a w społeczeństwie stałaby się pariasem. Możliwość utrzymywania się z pracy była chimerą równie absurdalną jak pomysł wyjazdu do Paryża z zamiarem malowania na poddaszu w dzielnicy Montmartre. Wymyślała tysiące pretekstów, chcąc opóźnić ślub, nawet nie przypuszczając, że niebo jej ześle jedyny prawdziwy: Víctora Dalmau. Gdy się na niego natknęła dwa miesiące po zaręczynach i siedem przed ślubem, odkryła miłość, o jakiej piszą w powieściach, miłość, której nigdy w niej nie obudził Matías swoją wytrwałą wiernością.

W połowie upalnego, suchego lata w Santiago, kiedy kto tylko mógł emigrował nad morze albo na wieś, Víctor i Ofelia spotkali się na ulicy. Zaskoczenie sparaliżowało ich oboje, jakby ktoś ich przyłapał na gorącym uczynku, i minęła nieskończenie długa minuta, zanim ona podjęła inicjatywę powitania i wydukała przez ściśnięte gardło cichutkie „cześć", które on potraktował jako zachętę. Przez rok wyobrażał sobie, że ją kocha, nie mając cienia nadziei, a teraz okazuje się, że ona też o nim myślała, czego oczywistym dowodem było zdenerwowanie dziewczyny. Jasnooka, opalona, w wydekoltowanej sukni, z nieposłusznymi kosmykami włosów wymykającymi się spod kapelusza grzecznej panienki, wydawała się ładniejsza, niż ją zapamiętał. Opanował się i podjął banalny dialog, dzięki któremu dowiedział się, że państwo del Solar jak zwykle spędzają część trzech wakacyjnych miesięcy w domu na wsi, a resztę w domu nad morzem, w Viña del Mar, a ona przyjechała do stolicy do fryzjera i do dentysty. On z kolei zmieścił w kilku zdaniach najważniejsze informacje o Roser, o chłopcu, o uniwersytecie i o tawernie. Szybko wyczerpały im się tematy i zamilkli, pocąc się w pełnym słońcu, świadomi, że jeśli teraz się rozstaną, zaprzepaszczą unikalną okazję. Kiedy ona już zaczęła się żegnać, Víctor wziął ją pod ramię, pociągnął w cień markizy apteki i poprosił, mówiąc szybciej, niż myślał, żeby spędzili to popołudnie razem.

– Muszę wrócić do Viña del Mar. Szofer na mnie czeka – odpowiedziała bez przekonania.

– Powiedz mu, żeby poczekał. Musimy porozmawiać.

– Víctorze, ja wychodzę za mąż.

– Kiedy?

– Jakie to ma znaczenie? Ty jesteś żonaty.

– O tym właśnie chciałem porozmawiać. To nie jest tak, jak myślisz, chciałbym ci to wyjaśnić.

Zabrał ją do skromnego hoteliku, chociaż nie było go stać na taki wydatek, a ona wróciła do Viña del Mar koło północy, gdy jej rodzice już chcieli zawiadomić karabinierów o jej zaginięciu. Szofer, sowicie przekupiony, tłumaczył się, że po drodze złapali gumę.

* * *

Od kiedy skończyła piętnaście lat, przestała rosnąć i nabrała kobiecych kształtów, Ofelia nie zdawała sobie sprawy, że przyciąga mężczyzn z uwodzicielską siłą. Nie zauważała porywów sfrustrowanych namiętności, które w nich budziła, z wyjątkiem tych nielicznych sytuacji, gdy zakochany stawał się niebezpieczny i musiał interweniować ojciec. Jej błogie istnienie panienki rozpieszczanej i pilnowanej było obosiecznym mieczem, bo z jednej strony pozwalało na unikanie niebezpieczeństw, ale z drugiej nie dawało jej okazji do rozwinięcia nawet odrobiny sprytu i intuicji. Pod powierzchowną kokieterią kryła się zdumiewająca naiwność. W późniejszych latach stopniowo przekonywała się, że sam jej wygląd otwierał przed nią każde drzwi i ułatwiał niemal wszystko. To pierwsza rzecz, na którą zwracali uwagę, i często jedyna; nie musiała się wysilać, bo nikogo nie interesowały jej poglądy i opinie. Podczas czterystu lat, jakie upłynęły od czasów protoplasty, prymitywnego konkwistadora, rodzina Vizcarra wzbogacała swoje dziedzictwo genetyczne czystą krwią europejską, chociaż zdaniem Felipa del Solar wszyscy w Chile, choćby nie wiem jak biali, mieli w sobie coś z Indianina, może poza ostatnimi imigrantami. Ofelia należała do kasty pięknych kobiet, ale była jedyną, która odziedziczyła niesamowite błękitne oczy po angielskiej babci. Laura del Solar uważała, że diabeł daje piękno tylko po to, by doprowadzić do zguby dusze zarówno tych, których nim obdarzył, jak i tych, których ono przyciąga, dlatego w jej domu mówienie o wyglądzie zewnętrznym było w złym tonie, uważano je za zwykłą próżność. Jej mąż doceniał urodę innych kobiet, ale w przypadku własnych córek uważał ją za problem, zagrożenie dla ich cnoty, zwłaszcza w przypadku Ofelii. Dziewczyna w końcu uwierzyła w obowiązującą w ich rodzinie teorię, że piękność stoi w sprzeczności z inteligencją: można mieć jedną lub drugą, ale razem nie występują. To wyjaśniało jej niskie oceny w szkole, brak postępów w malarstwie i trudności w podążaniu prostą drogą, wytyczoną przez ojca Urbinę. Problemem była jej własna, trudna do określenia wrażliwość. Natrętne pytanie Urbiny, co zamierza uczynić z własnym życiem, chodziło jej po głowie, ale odpowiedzi nie znała. Los żony i matki wydawał się jej równie opresyjny jak zakon, ale zgadzała się, że jest nieunikniony; mogła go tylko nieco opóźnić. I jak jej wszyscy powtarzali, powinna być wdzięczna, że istnieje ktoś taki jak Matías Eyzaguirre, taki dobry, taki szlachetny i taki przystojny. Nic, tylko pozazdrościć.

Matías kochał się w niej od dzieciństwa. Z nim poznała istnienie i formy pożądania na tyle, na ile pozwalała surowa moralność katolicka i jego wrodzona rycerskość, mimo że ona często próbowała przekroczyć tę granicę, bo koniec końców, jaka jest różnica między odważnymi pieszczotami w ubraniu a grzeszeniem nago? Kara boża była taka sama. Kiedy Matías zdał sobie sprawę z jej słabego charakteru, wziął na siebie odpowiedzialność za wstrzemięźliwość ich obojga. Szanował ją tak, jak wymagał, by inni szanowali jego siostry, i był przekonany, że nigdy nie zawiedzie zaufania rodziny del Solar. Wierzył, że pożądanie cielesne można zaspokoić tylko w związku uświęconym przez Kościół i w celu posiadania potomstwa. Nie przyznałby się nawet w skrytości ducha, że głównym powodem wstrzemięźliwości był nie szacunek czy grzech, lecz obawa ciąży. Ofelia nie rozmawiała na ten temat z matką ani z siostrami, ale miała jasność, że ten rodzaj błędu to nie przestępstwo, ale można go zmyć tylko małżeństwem. Dzięki sakramentowi spowiedzi Bóg przebacza, ale społeczeństwo nie przebacza i nie zapomina. „Reputacja przyzwoitej panienki jest białym jedwabiem, który niszczy najmniejsza plama", zapewniały zakonnice. Ten biały jedwab nieźle już zabrudziła z Matíasem.

Tego upalnego popołudnia, kiedy Ofelia poszła do hotelu z Víctorem Dalmau, była świadoma, że czeka ją coś innego niż męczące potyczki z Matíasem, po których czuła się zła i zdezorientowana. Ją samą zdziwiła ta determinacja, decyzja podjęta bez namysłu, podobnie jak swoboda, z jaką przejęła inicjatywę, gdy znalazła się z nim sam na sam w pokoju. Poczuła, że dysponuje wiedzą, zdobytą nie wiadomo jak i kiedy, i brakiem wstydu, mijającego zazwyczaj dopiero po długiej praktyce. Zakonnice uczyły ją, żeby się rozbierać po kolei: najpierw zakładało się koszulę nocną z długimi rękawami, osłaniającą dziewczynę od szyi do stóp, a następnie po omacku wyciągało się ubranie spod koszuli, ale tego popołudnia z Víctorem gdzieś się ulotniła skromność. Zrzuciła z siebie sukienkę, halkę, biustonosz i majtki na ziemię i przeszła po nich naga jak bogini, z mieszanymi uczuciami: ciekawości tego, co miało nastąpić, i irytacji na Matíasa za jego bigoterię. „Zasłużył sobie na niewierność", zdecydowała na fali entuzjazmu.

Víctor nawet nie podejrzewał, że Ofelia może być dziewicą, dlatego że nic w jej zdumiewającej pewności siebie na to nie wskazywało i dlatego że nie robił z tego problemu. Dziewictwo zostało pogrzebane w trudnych i już prawie zapomnianych latach chłopięcych. On należał do innej rzeczywistości, tej rewolucyjnej, która obaliła różnice społeczne, wyeliminowała pruderię z obyczajów i pozbawiła autorytetu religię. W Hiszpanii republikańskiej dziewictwo było przebrzmiałym przesądem; *milicianas* i pielęgniarki, z którymi miewał przygodne romanse, cieszyły się taką samą wolnością seksualną jak on. Również nie przyszło mu do głowy, że dla Ofelii to kaprys rozpieszczonej kobiety, a nie miłość. On był zakochany i automatycznie założył, że ona też. Czas na analizowanie wyjątkowości tego, co się stało, przyszedł później, gdy oboje odpoczywali po seksie, przytuleni w pościeli pożółkłej od używania i zabrudzonej dziewiczą krwią, kiedy już opowiedział, jak i dlaczego ożenił się z Roser, i wyznał, że już od roku o niej marzy.

– Dlaczego mi nie powiedziałaś, że to twój pierwszy raz?

– Bobyś się wycofał – odpowiedziała, prężąc się jak kot.

– Powinienem był uważać, Ofelio, przepraszam.

– Nie masz za co przepraszać. Tak się cieszę, jakbym miała łaskotki na całym ciele. Ale teraz muszę iść, jest bardzo późno.

– Powiedz, kiedy znów się zobaczymy.

– Zawiadomię cię, jak uda mi się wymknąć. Za trzy tygodnie wracamy do Santiago i wtedy będzie łatwiej. Musimy bardzo uważać, bo jak to się wyda, oboje poniesiemy konsekwencje. Nawet nie chcę myśleć, co zrobiłby mój ojciec.

– Kiedyś będę musiał z nim porozmawiać...

– Czyś ty zwariował? Wybij to sobie z głowy! Gdyby się dowiedział, że zadaję się z imigrantem, żonatym i dzieciatym, zabiłby nas oboje. Felipe mnie ostrzegał.

Pod pretekstem wizyty u dentysty Ofelii udało się wrócić do Santiago jeszcze raz. W czasie rozłąki zauważyła przestraszona, że jej początkowa ciekawość przerodziła się w obsesję rozpamiętywania z detalami tamtego popołudnia w hotelu, w niecierpiącą zwłoki potrzebę, by znów zobaczyć Víctora, żeby się z nim kochać, gadać bez końca, opowiadać swoje sekrety i poznawać jego przeszłość. Chciała go zapytać, dlaczego kulał, poznać wszystkie blizny, dowiedzieć się czegoś więcej o jego rodzinie i o tym, co go łączyło z Roser. Trzeba będzie dużo czasu, żeby odkryć wszystkie tajemnice, jakie kryje w sobie: czym jest emigracja, bunt wojskowych, zbiorowe groby, obóz koncentracyjny, o co chodzi z tymi wzdętymi mułami i jak smakował wojenny chleb. Víctor Dalmau miał mniej więcej tyle samo lat co Matías Eyzaguirre, ale sprawiał wrażenie dużo starszego; był twardy jak beton na zewnątrz, o nieprzeniknionym wnętrzu, naznaczony bliznami i złymi wspomnieniami. Podczas gdy Matías zachwycał się wybuchowym temperamentem narzeczonej i huraganem jej kaprysów, Víctora niecierpliwiło infantylne zachowanie dziewczyny, ponieważ oczekiwał od niej inteligencji i precyzji. Nie interesowały go banały. Gdy zadawał pytanie, słuchał odpowiedzi z uwagą nauczyciela i nie pozwalał jej wykręcić się jakimś żartem czy zmianą tematu. Ofelia zlękła się, że jest traktowana poważnie.

Kiedy następnym razem obudziła się w ramionach kochanka, w których usnęła na parę minut zmęczona miłosnym aktem, Ofelia zdecydowała, że znalazła mężczyznę swojego życia. Żaden młodzieniec z jej środowiska, pretensjonalny, rozkapryszony, bez charakteru, z przyszłością zbudowaną na pieniądzach i pozycji rodziny, nie mógł się z nim równać. Víctor wysłuchał tego zwierzenia ze wzruszeniem, bo on też uważał ją za tę jedyną, ale nie stracił głowy: wziął poprawkę na butelkę wina, którą wcześniej wypili i oszołomienie nowością, jaką była dla niej ta sytuacja. Okoliczności sprzyjały przesadnym reakcjom: trzeba będzie wrócić do tego tematu, jak już ciało ochłonie.

Ofelia zerwałaby zaręczyny z Matíasem Eyzaguirre bez wahania, gdyby Víctor jej na to pozwolił, ale uświadomił jej, że nie jest wolny i nic nie może jej zaoferować, poza tymi szybkimi, zakazanymi spotkaniami. Wtedy zaproponowała wspólną ucieczkę do Brazylii albo na Kubę, gdzie mogliby żyć pod palmami, nierozpoznani przez nikogo. W Chile byli skazani na konspirację, ale świat jest wielki. „Mam obowiązki w stosunku do Roser i Marcela, poza tym nie masz pojęcia, czym jest nędza i wygnanie. Nie wytrzymałabyś ze mną nawet tygodnia pod tymi palmami", odpowiedział Víctor rozbawiony tym pomysłem. Ofelia przestała odpowiadać na listy Matíasa w nadziei, że jej obojętność go zniechęci, ale tak się nie stało, gdyż uparty narzeczony przypisał jej milczenie nerwowości zrozumiałej u wrażliwej osoby. W tym czasie ona, zaskoczona własną dwulicowością, okazywała rodzinie coś, czego nie czuła: uprzejmą gotowość do kontynuowania przygotowań do ślubu. Upłynęło parę miesięcy na szukaniu okazji, żeby ukradkiem choć na chwilę spotkać się z Víctorem, ale im bliżej było do września, tym wyraźniej czuła, że powinna zdobyć się na odwagę zerwania zaręczyn, za zgodą czy bez zgody Víctora; zaproszenia na ślub zostały wysłane, a datę już zaanonsował dziennik „El Mercurio". Wreszcie, nie mówiąc nic nikomu, poszła do Ministerstwa Spraw Zagranicznych poprosić znajomego, żeby wysłał do Paragwaju kopertę w walizce dyplomatycznej. Do koperty włożyła pierścionek i list, w którym oznajmiała Matíasowi, że jest zakochana w kim innym.

* * *

Jak tylko otrzymał przesyłkę od Ofelii, Matías Eyzaguirre przyleciał do Chile, siedząc na podłodze wojskowego samolotu, bo w czasie wojny nie było benzyny na byle kaprysy. Wpadł jak burza do domu przy Mar del Plata w porze popołudniowej herbatki, roztrącając delikatne stoliki i krzesła z giętymi nogami, i Ofelia zobaczyła go takim, jakim go jeszcze nie znała. Jej łagodny, ugodowy narzeczony zamienił się w energumena, który nią potrząsał, czerwony ze złości i mokry od potu i łez. Głośno wykrzykiwane pretensje przyciągnęły całą rodzinę i w ten sposób Isidro del Solar dowiedział się, co się działo od jakiegoś czasu prawie na jego oczach. Udało mu się wyprosić rozgniewanego pretendenta z domu dzięki obietnicy, że naprawi tę zniewagę po swojemu, ale jego niepodważalny autorytet natrafił na opór przebiegłości i uporu córki. Ofelia odmówiła wyjaśnień, podania nazwiska kochanka i bynajmniej nie okazała skruchy. Po prostu zamknęła usta i żadnym sposobem nie dało się wydobyć z niej ani słowa; pozostawała obojętna na groźby ojca, płacz matki i apokaliptyczne argumenty księdza Vicentego Urbiny, wezwanego pilnie w charakterze przewodnika duchowego, uzbrojonego w karzący piorun Boga. Ponieważ nie dało się z nią dyskutować, ojciec zabronił jej wychodzić z domu, a pilnowanie córki powierzył Juanie.

Juana Nancucheo bardzo się przejęła tym zadaniem, bo lubiła Matíasa Eyzaguirrego, młodzieńca, którego uważała za prawdziwego dżentelmena, z tych, co witają się z członkami domowego personelu i pamiętają ich imiona, a poza tym on uwielbiał panienkę Ofelię, i to było najważniejsze. Chciała w dobrej wierze spełnić polecenie szefa, ale jej rola więziennego stróża zderzyła się z przemyślnością kochanków. Víctor i Ofelia znajdowali tysiące sposobów, żeby się spotykać w najbardziej nieoczekiwanych porach i miejscach: w barze Winnipeg, kiedy był zamknięty, w podłych hotelikach, w parkach i w kinach, prawie zawsze przy współudziale szofera. Ofelia miała dużo wolnego czasu, musiała tylko zmylić czujność Juany, natomiast Víctor miał czas zorganizowany co do minuty, zawsze w biegu z miejsca na miejsce, między obowiązkami na studiach i w tawernie, i z trudem udawało mu się wykraść godzinę tu, godzinę tam, żeby spędzić ją z Ofelią. Zaniedbał całkowicie rodzinę. Roser zauważyła zmianę i postawiła sprawę jasno. „Jesteś zakochany, prawda? Nie chcę wiedzieć, kto to jest, ale wymagam od ciebie dyskrecji. W tym kraju jesteśmy gośćmi, więc jeśli wdasz się w jakąś awanturę, mogą nas deportować. Zrozumiałeś?" Víctor poczuł się urażony takim podejściem, chociaż było całkowicie zgodne z ich specyficzną umową małżeńską.

W listopadzie zmarł na gruźlicę prezydent Pedro Aguirre Cerda po zaledwie trzech latach sprawowania urzędu. Biedacy, którzy skorzystali na jego reformach, opłakiwali go jak ojca podczas najbardziej przejmującego pogrzebu, jaki kiedykolwiek widziano. Nawet niechętna mu prawica musiała przyznać, że był uczciwy; nie mogła też odmówić jego polityce sukcesów w rozwoju narodowego przemysłu, służby zdrowia i edukacji, ale nie zamierzali pozwolić, by Chile skręciło w lewo. Socjalizm był dobry dla Sowietów, bo mieszkali daleko i urodzili się barbarzyńcami, ale nigdy w ich ojczyźnie. Laicki, demokratyczny charakter zmarłego prezydenta to niebezpieczny precedens, który nie powinien się powtórzyć. Felipe del Solar i państwo Dalmau spotkali się na pogrzebie. Nie widzieli się od miesięcy i po uroczystości Felipe zaprosił ich na obiad, żeby się dowiedzieć, co u nich słychać. Oboje radzili sobie coraz lepiej, a prawie dwuletni Marcel już zaczynał mówić po katalońsku i po hiszpańsku. Felipe opowiedział im o rodzinie, że Dzidziuś jest chory na serce, a matka ma zamiar zabrać go na pielgrzymkę do sanktuarium Santa Rosa w Limie, bo w Chile cierpieli na pożałowania godny niedostatek własnych świętych, i że ślub jego siostry został przełożony. Víctor starał się w żaden sposób nie okazać, że wstrząsnęła nim ta ostatnia informacja, ale Roser wyczuła jego reakcję i wtedy już nie miała żadnych wątpliwości, kim jest kochanka jej męża. Aż do tej chwili wolała, by jej tożsamość pozostała w ukryciu, bo raz nazwana stawała się brutalną rzeczywistością. Sytuacja okazała się o wiele gorsza, niż przypuszczała.

– Mówiłam ci, Víctorze, żebyś o niej zapomniał! – zarzucała mu tej samej nocy, kiedy zostali sami.

– Nie mogę, Roser. Pamiętasz, jak kochałaś Guillema? Jak nadal go kochasz? Ja coś podobnego czuję do Ofelii.

– A ona?

– Z wzajemnością. Wie, że nigdy nie będziemy mogli oficjalnie być razem i zgadza się na to.

– Jak sądzisz, jak długo ta panienka z dobrego domu wytrzyma w roli twojej kochanki? Przed nią całe życie pełne przywilejów. Musiałaby być niespełna rozumu, żeby się go wyrzec dla ciebie. Powtarzam ci, Víctorze, jeżeli ta sprawa wyjdzie na jaw, wykopią nas z kraju. Ci ludzie mają nieograniczone możliwości.

– Nikt się o tym nie dowie.

– Prędzej czy później wszystko wychodzi na jaw.

* * *

Ślub Ofelii został odwołany pod pretekstem problemów zdrowotnych narzeczonej, a Matías Eyzaguirre wrócił na swoje stanowisko w Paragwaju, które opuścił, nie prosząc o pozwolenie zwierzchnika i Ministerstwa Spraw Zagranicznych. Ostrzeżenie, jakie otrzymał po tej wyprawie, nie pociągnęło za sobą poważniejszych skutków, ponieważ wykazał wyjątkowe zdolności dyplomatyczne i udało mu się wejść do kręgów politycznych i towarzyskich, do których ambasador, człowiek z pretensjami, ale ograniczony, nie miał wstępu. Ofelię rodzina ukarała, skazując ją na przymusową bezczynność. Dwudziestojednoletnia kobieta siedziała z założonymi rękami w domu, pilnowana przez Juanę Nancucheo, śmiertelnie znudzona. Nic jej nie pomogło powoływanie się na prawa osoby pełnoletniej. Dobitnie jej uświadomiono, że nie ma dokąd pójść i nie zdoła sama się utrzymać. „Uważaj, Ofelio, bo jak wyjdziesz tymi drzwiami na ulicę, nie będziesz miała powrotu do domu", zagroził jej ojciec. Próbowała przeciągnąć na swoją stronę Felipa lub którąś z sióstr, ale klan okazał jednomyślność w obronie honoru rodziny i w końcu mogła liczyć tylko na pomoc szofera, człowieka o negocjowalnej uczciwości. Skończyło się życie towarzyskie, bo nie wypadało pojawiać się na przyjęciach, skoro oficjalnie była chora. Mogła tylko odwiedzać ubogich z Katolickimi Damami, chodzić na mszę z rodziną i na kurs malarstwa, gdzie nikt z jej towarzystwa nie bywał. To jedno ustępstwo udało się jej wymusić na ojcu płaczem i histerycznym tupaniem. Szofer dostał polecenie czekania na nią przed drzwiami przez trzy czy cztery godziny warsztatów malarskich. Mijały miesiące, a Ofelia nie robiła żadnych postępów artystycznych, co tylko potwierdziło opinię rodziny, że jest pozbawiona talentu. W rzeczywistości wchodziła do Akademii Sztuki głównym wejściem, wyposażona w płótna, sztalugi i farby, i przechodziła przez cały budynek do tylnego wejścia, gdzie czekał na nią Víctor. Widywali się rzadko, bo przy licznych obowiązkach z trudem dostosowywał się do godzin jej zajęć.

Víctor miał podkrążone oczy jak lunatyk, był ciągle niewyspany i tak przemęczony, że podczas ich spotkań w hotelu czasem zasypiał, nim jego kochanka zdążyła się rozebrać. Natomiast Roser kipiała energią. Przystosowywała się do miasta i zaczynała rozumieć Chilijczyków, którzy w gruncie rzeczy bardzo przypominali Hiszpanów – byli podobnie jak oni hojni, lekkomyślni i skłonni do przesady; postanowiła zyskać przyjaciół i wyrobić sobie opinię dobrej pianistki. Grała w radiu, w hotelu Crillon, w katedrze, w klubach i w domach prywatnych. Mówiono, że ta młoda osoba dobrze się prezentuje i ma nienaganne maniery, że potrafi zagrać ze słuchu o co tylko ją poprosić, wystarczyło zagwizdać parę taktów i w ciągu paru sekund ona odtwarzała melodię na pianinie, była doskonałym dodatkiem do zabaw i uroczystych przyjęć. Zarabiała o wiele więcej niż Víctor w Winnipegu, ale kosztem matczynych obowiązków; Marcel zwracał się do niej „proszę pani" aż do czwartego roku życia. Pierwsze słowa, jakie wypowiedział po katalońsku w kojcu za barem w tawernie swojego ojca, to „białe wino". Roser i Víctor wymieniali się, nosząc go w plecaku, dopóki nie stał się zbyt ciężki. Wąski, ciepły plecak, przytulony do ciała matki lub ojca, zapewniał mu bezpieczeństwo; rósł jako dziecko spokojne, ciche, umiejące zająć się sobą, i rzadko kiedy o coś prosił. Matka zabierała go do radia, a ojciec do tawerny, ale większość czasu spędzał u wdowy z trzema kotami, która pilnowała go za niewielką opłatą.

Mimo niesprzyjających okoliczności związek Víctora i Roser umocnił się w tym chaotycznym czasie, gdy każde z nich żyło czym innym, a jego serce biło dla innej kobiety. Ich przyjaźń podbudowało wzajemne zrozumienie, bez sekretów, podejrzeń i obrażania się; podstawą była zasada, że nigdy nie będą siebie krzywdzić, a gdyby coś takiego się przydarzyło, to chyba tylko nieumyślnie. Oboje mogli na siebie liczyć, dzięki czemu łatwiej znosili obecne kłopoty i widmo przeszłości.

W ciągu miesięcy spędzonych w Perpignan, u kwakrów, Roser nauczyła się szyć. W Chile za pierwsze oszczędności kupiła pedałową maszynę do szycia, singera, czarną, błyszczącą, ozdobioną złotymi literami i kwietnym ornamentem, cud efektywności. Rytmiczny dźwięk maszyny przypominał ćwiczenia na pianinie, a kiedy kończyła szyć sukienkę czy kombinezon dla chłopca, czuła satysfakcję, jakby oklaskiwała ją publiczność. Kopiowała z branżowych tygodników i dzięki temu chodziła modnie ubrana. Na występy uszyła sobie długą suknię w kolorze stalowym, do której przypinała kolorowe kokardy, raz długie, raz krótkie rękawy, kołnierzyk, kwiaty bądź spinki, tak że na każdym występie prezentowała się nieco inaczej. Preferowała uczesanie tradycyjne, z kokiem na karku, ozdobionym grzebieniami lub broszkami; do końca życia malowała na czerwono usta i paznokcie, nawet kiedy posiwiały jej włosy, a usta wyschły. „Twoja żona jest bardzo ładna", powiedziała Ofelia Víctorowi przy jakiejś okazji. Spotkała się z nią na pogrzebie jakiegoś wujka, gdzie Roser grała smutne melodie na organach, a krewni składali kondolencje wdowie i dzieciom zmarłego. Gdy dostrzegła Ofelię, Roser przerwała grę, pocałowała ją w policzek i wyszeptała na ucho, że może na nią liczyć, cokolwiek by się działo. To przekonało Ofelię, że wersja Víctora o braterskich relacjach, jakie utrzymywał z żoną, była prawdziwa. Komentarz Ofelii na temat wyglądu Roser zaskoczył Víctora, bo on nadal widział w niej tamtą chudą, prostą dziewczynę, jaką pamiętał z Hiszpanii, biedne dziecko przygarnięte przez jego rodziców, sympatię Guillema. To, czy Roser była taka jak kiedyś, czy taka, jaką podziwiała Ofelia, w niczym nie zmieniało faktu, jak bardzo i w jaki sposób ją kochał. Nic, nawet nieznośna pokusa, by uciec z Ofelią do palmowego raju, nie mogło skłonić go do opuszczenia jej i dziecka.

8

Posłuchaj,
jeśli krok po kroku kochać mnie przestaniesz,
przestanę kochać ciebie krok po kroku.

Jeśli nagle
zapomnisz o mnie,
nie szukaj mnie więcej,
bo już nie będzie cię w mojej pamięci.

PABLO NERUDA
JEŚLI ZAPOMNISZ O MNIE, Z CYKLU WIERSZE
KAPITANA

Kiedy Ofelia została uwięziona w domu przy Mar del Plata, spotkania miłosne w hotelu stały się coraz rzadsze i coraz krótsze. Na tym etapie życia, gdy Ofelia już nie była na każde jego skinienie, Víctor Dalmau zauważył, że ma więcej czasu, i chętniej przyjmował zaproszenie Salvadora Allendego na partyjkę szachów. Nosił dziewczynę w sercu, ale już nie doskwierało mu nieustanne pragnienie, by potajemnie się z nią spotkać, dzięki czemu nie musiał poświęcać reszty nocy na naukę, rekompensując spędzone z nią godziny. Na uniwersytecie opuszczał wykłady z teorii, na których nie sprawdzano obecności, bo wolał się uczyć z książek i z notatek. Koncentrował się na laboratorium, na autopsjach i zajęciach praktycznych w szpitalach, gdzie musiał ukrywać doświadczenie, żeby nie zawstydzać profesorów. W tawernie uczciwie przychodził na nocną zmianę i wykorzystywał na naukę późne godziny, kiedy ubywało klientów, a jednocześnie miał na oku Marcela bawiącego się w kojcu. Jordi Moliné, kataloński szewc, okazał się idealnym wspólnikiem, nigdy się nie kłócił o podział skromnego dochodu Winnipegu; wystarczyło mu, że ma coś własnego, miejsce bardziej przytulne niż mieszkanie samotnego mężczyzny; mógł tam rozmawiać z przyjaciółmi, popijać nescafé z wódką, delektować się rodzimymi potrawami i grać na akordeonie. Víctor próbował nauczyć go szachów, ale Moliné nie mógł pojąć, jaki sens ma przesuwanie pionków tam i z powrotem, skoro nie przynosiło to żadnych zysków. Czasami w nocy, widząc zmęczenie Víctora, wysyłał go do domu, żeby się przespał, i z chęcią stawał na jego miejscu, ale ograniczał się do podawania wina, piwa i koniaku stałej klienteli, na koktajlach się nie znał, uważał, że to jakaś gejowska moda. Roser szanował i był czuły dla Marcela; mógł całymi godzinami bawić się z nim, przykucnięty za barem, jak z wnukiem, którego się nie doczekał. Pewnego dnia Roser zagadnęła go, czy ma jakąś rodzinę w Katalonii. Moliné opowiedział jej, że wyemigrował ze swojej wsi trzydzieści lat temu za pracą. Był marynarzem na azjatyckim południowym wschodzie, drwalem w Oregonie, w Argentynie został maszynistą kolejowym i pracował na budowie; w sumie miał wiele zawodów, nim przyjechał do Chile, gdzie założył fabrykę butów.

– Powiedzmy, że w zasadzie powinna tam być moja rodzina, ale nie mam pojęcia, jak potoczyły się ich losy. Oni wszyscy poróżnili się podczas wojny: jedni opowiedzieli się po stronie Republiki, inni poszli za generałem Franco; po jednej stronie komunistyczni *milicianos*, po drugiej księża i zakonnice.

– Utrzymuje pan z kimś kontakt?

– Tak, z niektórymi. Proszę sobie wyobrazić, że mam kuzyna, który do końca wojny się ukrywał, a teraz jest burmistrzem. To faszysta, ale porządny człowiek.

– Chciałabym pana prosić o przysługę...

– Zamieniam się w słuch, pani Roser.

– Chodzi o to, że w czasie Wielkiej Ewakuacji zaginęła moja teściowa, mama Víctora, i nic nie wiemy o jej losie. Szukaliśmy jej w obozach koncentracyjnych we Francji, próbowaliśmy zorientować się po obu stronach granicy, i nic.

– Takich przypadków jest więcej. Ilu jest zabitych, emigrantów, uchodźców! Ile osób się ukrywa! Więzienia są przepełnione, co noc wyciągają przypadkowych więźniów i rozstrzeliwują, ot tak, bez sądu, bez niczego. Tak wygląda sprawiedliwość generała Franco. Nie chcę być pesymistą, Roser, ale pani teściowa najprawdopodobniej nie żyje...

– Wiem. Carme sama wolała śmierć niż wygnanie. Odłączyła się od nas w drodze do Francji i zniknęła nocą, bez pożegnania, bez śladu. Skoro pan ma kontakty w Katalonii, może dałoby się o nią popytać.

– Niech mi pani przygotuje dane, ja się tym zajmę, ale proszę nie robić sobie wielkich nadziei, Roser. Wojna to huragan: zostawia po sobie ruiny.

– Komu pan to mówi, don Jordi.

Roser poszukiwała nie tylko Carme. Jednym z jej częstych, choć nieregularnych zajęć, stały się występy w ambasadzie Wenezueli, budynku ukrytym wśród drzew cienistego parku, gdzie się przechadzał samotny paw. Ambasador, Valentín Sánchez, był sybarytą, miłośnikiem dobrej kuchni, wybornych likierów i przede wszystkim muzyki. Należał do rodu muzyków, poetów i marzycieli. Podróżował wielokrotnie do Europy w poszukiwaniu zapomnianych partytur i w swoim salonie muzycznym miał kolekcję rzadkich instrumentów, od klawesynu przypisywanego Mozartowi po swój najcenniejszy skarb: prehistoryczny flet, który zdaniem właściciela został wycięty z ciosów mamuta. Roser wolała się nie wypowiadać na temat autentyczności klawesynu czy fletu, ale była wdzięczna za możliwość korzystania z książek z historii sztuki i muzyki ze zbiorów Valentína Sáncheza i za zaszczyt bycia pierwszą osobą, której pozwalał grać na najciekawszych instrumentach ze swojej kolekcji. Kiedyś wieczorem została dłużej z amfitrionem, po rozejściu się gości, i przy kieliszku wina podzieliła się z nim ekstrawaganckim pomysłem, zainspirowanym kolekcją ambasadora – założenia zespołu muzyki dawnej. Oboje dzielili tę samą fascynację: ona chciała dyrygować, a on chciał być mecenasem przedsięwzięcia. Przed pożegnaniem Roser odważyła się jeszcze poprosić go o pomoc w poszukiwaniu kogoś, kto zaginął na emigracji. „Nazywa się Aitor Ibarra; wybierał się do Wenezueli, bo miał tam krewnych pracujących w budownictwie", wyjaśniła. Dwa miesiące później zadzwoniła do niej sekretarka ambasady z informacją o spółce Iñaki Ibarra i Synowie w Maracaibo, wyspecjalizowanej w produkcji materiałów budowlanych. Roser wysłała do nich kilka listów; tak jakby wrzucała do morza butelkę z wiadomością. Bez rezultatu.

**

Pretekst słabego zdrowia Ofelii, wykorzystywany przez rodzinę kilka miesięcy jako usprawiedliwienie odwołania ślubu z Matíasem Eyzaguirrem, sprawdził się na początku następnego roku, kiedy Juana Nancucheo zdała sobie sprawę, że Ofelia jest w ciąży. Zaczęło się od porannych wymiotów, które Juana nieskutecznie próbowała leczyć naparem z kopru, imbiru i kminku; dopiero później skojarzyła, że od dziewięciu tygodni nie widziała wkładek higienicznych w praniu. Pewnego dnia, gdy znów zastała Ofelię wymiotującą w ubikacji, podparła się rękami pod boki i zaatakowała. „Niech mi lepiej panienka sama się przyzna, z kim wpadła, zanim ojciec to odkryje", postraszyła. Nieznajomość Ofelii własnego ciała była niemal absolutna, i do momentu pytania Juany, z kim się zadawała, nie skojarzyła Víctora Dalmau z przyczyną tej niedyspozycji, którą uznała za problemy trawienne. Kiedy zrozumiała, co się stało, wpadła w panikę i zaniemówiła. „Co to za jeden?", naciskała Juana. „Nie powiem nawet na torturach", odpowiedziała Ofelia, gdy już odzyskała mowę. To była jej jedyna odpowiedź przez następne pięćdziesiąt lat.

Juana wzięła sprawę w swoje ręce w nadziei, że modlitwami i domowymi sposobami uda się rozwiązać problem, nie budząc podejrzeń rodziny. Ofiarowała w tej intencji wiele aromatycznych świec świętemu Judzie, patronowi spraw trudnych i beznadziejnych, a Ofelii zaparzyła herbatę z ruty i włożyła jej do waginy natkę pietruszki. Podała jej rutę, wiedząc, że jest trująca, ale uznała, że lepsza będzie dziura w żołądku niż *huacho*, nieślubne dziecko. Po tygodniu starań, których skutkiem była tylko alarmująca intensywność wymiotów i stan permanentnego osłabienia, Juana zdecydowała się prosić o pomoc Felipa, tego członka rodziny, do którego miała największe zaufanie. Najpierw kazała mu przysiąc, że zachowa to w tajemnicy, ale kiedy mu zrelacjonowała, co się dzieje, Felipe przekonał ją, że ten sekret to za poważna sprawa, żeby mogli go dźwigać tylko we dwoje.

Felipe zastał Ofelię w łóżku z bólem brzucha po kuracji rutą i gorączką wywołaną stresem.

– Jak mogło do tego dojść? – zapytał, starając się zachować spokój.

– Normalnie – odpowiedziała.

– Czegoś takiego nigdy nie było w naszej rodzinie.

– Tak ci się tylko wydaje, Felipe. To się dzieje często, tylko mężczyźni o niczym nie wiedzą. Takie babskie sekrety.

– Z kim ty...? – zawahał się, nie wiedząc, jak zapytać, nie używając obraźliwych słów.

– Nie powiem nawet na torturach – powtórzyła.

– Będziesz musiała to zrobić, siostro, bo jedyne wyjście to ślub z tym, który ci to zrobił.

173

– To wykluczone. On nie jest stąd.

– Co to znaczy „nie jest stąd"? Skądkolwiek by był, znajdziemy go, Ofelio. A gdyby nie chciał się z tobą ożenić...

– To co zrobisz? Zabijesz go?

– Na litość boską! Co też ci przychodzi do głowy. Porozmawiam z nim po męsku, a jak to nie pomoże, będzie miał do czynienia z papą...

– Nie! Tylko nie papa!

– Trzeba coś zrobić, Ofelio. Nie da się tego ukryć, niebawem wszyscy się zorientują i wybuchnie skandal. Pomogę ci w miarę swoich możliwości, obiecuję.

W końcu uzgodnili, że trzeba powiedzieć matce, żeby odpowiednio nastawiła męża, a potem się zobaczy. Laura del Solar przyjęła wiadomość przekonana, że oto Bóg wystawia jej rachunek za wszystko, co mu zawdzięcza. Dramat Ofelii był częścią ceny, jaką należało zapłacić niebu, a drugą częścią, jeszcze droższą, było serce Leonarda, które biło coraz słabiej. Kiedy się urodził, lekarze uprzedzili ją, że mając tak słabe organy, dziecko długo nie pożyje. Dzidziuś powoli przygasał i nic nie dało się na to poradzić, mimo to matka, ogarnięta obsesją modłów i układów ze świętymi, nie chciała przyjąć do wiadomości oczywistych objawów. Laura czuła, że sama się pogrąża w gęstym błocie i pociąga za sobą rodzinę. Natychmiast zaczęły się bóle głowy, jakby dostała obuchem w kark, aż jej pociemniało w oczach. Jak miała o tym powiedzieć Isidrowi? Nie istniała taka strategia, która by osłabiła szok i złagodziła jego reakcję. Należało tylko trochę poczekać, a nuż zadziała miłosierdzie boże i rozwiąże problem Ofelii w sposób naturalny – wiele ciąż zamierało w brzuchu – ale Felipe przekonał ją, że czekanie tylko pogorszy sytuację. Wziął na siebie rozmowę w cztery oczy z ojcem, zamykając się z nim w bibliotece, a tymczasem Laura i Ofelia na klęczkach oddawały się modlitwie z gorliwością męczennic.

Godzinę później Juana odnalazła je ukryte po drugiej stronie domu i przekazała polecenie, że natychmiast mają się stawić w bibliotece. Isidro del Solar czekał w drzwiach i na początek dwukrotnie Ofelię spoliczkował, nim Laura zdążyła stanąć między nimi, a Felipe złapać go za rękę.

– Kim jest ten drań, który zepsuł moją córkę? Powiedz, kto to! – ryknął.

– Nie powiem nawet na torturach – powtórzyła Ofelia, ocierając rękawem krew z nosa.

– Powiesz, choćbym miał cię potraktować batem!

– Proszę bardzo. Nie powiem nigdy nikomu.

– Papo, proszę... – wtrącił się Felipe.

– Milcz! Czy nie kazałem trzymać pod kluczem tej zasranej smarkuli? Lauro, jak mogłaś do tego dopuścić? Przypuszczam, że siedziałaś w kościele, podczas gdy szatan hulał w naszym domu. Zdajecie sobie sprawę, co to za hańba, jaki skandal? Jak my teraz spojrzymy ludziom w oczy! – Krzyczał tak dłuższą chwilę, aż Felipemu udało się mu przerwać.

– Uspokój się, papo, musi istnieć jakieś wyjście. Spróbuję zrobić rekonesans...

– Rekonesans? Co masz na myśli – zapytał Isidro z ulgą, bo nie on zasugerował to, co było oczywiste.

– Ma na myśli przerwanie ciąży – powiedziała spokojnie Ofelia.

– A jest jakieś inne rozwiązanie? – rzucił jej w twarz Isidro.

Wtedy po raz pierwszy odezwała się Laura del Solar i drżącym, ale dobitnym głosem oświadczyła, że nie ma mowy, bo to grzech śmiertelny.

– Grzech nie grzech, ta sprawa nie rozwiąże się w niebie, tylko na ziemi. Zrobimy to, co konieczne. Pan Bóg nas zrozumie.

– Nie podejmiemy żadnych kroków bez konsultacji z ojcem Urbiną – zdecydowała Laura.

* * *

Vicente Urbina przybył na wezwanie rodziny del Solar jeszcze tego samego dnia. Już sama jego obecność podziałała na wszystkich uspokajająco; roztaczał wokół siebie aurę inteligencji i zdecydowania osoby zaprawionej w walce ze zbłąkanymi duszami, pozostającej w bezpośrednim kontakcie z Bogiem. Nie odmówił kieliszka porto, którym go poczęstowano, i zapowiedział, że chce rozmawiać z każdym z osobna, zaczynając od Ofelii, z opuchniętą twarzą i podbitym okiem. Męczył ją przez prawie dwie godziny, ale jemu też nie udało się z niej wyciągnąć nazwiska kochanka ani skłonić ją do łez. „To nie Matías, nie obciążajcie go odpowiedzialnością", powtórzyła Ofelia dwadzieścia razy jak katarynka. Urbina potrafił hipnotyzować wystraszone parafianki, więc lodowaty chłód dziewczyny niemal wyprowadził go z równowagi. Minęła północ, kiedy skończył rozmowę z rodzicami i bratem grzesznicy. Również przepytał Juanę, z marnym skutkiem, bo ona naprawdę nie miała pojęcia, kto jest tym tajemniczym kochankiem. „No, to chyba będzie, ojczulku, Duch Święty", zażartowała na koniec.

Możliwość aborcji została bezwzględnie odrzucona przez Urbinę jako zbrodnia wobec prawa i odrażający grzech wobec Boga, jedynego pana życia i śmierci. W najbliższych dniach trzeba będzie się zastanowić nad innymi rozwiązaniami. Najważniejsze, żeby sprawa nie wyszła poza cztery ściany ich domu. Nikt nie powinien o tym wiedzieć, ani siostry Ofelii, ani drugi brat, który na szczęście śledził teraz tajfuny na Karaibach. „Plotki mają skrzydła", jak trafnie zauważył Isidro; oby tylko nie ucierpiała reputacja Ofelii ani honor rodziny. Urbina miał dla każdego dobrą radę: Isidrowi nakazał unikanie przemocy, bo łatwo wtedy popełnić błąd, a w tym momencie trzeba zachować maksymalną ostrożność; Laurze, by nadal się modliła i wspomagała miłosierne akcje organizowane przez Kościół; a Ofelii, by żałowała za grzechy i odbyła spowiedź, bo ciało jest słabe, ale miłosierdzie Boże nieskończone. Wziął na stronę Felipa i pouczył go, że on ma pozostać ostoją rodziny podczas tego kryzysu, i umówił się z nim w swojej kancelarii, gdzie wspólnie opracują plan działania.

Plan ojca Urbiny okazał się banalnie prosty. Ofelia spędzi najbliższe miesiące daleko od Santiago, tam gdzie nikt znajomy jej nie zobaczy, a później, kiedy nie da się już ukryć brzucha, trafi do zakonu żeńskiego, gdzie otrzyma duchowe wsparcie, którego tak bardzo potrzebuje, i zostanie do momentu rozwiązania pod dobrą opieką. „I co dalej?", zainteresował się Felipe. „Chłopiec, a może dziewczynka, zostanie oddany do adopcji przez porządną rodzinę. Osobiście się tym zajmę. Ty powinieneś uspokoić rodziców i siostrę i zająć się szczegółami. Oczywiście będą pewne wydatki..." Felipe zapewnił go, że wszystkiego się podejmie i że odpowiednio wynagrodzi mniszki z zakonu. Poprosił, żeby Urbina załatwił pozwolenie ciotce Teresie, zakonnicy z innej kongregacji, by dołączyła do siostrzenicy, jak będzie się zbliżał termin rozwiązania.

Kolejne miesiące w majątku ziemskim rodziny stały się maratonem modlitw, ślubów składanych świętym, aktów pokuty i czynów miłosiernych ze strony doñi Laury, podczas gdy Juana Nancucheo zajmowała się domową rutyną, pilnowała Dzidziusia, który cofnął się w rozwoju do czasu pieluch i trzeba mu było podawać łyżeczką papkę ze zmielonych warzyw, a także pilnowała nieszczęsnej panienki, jak zaczęła nazywać Ofelię. Tymczasem Isidro del Solar, nie ruszając się z Santiago, udawał, że zapomniał o dramacie rozgrywającym się gdzieś daleko, wśród kobiet, przekonany, że Felipe podjął odpowiednie środki, żeby zapobiec plotkom. Dla niego ważniejsza była aktualna sytuacja polityczna, bo mogła wpłynąć na jego interesy. Prawica została pokonana w wyborach, a nowy prezydent z Partii Radykalnej zamierzał kontynuować reformy swojego poprzednika. To, za kim Chile się opowie w drugiej wojnie światowej, miało zasadnicze znaczenie dla Isidra, ponieważ od tego zależał eksport owczej wełny do Szkocji i również do Niemiec, przez Szwecję. Prawica była za neutralnością – po co się wtrącać i ryzykować, ale rząd i opinia publiczna stali po stronie aliantów. Powtarzał, że jeżeli to poparcie przełoży się na konkretne decyzje, diabli wezmą jego handel z Niemcami.

Ofelii udało się przekazać list Víctorowi Dalmau przez szofera, zanim został z hukiem wyrzucony z pracy, a ona sama odesłana na wieś. Juana nienawidziła szofera i oskarżyła go, za jedyny dowód mając jakąś prowadzoną szeptem rozmowę między nim a Ofelią. „Ja uprzedzałam, ale pan mnie nigdy nie słucha. To wszystko przez tego fircyka. Z jego winy panienka Ofelia jest w ciąży". Isidrowi krew uderzyła do głowy i odniósł wrażenie, że zaraz mózg mu eksploduje. To, że męscy potomkowie czasami wykorzystują służące, było czymś normalnym, ale żeby jego córka postąpiła tak samo z podwładnym, z włosami jak Indianin i z ospowatą twarzą, nie mieściło mu się w głowie. Przez moment wyobraził sobie córkę nagą w ramionach tego przybłędy spod ciemnej gwiazdy, tego skurwysyna, w pokoju nad garażem, i niemal doznał apopleksji. Ulżyło mu, gdy Juana wyjaśniła, że szofer odgrywał rolę pośrednika. Wezwał go do biblioteki i domagał się, wrzeszcząc na całe gardło, ujawnienia nazwiska winnego, zagroził mu więzieniem, gdzie karabinierzy wydobędą z niego prawdę kopniakami i kolbami, a kiedy i to nie odniosło skutku, próbował go przekupić, ale mężczyzna nic nie mógł powiedzieć, bo nigdy nie widział Víctora. Znał tylko godziny, w których zostawiał i odbierał Ofelię sprzed Akademii Sztuki. Isidro zrozumiał, że jego córka nie uczęszczała na żadne zajęcia, a ze szkoły wymykała się pieszo lub taksówką w ramiona kochanka. Ta przeklęta dziewucha nie była taka głupia, za jaką ją uważał, albo to rozpusta nauczyła ją sprytu.

List Ofelii zawierał wyjaśnienie, które powinna była dać Víctorowi osobiście, ale wtedy, gdy mogła do niego zadzwonić, nie udało się jej go zastać ani w domu, ani w Winnipegu. Na wsi nie będzie miała kontaktu ze światem; do najbliższego telefonu jest czternaście kilometrów. Powiedziała mu prawdę: ta namiętność była jak upojenie alkoholowe, które odebrało jej rozum i dopiero teraz do niej dotarło to, co on ciągle jej powtarzał, że dzielące ich przeszkody są nie do pokonania. Przyznała, że w rzeczywistości to, co czuła, okazało się raczej rozbuchaną żądzą niż miłością, że pociągała ją atrakcyjność nowości, ale nie mogła mu poświęcić swojej reputacji i życia. Poinformowała, że przez jakiś czas będzie z matką w podróży, a później, kiedy wszystko sobie przemyśli, zastanowi się nad powrotem do Matíasa. Zakończyła definitywnym żegnaj i ostrzeżeniem, żeby nigdy nie próbował się z nią kontaktować.

Víctor czytał list z rezygnacją kogoś, kto tego właśnie oczekiwał i na to się nastawiał. Nie wierzył, że coś z tej miłości wyniknie, ponieważ, jak mu to uświadamiała Roser od samego początku, ta miłość była rośliną bez korzeni, nieuchronnie skazaną na zwiędnięcie; jej zdaniem nic nie wyrośnie w cieniu sekretów; miłość potrzebuje światła i przestrzeni, aby się rozwinąć. Víctor przeczytał list dwukrotnie i pokazał go Roser. „Miałaś rację, jak zwykle", przyznał. Jej wystarczył jeden rzut oka; czytając między wierszami, wyczuła, że śmiertelny chłód Ofelii z trudem ukrywał ogromny gniew, i wydawało się jej, że odgaduje jego przyczynę, którą był nie tylko brak przyszłości z Víctorem czy zmienny nastrój kapryśnej panny. Przypuszczała, że rodzina porwała dziewczynę, aby ukryć hańbę ciąży. Nie podzieliła się jednak tymi podejrzeniami z Víctorem, żeby nie rozdrapywać ran; nie było potrzeby dręczyć go domysłami. Czuła coś w rodzaju sympatii zmieszanej ze współczuciem do Ofelii, tak wrażliwej i tak naiwnej, przypominającej Julię przeżywającą burzę infantylnej namiętności, ale zamiast młodego Romea wybrała mężczyznę doświadczonego przez los.

Odłożyła list na stół w kuchni, wzięła Víctora za rękę i zaprowadziła na kanapę, jedyny wygodny mebel w ich skromnym mieszkaniu. „Połóż się, podrapię cię po głowie". Víctor rozciągnął się na kanapie z głową na kolanach Roser i poddał pieszczocie dłoni pianistki, mając pewność, że jak długo będzie żyła, nie będzie sam na tym pełnym nieszczęść świecie. Skoro przy niej najgorsze wspomnienia stawały się znośne, zniesie również pustkę pozostawioną w jego sercu przez Ofelię. Chciał wyznać Roser dławiący go ból, ale nie znajdował słów, żeby opowiedzieć jej, co przeżył z Ofelią, jak mu zaproponowała, żeby uciekli razem i jak mu przysięgała, że na zawsze pozostaną kochankami. Nie mógł jej tego powiedzieć, ale Roser zbyt dobrze go znała i na pewno wszystkiego się domyśliła. Z zamyślenia wyrwał ich Marcel, gdy wybudził się ze sjesty i zaczął ich wołać.

Intuicja nie myliła Roser w kwestii uczuć Ofelii. Od kiedy dowiedziała się o swoim stanie, namiętność zamieniła się w głuchą wściekłość, która trawiła ją od wewnątrz. Całymi godzinami analizowała swoje postępowanie i robiła rachunek sumienia, tak jak jej nakazał ojciec Urbina, ale zamiast czuć żal za domniemany grzech, żałowała własnej oczywistej głupoty. Nie przyszło jej do głowy zapytać Víctora, jak się zabezpieczą przed ciążą, ponieważ uznała za oczywiste, że on to kontroluje, a poza tym rzadko ze sobą sypiali, więc nie może do niczego dojść. Myślenie magiczne. Víctor, osoba starsza i doświadczona, ponosił odpowiedzialność za tę niewybaczalną wpadkę; ona, ofiara, musiała zapłacić za oboje. To była niewyobrażalna niesprawiedliwość. Już prawie nie pamiętała, dlaczego tak uparcie się trzymała tej beznadziejnej miłości do mężczyzny, z którym niewiele ją łączyło. Po seksie zawsze w jakimś nieprzytulnym, obskurnym miejscu, zawsze w pośpiechu, zostawało jej podobne wrażenie niespełnienia jak po nieśmiałych pieszczotach z Matíasem. Przypuszczała, że byłoby inaczej, gdyby bardziej się spoufalili i mieli więcej czasu, żeby się poznać, ale nie dostali tej szansy. Pokochała miłość jako taką, zakochała się w romantycznej historii i w bohaterskiej przeszłości bojownika, jak go zwykle nazywała. Przeżywała operę, której finał siłą rzeczy musiał być tragiczny. Wiedziała, że Víctor się w niej zakochał, przynajmniej na tyle, na ile może się zakochać serce pokryte wieloma bliznami, ale z jej strony był tylko impuls, fantazja, jeszcze jeden kaprys. Czuła się tak bardzo podenerwowana, osaczona i chora, że szczegóły jej przygody z Víctorem, nawet te najszczęśliwsze, zostały zniekształcone przerażeniem, że zniszczyła sobie życie. To, co dla niego było przyjemnością bez ryzyka, dla niej było ryzykiem bez przyjemności. W końcu to nie ona mogła żyć tak, jakby nic się nie stało. Nienawidziła go. Ukryła przed nim ciążę, obawiając się, że gdyby się dowiedział, chciałby egzekwować swoje prawa z tytułu ojcostwa i nie zostawiłby jej w spokoju. Jakakolwiek decyzja co do ciąży spoczywała na niej, nikt nie miał prawa się wtrącać, a już na pewno nie ten mężczyzna, który już wystarczająco ją skrzywdził. O tym wszystkim nie pisała w liście, ale Roser bez trudu się domyśliła.

Po trzech miesiącach Ofelia przestała wymiotować i poczuła taki przypływ energii jak nigdy w życiu. Kiedy wysłała list do Víctora, uznała ten rozdział za zamknięty; parę tygodni wystarczyło, by przestała się zadręczać wspomnieniami i spekulacjami na temat niespełnionych możliwości. Czuła się uwolniona od kochanka, silna, zdrowa, z apetytem jak u nastolatki; odbywała długie spacery żwawym krokiem po polach, z psami; w kuchni zabrała się do wypiekania herbatników i bułeczek w ilościach hurtowych, a potem obdarowywała nimi wiejskie dzieci; dla zabawy malowała z Leonardem ogromne kolorowe bohomazy, które wydawały się jej o wiele bardziej interesujące niż poprzednie pejzaże i martwe natury, rzuciła się do prasowania pościeli i ku zdumieniu praczki spędzała całe godziny z ciężkim żelazkiem na węgiel w ręce, spocona i zadowolona. „Zostawcie ją w spokoju, przejdzie jej", prognozowała Juana. Dobry humor Ofelii szokował doñę Laurę, bo spodziewała się widzieć ją całą we łzach, zajętą szyciem ubranek dla noworodka, ale Juana przypomniała jej, że ona sama przeżywała kilka miesięcy euforii w czasie swoich ciąż, dopóki ciężar brzucha nie ograniczył jej ruchliwości.

Felipe jeździł na wieś raz w tygodniu, żeby prowadzić rachunki, kontrolować wydatki i udzielać instrukcji Juanie, pełniącej funkcję gospodyni, podczas gdy jej panią absorbowały skomplikowane negocjacje ze świętymi. Przywoził nowiny ze stolicy, choć nikogo nie interesowały, farby i czasopisma dla Ofelii, pluszowe misie i grzechotki dla Dzidziusia, który przestał mówić i powrócił do raczkowania. Vicente Urbina pojawił się parę razy, aby czuwać nad życiem duchowym Ofelii i nakłonić ją do odbycia spowiedzi generalnej. Roztaczał woń świętości, jak mawiała Juana Nancucheo, mając na myśli dawno niepraną sutannę i płyn po goleniu. Ofelia, rozkojarzona i głucha na jego mądre słowa, nie wykazywała też żadnych uczuć macierzyńskich, jakby to, co nosiła w brzuchu, było zwykłym guzem. To bardzo ułatwi adopcję, cieszył się Urbina.

* * *

W miarę jak pobyt na wsi przedłużał się od końca lata aż do zimy, zapał doñi Laury we wznoszeniu modłów do nieba stopniowo słabł. Nie miała odwagi prosić wprost o cud poronienia, które by rozwiązało rodzinny dramat, bo to byłoby poważnym nadużyciem, równie dobrze mogłaby życzyć śmierci mężowi, ale sugerowała Bogu takie rozwiązanie. Życie w zgodzie z naturą, z jej niezmiennym, spokojnym rytmem, długie dni i ciche noce, ciepłe mleko z pianką prosto od krowy, obfitość owoców na paterach i pachnący, jeszcze ciepły chleb z glinianego pieca o wiele lepiej odpowiadały jej temperamentowi osoby nieśmiałej niż wielkomiejski gwar Santiago. Gdyby to od niej zależało, zostałaby tam na zawsze. Ofelia też się zrelaksowała w tym bukolicznym środowisku i jej nienawiść do Víctora Dalmau zamieniła się w coś w rodzaju resentymentu; nie ponosił całej winy, ona dzieliła z nim odpowiedzialność. Zaczęła myśleć o Matíasie Eyzaguirrem z pewną nostalgią.

Dom wybudowany w dawnym stylu kolonialnym – grube ściany z cegły, dachówki, drewniane belki i podłogi z terakoty – przetrwał trzęsienie ziemi z 1939 roku o wiele lepiej niż inne budynki w okolicy, które zamieniły się w gruz; popękały tylko niektóre ściany i spadła połowa dachówek. Po trzęsieniu w okolicy zaczęły się mnożyć napady, krążyli włóczędzy, dramatycznie wzrosło bezrobocie, co przypisywano światowemu kryzysowi w gospodarce i lokalnemu kryzysowi saletrzanemu. Kiedy saletra kopalniana została zastąpiona syntetyczną, tysiące robotników zostało bez pracy i efekty tego ciosu dawało się odczuć jeszcze dekadę później. Na wsi złodzieje zjawiali się nocą, truli psy, a potem zabierali owoce, kury, czasem prosiaka czy osła. Przeganiali ich karbowi uzbrojeni w strzelby. Ale Ofelii to nie interesowało. Letnie dni ciągnęły się w nieskończoność. Chroniła się przed upałem, odpoczywając w przewiewnych korytarzach lub malując scenki wiejskie, bo Dzidziuś już nie mógł jej towarzyszyć i mazać dużych płócien pędzlem. Szkicowała na małych kartkach wozy pełne siana ciągnięte przez woły, senne krowy w mleczarni, kury na wybiegu, praczki, winobranie. Wino marki Del Solar nie mogło konkurować pod względem jakości z innymi znanymi gatunkami, produkcja była niewielka i sprzedawana hurtem do restauracji, w których Isidro miał znajomości. Nie zarabiał na tym, ale jemu chodziło tylko o to, żeby wejść do grona producentów tego trunku – ekskluzywnego klubu znanych rodzin.

Szósty miesiąc ciąży Ofelii przypadł na początek jesieni. Słońce zachodziło wcześnie, a noce, zimne i ciemne, ciągnęły się w nieskończoność; ogrzewali się kocami i piecykami węglowymi, siedzieli przy świecach, bo musiało jeszcze upłynąć wiele lat, zanim doprowadzono prąd do tych dzikich okolic. Ofelia nie odczuwała chłodu, bo euforia wcześniejszych miesięcy ustąpiła miejsca ociężałości lwa morskiego i objęła nie tylko ciało – utyła piętnaście kilogramów, a nogi miała spuchnięte jak szynki – ale też ducha. Przestała rysować w szkicowniku, spacerować po pastwiskach, czytać, szyć, wyszywać, bo co chwilę zapadała w sen. Pogodziła się z tym, że tyje, i zaniedbała się do tego stopnia, że Juana Nancucheo musiała ją zmuszać do kąpieli i mycia głowy. Matka uprzedzała ją, powołując się na doświadczenie kobiety, która wydała na świat sześcioro dzieci, że gdyby zadbała o siebie, mogłaby zachować trochę młodzieńczego wdzięku. „Mamo, co za różnica? Wszyscy mówią, że jestem przegrana, kogo to obchodzi, jak będę wyglądać. Zostanę grubą starą panną". Oddała się potulnie w ręce ojca Urbiny, pozostawiając rodzinie decyzje dotyczące losów dziecka. Tak jak bez oporu dała się wywieźć na wieś i wmówić sobie, że powinna ukryć tam swój wstyd, równie łatwo uwierzyła, że adopcja jest nieunikniona, że nie ma innego wyjścia. „Gdybym była młodsza, powiedzielibyśmy, że to moje dziecko i wychowywałoby się w naszej rodzinie, ale teraz mam pięćdziesiąt dwa lata. Nikt by w to nie uwierzył", tłumaczyła jej matka. Na tym etapie ociężałość nie pozwalała Ofelii myśleć, chciała tylko spać i jeść, ale koło siódmego miesiąca przestała sobie wyobrażać, że ma w środku guz, i poczuła wyraźnie obecność tej istoty, która się w niej rozwijała. Wcześniej to nowe życie objawiało się jak trzepotanie skrzydeł przestraszonego ptaka, ale teraz, kiedy dotykała brzucha, mogła wyczuć zarys maleńkiego ciałka, rozpoznać stopę czy główkę. Znów sięgnęła po ołówek i rysowała w szkicowniku podobnych do niej chłopców i dziewczynki, uważając, by pod żadnym pozorem nie nadać im rysów Víctora Dalmau.

Co dwa tygodnie przyjeżdżała na wieś akuszerka, żeby zbadać Ofelię. Przysyłał ją ojciec Urbina. Nazywała się Orinda Naranjo i zdaniem kapłana wiedziała więcej niż lekarze na temat kobiecych chorób – tak Urbina nazywał wszystko, co się wiązało z reprodukcją. Na pierwszy rzut oka budziła zaufanie, ze srebrnym krzyżykiem na szyi, w stroju pielęgniarki, wyposażona w lekarską torbę z profesjonalnymi narzędziami. Mierzyła brzuch Ofelii, ciśnienie i dawała jej rady tak cklliwym tonem, jakby rozmawiała z osobą na łożu śmierci. Ofelia jej nie ufała, ale starała się być uprzejma, bo od tej kobiety zależało wszystko w chwili połogu. Nigdy nie prowadziła kontroli miesiączek ani nie notowała dat spotkań z kochankiem i nie wiedziała, kiedy zaszła w ciążę, ale Orinda Naranjo obliczyła przybliżoną datę porodu na podstawie wielkości brzucha. Zapowiedziała, że Ofelia jako pierwiastka nadmiernie otyła w czasie ciąży, będzie miała trudny poród, ale nie ma powodu do niepokoju, bo ona jest osobą doświadczoną i sama już nie pamięta, jak wiele dzieci sprowadziła na ten świat. Zasugerowała przewiezienie Ofelii do klasztoru w Santiago, gdzie była izba chorych wyposażona we wszystko, co potrzebne, a w przypadku nieprzewidzianych okoliczności można będzie skorzystać z usług stojącej w pobliżu prywatnej kliniki. Posłuchano jej rady. Felipe przyjechał samochodem, żeby zabrać siostrę, i zobaczył osobę, której prawie nie rozpoznał, otyłą, z plamami na twarzy, szurającą ogromnymi stopami w klapkach, w poncho zalatującym stajnią. „Uwierz mi, Felipe, być kobietą to prawdziwe nieszczęście", usprawiedliwiała się. Na jej bagaż składały się dwie ciążowe sukienki, wielkie jak namioty, gruba męska kamizelka, pudełko z farbami i walizka z ubrankami dla dziecka, przygotowanymi przez jej matkę i Juanę. To, co sama próbowała uszyć, do niczego się nie nadawało.

* * *

Po tygodniu w klasztorze Ofelia del Solar ocknęła się nagle jak wyrwana z sennego koszmaru, zlana potem, z wrażeniem, że przespała całe miesiące długiego zmierzchu. Przydzielono jej celę z żelazną pryczą, materacem z końskiego włosia, dwoma szorstkimi kocami z surowej wełny, krzesłem, kufrem na ubranie i stołem z nieheblowanego drewna. Nie potrzebowała niczego więcej i czuła wdzięczność za tę spartańską prostotę, odpowiadającą stanowi jej ducha. Okno celi wychodziło na ogród mniszek, z fontanną w stylu morysków na środku, poprzecinany wąskimi kamiennymi ścieżkami wśród łuków z kutego żelaza, na które wiosną wspinały się róże; były tam stare drzewa, egzotyczne rośliny i drewniane skrzynki z ziołami leczniczymi. Ofelię obudziło zimowe światło późnego poranka i gruchanie gołębia za oknem. Minęło parę minut, zanim uprzytomniła sobie, gdzie jest i co się z nią dzieje, dlaczego leży uwięziona w bryle mięsa, tak ciężkiej, że ledwo mogła oddychać. Tych parę minut bezruchu pozwoliło jej przypomnieć sobie ze szczegółami sen; była w nim taką dziewczyną jak kiedyś, lekką i zwinną, tańczyła boso na czarnym piasku plaży, wystawiając twarz do słońca, z wiatrem we włosach. Wkrótce morze się wzburzyło i jedna z fal wyrzuciła na piasek dziewczynkę pokrytą łuską, niczym poroniony płód syreny. Pozostała w łóżku, gdy dzwon wzywał na mszę i godzinę później, nadal w pościeli, słyszała, jak dzwoni na śniadanie przechodząca korytarzem nowicjuszka z trianglem. Nie miała apetytu, co już dawno jej się nie zdarzyło, więc postanowiła resztę poranka spędzić na drzemce.

Tego samego dnia po południu, w porze różańca, przyszedł z wizytą ojciec Vicente Urbina. Przywitał go łopot czarnych habitów i białych welonów, wrzawa pobożnych kobiet, przepychających się, by ucałować jego rękę i otrzymać błogosławieństwo. Był jeszcze młodym, wyniosłym mężczyzną, a w sutannie wyglądał jak przebrany aktor. „Jak się miewa moja protegowana?", zapytał protekcjonalnym tonem, kiedy wreszcie usiadł z filiżanką gęstej czekolady. Zakonnice poszły po Ofelię, która człapała, kołysząc się na monumentalnych nogach niczym fregata. Urbina wyciągnął rękę do ucałowania, ale ona tylko ją mocno uścisnęła.

– Jak się czujesz, moja córko?

– A niby jak mam się czuć z tym arbuzem w brzuchu? – odparsknęła.

– Rozumiem, córko, ale musisz się pogodzić z niedogodnościami, to rzecz normalna w twojej sytuacji; ofiaruj cierpienie Bogu wszechmogącemu. Jak mówi Pismo Święte: mężczyzna będzie pracował w pocie czoła, a kobieta w bólach rodzić będzie.

– O ile wiem, ojciec nie poci się przy pracy.

– Dobrze, dobrze, widzę, że jesteś zdenerwowana.

– Kiedy przybędzie ciotka Teresa? Ojciec obiecał, że uzyska zgodę, żeby mi towarzyszyła.

– Zobaczymy, córko, zobaczymy. Zdaniem Orindy Naranjo możemy się spodziewać dzieciątka w ciągu najbliższych tygodni. Módl się do Matki Bożej Dobrej Nadziei o pomoc i oczyść duszę z grzechów. Pamiętaj, że przy porodzie wiele kobiet oddaje ducha Bogu.

– Wyspowiadałam się i odkąd tu jestem, codziennie przyjmuję komunię.

– Czy odbyłaś spowiedź generalną?

– Ojciec chce wiedzieć, czy podałam spowiednikowi nazwisko ojca dziecka... Nie wydało mi się to konieczne, ponieważ liczy się grzech, a nie z kim się go popełnia.

– Co ty możesz wiedzieć o kategoriach grzechów, Ofelio?

– Nic.

– Bez spowiedzi generalnej jest tak, jakbyś w ogóle się nie spowiadała.

– Prawda, że ojca aż skręca z ciekawości? – uśmiechnęła się Ofelia.

– Na za wiele sobie pozwalasz! Moim kapłańskim obowiązkiem jest prowadzić cię drogą prawdy. Mam nadzieję, że o tym wiesz.

– Tak, ojcze, i jestem ojcu bardzo wdzięczna. Nie wiem, co bym poczęła bez pomocy ojca – powiedziała tonem tak pokornym, że popadał w ironię.

– No cóż, moja córko. Mimo wszystko masz szczęście. Przyniosłem dobrą nowinę. Przeprowadziłem rekonesans w poszukiwaniu idealnej pary, adopcyjnych rodziców dla twego niemowlęcia, i wydaje mi się, że już ją znalazłem. To dobrzy ludzie, pracowici, zamożni i oczywiście katolicy. Więcej nie mogę powiedzieć, ale nie martw się, będę czuwał nad tobą i twoim synkiem.

– To dziewczynka.

– Skąd wiesz? – zdziwił się ksiądz.

– Śniła mi się.

– Sny to tylko sny.

– Bywają sny prorocze. Ale cokolwiek by to było, chłopiec czy dziewczynka, ja jestem matką dziecka i zamierzam je wychować. Niech ojciec zapomni o adopcji, ojcze Urbina.

– Co też ci przychodzi do głowy, na litość boską!

Ofelia nie zamierzała wycofywać się z podjętej decyzji. Argumenty i groźby kapłana nie robiły na niej wrażenia, a później, kiedy zjawiła się matka z Felipem, w towarzystwie matki przełożonej, słuchała w milczeniu, z pewnym rozbawieniem, jakby mówili faryzejskim językiem. Jednak lawina ciężkich zarzutów i przerażających wizji odniosły skutek, a może po prostu padła ofiarą jednego z tych zimowych wirusów, które każdego roku czynią spustoszenie wśród starców i dzieci. Rozpalona gorączką, majaczyła o syrenach; leżała unieruchomiona bólem pleców i wyczerpana kaszlem, który nie dawał jej jeść i spać. Lekarz sprowadzony przez Felipa przepisał jej roztwór opium rozpuszczony w czerwonym winie i wiele różnych medykamentów w niebieskich, nieopisanych, ale ponumerowanych buteleczkach, a zakonnice leczyły jej zator naparem z ziół z ogrodu i gorącymi okładami. Po sześciu dniach miała piersi poparzone okładami, ale czuła się już lepiej. Wstała z pomocą dwóch nowicjuszek, które czuwały przy niej dzień i noc, i małymi kroczkami udało jej się przejść do niewielkiej sali rekreacyjnej, gdzie zakonnice spędzały wolny czas, wesołego, jasnego pomieszczenia ze lśniącym parkietem i roślinami w doniczkach; na poczesnym miejscu znajdowała się tam figura Matki Boskiej Szkaplerznej z góry Karmel, patronki Chile, z Dzieciątkiem Jezus w ramionach, oboje z koronami cesarskimi ze złoconego mosiądzu na głowach. W tej sali spędziła cały ranek na fotelu, przykryta kocem, błądząc wzrokiem po pochmurnym niebie za oknem; oszołomiona mieszanką opium z alkoholem, czuła się jak w raju. Trzy godziny później, kiedy nowicjuszki pomogły jej się podnieść, zobaczyły na siedzeniu plamę, a po nogach spływała jej strużka krwi.

* * *

Zgodnie z zaleceniami ojca Urbiny nie wezwano lekarza, tylko Orindę Naranjo. Kobieta zjawiła się w profesjonalnej gotowości i zawodzącym głosem oświadczyła, że poród może nastąpić w każdej chwili, aczkolwiek według jej obliczeń do właściwego terminu brakowało jeszcze dwóch tygodni. Poinstruowała zakonnice, że pacjentka ma leżeć z nogami do góry i z zimnymi okładami na brzuchu. „Módlcie się, bo ledwo słychać bicie serca, dziecko jest bardzo słabe", dodała. Z własnej inicjatywy zakonnice leczyły krwotok herbatą z cynamonem i ciepłym mlekiem z dodatkiem ziaren gorczycy.

Kiedy ojciec Urbina wysłuchał relacji akuszerki, nakazał Laurze del Solar, by przeprowadziła się do zakonu i towarzyszyła córce. To dobrze zrobi im obu, powiedział, pomoże im się pogodzić. Laura próbowała mu wyjaśnić, że nie są skłócone, ale jego zdaniem Ofelia była skłócona ze wszystkimi, nawet z Panem Bogiem. Przydzielono Laurze celę identyczną jak ta jej córki i po raz pierwszy mogła doświadczyć głębokiego spokoju zakonnego życia, którego tak bardzo pragnęła. Natychmiast oswoiła się z lodowatymi przeciągami i z surowym harmonogramem obrzędów. Wstawała z łóżka przed świtem, żeby czekać na poranną zorzę w kaplicy, gdzie chwaliła Pana modlitwą, przyjmowała komunię podczas mszy o siódmej, na obiad jadła zupę, chleb i ser, tak jak reszta kongregacji, w ciszy, podczas gdy ktoś czytał na głos przypadające na ten dzień biblijne lektury. Po południu miała czas na medytację i modlitwę, a o zmierzchu uczestniczyła w nieszporach. Kolację, równie skromną jak obiad, ale wzbogaconą o ryby, także spożywano w milczeniu. Laura czuła się szczęśliwa w tym kobiecym przybytku i przyjmowała z uśmiechem głód, choć jej kiszki marsza grały, i brak słodyczy, licząc na to, że schudnie. Doceniała uroki ogrodu, wysokie i szerokie korytarze, gdzie echo kroków przypominało dźwięk kastanietów, zapach świec i kadzidła w kaplicy, skrzypienie ciężkich drzwi, bicie dzwonów, śpiewy, szelest habitów, szept modlitw. Matka przełożona zwolniła ją z pracy w ogrodzie, z wyszywania, gotowania czy prania, aby mogła poświęcić się całkowicie opiece nad fizycznym i duchowym stanem Ofelii, i przekonała ją do adopcji, która usankcjonowałaby dziecko narodzone z rozpusty, a jej dała szansę na nowe życie. Ofelia piła magiczny eliksir rozpuszczony w winie i zasypiała, leżała niczym nieruchoma lalka na materacu z końskiego włosia, pod opieką nowicjuszek, ukołysana monotonnym głosem matki, nie wsłuchując się w sens jej słów. Ojciec Urbina był uprzejmy je odwiedzić, ale kiedy po raz kolejny przekonał się, jak bardzo uparta jest ta wykolejona dziewczyna, wyszedł z Laurą del Solar do ogrodu i spacerowali pod parasolem w deszczu delikatnym jak rosa. Żadne z nich nie wróciło później do tego, o czym wtedy rozmawiali.

Poród, który podobno był długi i ciężki, i następujące po nim dni nie pozostawiły żadnego śladu w pamięci Ofelii, jakby to nie miało z nią nic wspólnego, a to za przyczyną eteru, morfiny oraz tajemniczych wywarów sporządzanych przez Orinę Naranjo, utrzymujących ją w błogosławionej nieświadomości do końca tygodnia. Wybudzała się powoli, tak bardzo oszołomiona, że nie wiedziała, jak się nazywa. Ponieważ matka, zalana łzami, całkiem pogrążyła się w modlitwie, złą nowinę musiał jej przekazać ojciec Vicente Urbina. Zjawił się przy jej łóżku, gdy tylko zmniejszono dawkę narkotyków na tyle, że już potrafiła zapytać, co się stało i gdzie jest jej córka. „Wydałaś na świat małego mężczyznę", poinformował ją kapłan obłudnie współczującym tonem, „ale Bóg w swej mądrości zabrał go parę minut po narodzeniu". Wyjaśnił, że dziecko było podduszone pępowiną, która okręciła się wokół szyi, ale na szczęście zdążyli je ochrzcić, dzięki czemu nie pójdzie do otchłani, tylko do nieba, jak aniołek. Bóg oszczędził cierpienia i upokorzeń na ziemi temu niewinnemu stworzeniu i w swoim bezgranicznym miłosierdziu ofiaruje jej odpuszczenie grzechów.

„Nie ustawaj w modlitwie, córko. Musisz przezwyciężyć swą dumę i pogodzić się z wolą bożą. Proś Boga, żeby ci przebaczył i pomógł w samotności dźwigać ten sekret, z godnością i w milczeniu, do końca życia". Urbina próbował pocieszać ją cytatami z Pisma Świętego i argumentami własnej inwencji, ale Ofelia zaczęła wyć jak wilczyca i rzucała się na łóżku przytrzymywana silnymi rękami nowicjuszek, które na próżno usiłowały ją uspokoić, aż w końcu zmusiły do wypicia kolejnego kieliszka wina z opium. I tak, kieliszek za kieliszkiem, przeżyła w półśnie kolejne dwa tygodnie, gdy wreszcie same zakonnice uznały, że dość już modlitw i mikstur, najwyższy czas, by powróciła do świata żywych. Kiedy stanęła na nogi, wszyscy zauważyli, że straciła dużo na wadze, dzięki czemu odzyskała kobiece kształty; już nie wyglądała jak zeppelin.

Felipe przyjechał do zakonu po siostrę i matkę. Ofelia postawiła warunek, że musi zobaczyć grób swojego dziecka, więc wrócili na wieś, na maleńki cmentarz, gdzie mogła złożyć kwiaty w miejscu oznaczonym krzyżem z białego drewna, z datą śmierci, ale bez imienia; tam spoczywało dziecko, któremu nie dane było przeżyć. „Jak mamy go tu zostawić samego? To za daleko, żeby odwiedzać grób", płakała Ofelia.

Kiedy znów znalazły się w domu przy Mar del Plata, Laura oszczędziła mężowi opowieści o wydarzeniach z ostatnich miesięcy, zakładając, że Felipe informował go na bieżąco, a poza tym Isidro wolał wiedzieć jak najmniej, wierny zasadzie trzymania się z dala od problemów uczuciowych kobiet w jego rodzinie. Na powitanie pocałował córkę w czoło, tak jak każdego ranka, i przez następnych dwadzieścia osiem lat, aż do śmierci, nigdy nie zapytał o wnuka. Laura szukała pociechy w kościele i w słodyczach. Dzidziuś dożywał końca swojego krótkiego życia, absorbując całkowicie uwagę matki, Juany i reszty rodziny, a Ofelię zostawili w spokoju, sam na sam z jej smutkiem.

* * *

Rodzina del Solar nie zyskała upragnionej pewności, że udało im się uniknąć skandalu z powodu ciąży Ofelii, ponieważ plotki na podobne tematy zazwyczaj krążą wokół rodziny nieuchwytne niczym ptaki. Ofelia nie mieściła się w sukienkach, które nosiła przed ciążą, ale zajęta kupowaniem i szyciem nowych, przestawała się skupiać na swoim smutku. Płakała nocą, kiedy wspomnienie dziecka stawało się tak intensywne, że czuła wyraźnie, jak się beztrosko porusza w brzuchu, a krople mleka spływały z jej sutek. Znów zaczęła chodzić na warsztaty malarskie, tym razem na poważnie, i prowadziła życie towarzyskie, mimo ciekawskich spojrzeń i szeptów za plecami. Plotki dotarły do Matíasa Eyzaguirrego do Paragwaju, ale on potraktował je jako kolejny przykład obłudy i zawiści panujących w jego kraju. Gdy dowiedział się, że Ofelia jest chora i że zabrano ją na wieś, pisał do niej kilkakrotnie, a ponieważ nie otrzymał odpowiedzi, wysłał telegram do Felipa z pytaniem o zdrowie jego siostry. „Wszystko w porządku", odpisał Felipe. To mogłoby się wydawać podejrzane każdemu, tylko nie Matíasowi, który nie był głupi, jak uważała Ofelia, tylko bezgranicznie dobry. Pod koniec roku ten wytrwały konkurent otrzymał zgodę na opuszczenie stanowiska na miesiąc i wyjazd do Chile na urlop, z dala od wilgotnych upałów i porywistych wiatrów w Asunción. Przyjechał do Santiago w pewien grudniowy czwartek i już w piątek zjawił się przed zbudowanym na modłę francuską domem przy Mar del Plata. Juana Nancucheo przestraszyła się na jego widok, jakby zobaczyła karabinierów, bo obawiała się, że przyjechał rozliczać panienkę Ofelię z tego, co zrobiła, ale Matías miał całkiem inne zamiary – chował w kieszeni pierścionek z brylantami, który należał do jego prababki. Juana poprowadziła go przez dom pogrążony w półmroku z powodu letniego upału, ale też żaluzje spuszczono na znak przyspieszonej żałoby po Leonardzie. Nie ustawiono świeżych kwiatów, nie rozchodził się jak zazwyczaj zapach melonów i brzoskwiń przywiezionych ze wsi, z wyłączonego radia nie płynęła muzyka, psy nie wybiegały na powitanie – nic, tylko przygnębiająca obecność francuskich mebli i starych obrazów w złoconych ramach.

Ofelię zastał na tarasie kameliowym; skryła się pod markizą, zajęta rysowaniem piórkiem i tuszem, w słomkowym kapeluszu chroniącym ją przed słońcem. Stał przez chwilę w milczeniu, obserwując ją wzrokiem wiernego zakochanego, nie zwracając uwagi na jej ciągle wyraźną nadwagę. Ofelia wstała i cofnęła się o krok, skonsternowana, bo nie spodziewała się, że go jeszcze kiedykolwiek zobaczy. Po raz pierwszy zobaczyła go naprawdę, jako człowieka, nie jako natrętnego, skłonnego do ustępstw kuzyna, z którego kpiła przez ponad dziesięć lat. Wiele o nim myślała w ostatnich miesiącach, dopisując go do rachunku strat spowodowanych popełnionymi błędami. Te cechy charakteru Matíasa, które wcześniej ją nudziły, teraz uznała za cenne zalety. Dostrzegła w nim zmiany: był dojrzalszy, solidny, jeszcze przystojniejszy.

Juana przyniosła im zimną herbatę i ciasteczka z kajmakiem, po czym ukryła się za azaliami. Zważywszy na rolę, jaką odgrywała w rodzinie, musiała być dobrze poinformowana, powtarzała Felipemu, gdy jej zarzucał, że podsłuchuje pod drzwiami. „Po co było Ofelicie łamać serce młodemu Matíasowi? On jest taki dobry, nie zasłużył na ten cios. I proszę sobie wyobrazić, paniczu Felipe, że zanim on zdążył zadać jej jakiekolwiek pytanie, ona już mu opowiedziała wszystko, co się wydarzyło. I to ze szczegółami".

Matías słuchał w milczeniu, ocierając chusteczką pot z czoła, przytłoczony spowiedzią Ofelii, upałem i słodkim zapachem róż i jaśminów w ogrodzie. Kiedy skończyła, potrzebował dłuższej chwili, żeby opanować emocje i wyciągnąć wniosek, że tak naprawdę nic się nie zmieniło, Ofelia nadal była najpiękniejszą kobietą na świecie, jedyną, którą zawsze kochał i którą będzie kochał do końca swoich dni. Chciał jej to powiedzieć z taką elokwencją, jakiej używał w listach, ale zabrakło mu górnolotnych słów.

– Ofelio, proszę, wyjdź za mnie.

– Nie słyszałeś tego, co powiedziałam? Nie zapytasz mnie, kto jest ojcem dziecka?

– To nieistotne. Ważne jest tylko, czy nadal go kochasz.

– To nie była miłość, Matíasie, to było pożądanie.

– Skoro tak, to nas nie dotyczy. Wiem, że potrzebujesz czasu, żeby odzyskać siły, choć pewnie nie przechodzi się tak łatwo do porządku dziennego nad śmiercią dziecka, ale kiedy będziesz gotowa, ja będę czekał.

Wyciągnął z kieszeni puzderko z czarnego aksamitu i położył je delikatnie na tacy.

– Powiedziałbyś to samo, gdybym trzymała na rękach nieślubne dziecko? – zapytała.

– Oczywiście, że tak.

– Przypuszczam, że nie jesteś zaskoczony tym, co ode mnie usłyszałeś, Matíasie, na pewno dotarły do ciebie plotki. Moja kompromitacja będzie mnie ścigać gdziekolwiek się ruszę. Może ci zrujnować karierę w dyplomacji i twoje życie.

– To mój problem.

Poza zasięgiem wzroku Juany Nancucheo, ukrytej za azaliami, pozostał moment, kiedy Ofelia wzięła do ręki aksamitne pudełko i oglądała je uważnie na dłoni, jakby to był egipski skarabeusz; Juana słyszała tylko ciszę. Nie odważyła się wychylić zza liści, ale gdy uznała, że pauza trwa zbyt długo, wyszła z kryjówki, żeby zabrać tacę. Wtedy zauważyła pierścionek na serdecznym palcu Ofelii.

Chcieli wziąć cichy ślub, ale zdaniem Isidra del Solar to by oznaczało przyznanie się do winy. Poza tym ślub córki był znakomitą okazją wywiązania się z wielu towarzyskich zobowiązań, a przy okazji wymierzyłby policzek tym wszystkim skurwysynom, którzy rozpowszechniali plotki na temat Ofelii. Bezpośrednio do niego nie dotarły, ale parę razy w Klubie Unii wydawało mu się, że ktoś śmieje się za jego plecami. Przygotowania nie zajęły wiele czasu, ponieważ narzeczeni mieli już wszystko gotowe w ubiegłym roku, łącznie z pościelą i obrusami, na których wyhaftowano ich inicjały. Znów zamieścili ogłoszenie na stronach towarzyskich „El Mercurio", a krawcowa szybko uszyła pannie młodej nową suknię, podobną do poprzedniej, ale dużo szerszą. Ojciec Vicente Urbina zrobił im ten zaszczyt i osobiście udzielił ślubu; już sama jego obecność przywracała Ofelii utraconą reputację. Kiedy przygotowywał narzeczonych do przyjęcia sakramentu małżeństwa, oprócz zwyczajowych rad i pouczeń dyskretnie nawiązał do przeszłości narzeczonej, ale ona z satysfakcją zakomunikowała mu, że Matías wie o wszystkim, w związku z czym nie będzie musiała nosić brzemienia sama do końca życia. Będą je nieść razem.

Przed wyjazdem do Paragwaju Ofelia chciała wrócić na wiejski cmentarz, gdzie pochowano jej dziecko, a Matías dotrzymał jej towarzystwa. Poprawili przechylony biały krzyż, złożyli kwiaty i pomodlili się. „Któregoś dnia, jak będziemy mieć własne miejsce na cmentarzu katolickim, przeniesiemy twoje maleństwo, żeby było z nami, tak jak być powinno", obiecał Matías.

Spędzili miodowy tydzień w Buenos Aires, a stamtąd udali się drogą lądową do Asunción. Te parę dni wystarczyły Ofelii, żeby zrozumieć, że biorąc ślub z Matíasem, podjęła najlepszą możliwą decyzję w swoim życiu. „Będę go kochać tak, jak na to zasługuje, będę mu wierna i uszczęśliwię go", obiecała sobie w duchu. Wreszcie ten uparty i cierpliwy jak wół mężczyzna mógł przekroczyć próg swego domu, przygotowanego z taką pieczołowitością i wielkim nakładem środków, niosąc w ramionach swoją żonę. Ważyła więcej, niż się spodziewał, ale on był silny.

III

POWRÓT DO KORZENI

9

·1948–1970·

Wszystkie istoty
uzyskają prawo
do ziemi i do życia
i taki będzie jutro chleb powszedni...

PABLO NERUDA
ODA DO CHLEBA, Z CYKLU ODY ELEMENTARNE

Latem 1948 roku rodzina Dalmau zainaugurowała tradycję, która miała przetrwać dekadę. W lutym Roser i Marcel wyjeżdżali na cały miesiąc do wynajętego na plaży domku, a Víctor pracował i dojeżdżał do nich na weekendy, tak jak większość chilijskich małżonków z ich środowiska, dumnych z tego, że nie biorą urlopu, ponieważ są niezastąpieni w pracy. Roser uważała, że to jeszcze jeden przejaw kreolskiego maczyzmu i że mężczyźni lubią latem odgrywać rolę słomianych wdowców. Miesięczna nieobecność Víctora w szpitalu byłaby źle widziana, ale przede wszystkim plaża wywoływała w nim przykre wspomnienia z obozu uchodźców w Argelès-sur-Mer. Postanowił, że nigdy więcej jego noga nie stanie na piasku. I właśnie w lutym Víctor miał okazję odwdzięczyć się Pablowi Nerudzie za umożliwienie mu emigracji do Chile. Poeta jako senator Republiki wszedł w konflikt z prezydentem zwalczającym Komunistyczną Partię Chile, mimo że udzieliła mu poparcia w karierze politycznej. Neruda nie szczędził słów krytyki temu człowiekowi, który był „wytworem kuchni politycznej", uważał go za zdrajcę, za „małego, podłego, wściekłego wampira". Został oskarżony przez rząd o oszczerstwa i kalumnie i pozbawiony funkcji senatora, poszukiwała go także policja.

Dwaj działacze partii komunistycznej, która niebawem miała zostać zdelegalizowana, przyszli do szpitala porozmawiać z Víctorem.

– Jak pan wie, wydany został rozkaz aresztowania towarzysza Nerudy – powiedzieli.

– Czytałem o tym w gazecie. Trudno mi w to uwierzyć.

– Należy go ukrywać, dopóki jest poszukiwany. Mamy nadzieję, że sytuacja niebawem się wyjaśni, w przeciwnym razie trzeba będzie go jakoś wywieźć z kraju.

– Jak mógłbym pomóc? – zainteresował się Víctor.

– Trzeba udzielić mu schronienia na jakiś czas, niezbyt długo. Musi często zmieniać kryjówki, żeby zmylić policję.

– Oczywiście, to dla mnie zaszczyt.

– Zdaje pan sobie sprawę, że nikt nie powinien o tym wiedzieć.

– Żona i syn są na wakacjach. Jestem sam w domu. U mnie będzie bezpieczny.

– Musimy pana ostrzec, że może pan na siebie ściągnąć poważne problemy za ukrywanie zbiega.

– To nieistotne – odpowiedział Víctor i podał im swój adres.

W ten sposób Pablo Neruda i jego małżonka, argentyńska malarka Delia del Carril, trafili na dwa tygodnie do domu rodziny Dalmau. Víctor odstąpił im swoje łóżko i zaopatrywał w jedzenie, przygotowane przez kucharkę z jego tawerny; przynosił je w małych naczyniach, żeby sąsiedzi niczego nie zauważyli. Poeta docenił zbieg okoliczności, że jego kolacja pochodziła z Winnipegu. Należało go też zaopatrywać w prasę, książki i whisky, która stała się dla niego jedynym skutecznym środkiem uspokajającym, i zabawiać go rozmową, bo odwiedziny gości nie wchodziły w grę. Był królem życia, jego żywiołem była rozmowa, potrzebował przyjaciół, a nawet przeciwników ideologicznych, żeby praktykować szermierkę słowną w polemice. W niekończących się nocnych rozmowach, dusząc się w zamkniętej przestrzeni, omawiał z Víctorem wyrywkowo listę uchodźców, którzy dzięki niemu wsiedli na statek w Bordeaux w tym odległym dniu w sierpniu 1939 roku, oraz innych mężczyzn i kobiet hiszpańskiego exodusu, którzy dotarli do Chile w latach późniejszych. Víctor uświadomił mu, że dzięki jego decyzji, by selekcji nie ograniczać, wbrew odgórnym nakazom, wyłącznie do wykwalifikowanych robotników, lecz zabrać również artystów i inteligentów, Neruda wzbogacił swój kraj wieloma talentami, ich wiedzą i kulturą. Nie minęła dekada, a już wyróżniały się nazwiska uczonych, muzyków, malarzy, pisarzy, dziennikarzy, trafił się nawet historyk, który chciał się podjąć monumentalnego zadania opisania na nowo historii Chile od samego początku.

W zamknięciu Neruda tracił panowanie nad sobą. Miotał się po mieszkaniu jak zwierz w klatce, od ściany do ściany, nie mogąc nawet podejść do okna. Jego żonie, która wyrzekła się wszystkiego, nawet własnej sztuki, żeby mu towarzyszyć, trudno było utrzymać go w domu. W tym czasie poeta zapuścił brodę i wyładowywał wściekłość wywołaną nadmiarem czasu, tworząc *Pieśń powszechną*. W zamian za gościnę recytował z tą niepowtarzalną ponurą intonacją swoje dawne wiersze i nowe, jeszcze niedokończone, na zawsze zarażając Víctora nieuleczalnym bakcylem poezji.

Pewnej nocy zjawiło się bez uprzedzenia dwóch nieznajomych w ciemnych płaszczach i kapeluszach, mimo że o tej porze nadal czuć było letni upał. Wyglądali na detektywów, ale przedstawili się jako towarzysze partyjni i nie wdając się w dyskusję, zabrali ich oboje w inne miejsce, Neruda zdążył tylko w pośpiechu włożyć do walizki ubranie i wiersze, nad którymi pracował. Nie chcieli powiedzieć Víctorowi, gdzie mógłby odwiedzać poetę, ale uprzedzili, że być może znów będzie musiał przyjąć go pod swój dach, bo niełatwo znaleźć schronienie. Ponad pięciuset policjantów tropiło uciekiniera. Víctor uprzedził ich, że w przyszłym tygodniu rodzina wraca z plaży i nie będzie u niego już tak bezpiecznie. W sumie z ulgą przyjął przywrócenie spokoju w domu. Jego gość, dzięki swojej nadzwyczajnej osobowości, wypełniał w nim sobą każdą szparę.

Miał go znów spotkać trzy miesiące później, kiedy przypadło mu w udziale zorganizować, w towarzystwie dwóch innych przyjaciół, ucieczkę poety konno przez południową kordylierę, do Argentyny. W tym czasie Neruda, trudny do rozpoznania ze swoją zmierzwioną brodą, ukrywał się u przyjaciół i towarzyszy partyjnych, podczas gdy policja cały czas deptała mu po piętach. Również ta przeprawa przez granicę miała pozostawić w świadomości Víctora niezatarty ślad, tak jak wcześniej poezja. Jechali konno we wspaniałej scenerii mroźnej selwy, tysiącletnich drzew, gór i wody, woda była wszędzie, prześlizgiwała się przygodnymi strumykami między starymi pniami, spadała kaskadami z nieba, porywała wszystko na swojej drodze, płynąc wzburzonym nurtem rzek, które podróżni pokonywali z duszą na ramieniu. Wiele lat później Neruda tak wspominał w swoich pamiętnikach tę wyprawę: „Każdy posuwał się osobno na uwięzi bezkresnej samotności, na uwięzi zielonej i białej ciszy. [...] Wszystko wokoło było olśniewającą i nieznaną naturą, a równocześnie wzbierającą groźbą zimna, śniegów, pościgu".

Víctor pożegnał się z nim na granicy, gdzie poetę przejęli gauczowie z zapasowymi końmi na dalszą drogę. „Rządy mijają, a poeci zostają, don Pablo. Pan tu jeszcze wróci w glorii i majestacie. Wtedy wspomni pan moje słowa", powiedział mu na pożegnanie i objął go.

Neruda miał wyjechać z Buenos Aires z paszportem Miguela Ángela Asturiasa, wielkiego gwatemalskiego pisarza, do którego był trochę podobny: „Obaj mieliśmy długie nosy, pełne twarze i byliśmy tęgiej budowy ciała"*. W Paryżu Pablo Picasso zgotował mu braterskie przyjęcie, Kongres Pokoju złożył mu hołd, a tymczasem chilijski rząd głosił w prasie, że ten człowiek to oszust, dubler Pabla Nerudy, a prawdziwy Neruda został w Chile namierzony przez policję.

* * *

W dniu, w którym Marcel Dalmau Bruguera skończył dziesięć lat, przyszedł list od babci Carme, który musiał chyba okrążyć całą kulę ziemską, zanim trafił do odbiorcy. Rodzice mówili mu o niej, ale nigdy nie widział jej na zdjęciu, i opowieści o mitycznej rodzinie z Hiszpanii były tak odległe od rzeczywistości, że w jego pojęciu należały do tej samej kategorii co niesamowite horrory i powieści fantastyczne, które kolekcjonował. Przeżywał wiek buntu i po katalońsku nie chciał mówić z nikim poza starym Jordim Moliném w tawernie Winnipeg. Z pozostałą częścią ludzkości rozmawiał po hiszpańsku z przesadnym akcentem chilijskim, używając wulgaryzmów, za które nieraz obrywał od matki, ale poza tą fanaberią był idealnym dzieckiem: sam sobie radził w nauce, w przejazdach, ubieraniu, a czasem nawet w jedzeniu, sam się umawiał do dentysty i do fryzjera. Wydawał się dorosłym w krótkich spodenkach.

Tego dnia, kiedy wrócił ze szkoły, wyciągnął korespondencję ze skrzynki, zabrał swój tygodnik o kosmitach i cudach przyrody, a resztę zostawił na stoliku przy drzwiach. Przyzwyczaił się, że nikogo nie ma w domu. Ponieważ jego rodzice mieli nieregularny czas pracy, dali mu klucz, gdy skończył pięć lat, a jako sześciolatek już sam jeździł tramwajem i autobusem. Wyrósł na wysokiego chudzielca, miał wyraziste rysy twarzy, czarne, zamyślone oczy i proste włosy, które trzeba było ujarzmiać brylantyną. O ile

---

* Ten i poprzednie fragmenty pamiętników przełożyła Zofia Szleyen.

fryzurę stylizował na pieśniarza tango, to w pozostałych sprawach naśladował Víctora Dalmau, jego oszczędne gesty i zwyczaj mówienia zwięźle, bez rozwodzenia się nad szczegółami. Wiedział, że nie jest jego ojcem, tylko stryjkiem, ale ta informacja wydawała mu się równie nieistotna co legenda o owej babci, która o północy zsiadła z motoru i zaginęła w rozhisteryzowanym tłumie. Najpierw wróciła do domu Roser z tortem urodzinowym, a zaraz potem Víctor. Mimo że spędził trzydzieści godzin na dyżurze w szpitalu, nie zapomniał o prezencie, o którym chłopak marzył od trzech lat. „To profesjonalny mikroskop, wystarczy ci do wesela", zażartował, przytulając go. Był bardziej wylewny w okazywaniu uczuć niż matka i bardziej ustępliwy: podczas gdy jej nie dawało się przekonać, na ojca Marcel miał wiele sposobów i zawsze osiągał to, co chciał.

Po kolacji, kiedy już tort został pokrojony, chłopiec przyniósł do kuchni pocztę. „Coś takiego! To od Felipa del Solar. Nie widziałem go od miesięcy", skomentował Víctor, gdy zobaczył adres nadawcy na dużej kopercie z pieczątką kancelarii adwokackiej Del Solar. W środku znajdowała się kartka z sugestią, że dobrze by było umówić się któregoś dnia na obiad, i przeprosiny za zwłokę w przekazaniu załączonego listu, który przyszedł na jego stary adres i krążył jakiś czas, nim do niego dotarł, tam gdzie teraz wynajmuje mieszkanie – naprzeciwko klubu golfowego. Minutę później krzyk Víctora zelektryzował żonę i syna, bo nigdy nie zdarzyło mu się podnieść głosu. „To od matki! Ona żyje!", i załamał mu się głos.

Marcela nie ruszyła ta wiadomość, wolałby zamiast babci któregoś z kosmitów, ale zmienił zdanie, kiedy usłyszał, że czeka ich podróż. Od tego momentu wszystko sprowadzało się do przygotowań na spotkanie z Carme: listy krążyły w jedną i drugą stronę, nie czekając na odpowiedź, telegramy mijały się w drodze, Roser musiała odwołać zajęcia i koncerty, a Víctor wziąć urlop w szpitalu. Marcelem w tym czasie nikt się nie zajmował, babcia, która zmartwychwstała, warta była tego, żeby stracił rok szkolny, gdyby to okazało się nieuniknione. Znaleźli połączenie peruwiańskimi liniami, ze śródlądowaniami w pięciu miastach, zanim dotrą do Nowego Jorku, stamtąd statkiem do Francji, z Paryża do Tuluzy pociągiem i w końcu autobusem do Księstwa Andory, drogą, która wiła się jak wąż między górami. Żadne z ich trojga nie latało wcześniej samolotem i to doświadczenie sprawiło, że Roser odkryła swoją jedyną słabość: paniczny lęk wysokości. W codziennych okolicznościach, jak wyjście na balkon ostatniego piętra, ukrywała akrofobię z takim samym stoicyzmem, z jakim znosiła wszelkiego rodzaju bóle i trudy życia. Zacisnąć zęby i zmierzyć się z problemem bez afektacji, to była jej zasada, ale w samolocie zawiodły ją nerwy i przestała panować nad sobą. Mąż i syn musieli prowadzić ją za rękę, pocieszać, odwracać uwagę, podtrzymywać, kiedy wymiotowała podczas długich godzin w powietrzu, i dosłownie wynosić ją na rękach na każdym lotnisku, bo się słaniała. Gdy dotarli do Limy, drugiego śródlądowania po Antofagaście, Víctor stwierdził, że Roser jest w tak fatalnej formie, że już był zdecydowany odesłać ją do domu transportem lądowym i kontynuować podróż z Marcelem, ale się sprzeciwiła, jak zwykle stawiając na swoim. „Będę lecieć samolotem choćby do samego piekła. Temat uważam za zamknięty". I leciała dalej do Nowego Jorku, drżąc ze strachu i wymiotując do papierowych torebek. Trenowała, przeczuwając, że w przyszłości nieraz będzie musiała latać, jeśli powiedzie się jej plan stworzenia zespołu muzyki dawnej, nad którym pracowała.

Carme czekała na nich na dworcu autobusowym w stolicy Andory; siedziała na ławce sztywna jak pal, jak zwykle z papierosem, w żałobie po zmarłych, zaginionych i po Hiszpanii, w dziwacznym kapeluszu i z torbą na kolanach, z której wystawała głowa białego psiaka. Rozpoznali się bez trudu, bo w ciągu tych dziesięciu lat rozłąki żadne z nich trojga za bardzo się nie zmieniło. Roser była taka jak dawniej, ale przyjęła styl stosowny do swojej obecnej pracy i Carme poczuła się onieśmielona w towarzystwie tej eleganckiej, wymalowanej, pewnej siebie kobiety. Ostatni raz widziała ją podczas koszmarnej nocy, ciężarną, wyczerpaną i drżącą z zimna w wózku motocykla. Jedyną osobą wzruszoną do łez był Víctor; obie kobiety przywitały się pocałunkiem w policzek, jakby widziały się wczoraj, a wojna i emigracja okazały się tylko mało znaczącymi epizodami w ich spokojnym życiu. „Ty musisz być Marcel. Jestem twoją babcią, po katalońsku *àvia*. Jesteś głodny?", zapytała na dzień dobry babcia swojego wnuka i nie czekając na odpowiedź, wręczyła mu słodką bułkę wyciągniętą z przepastnej torby, w której bułka i pies dzielili tę samą przestrzeń. Marcel, zafascynowany, analizował skomplikowaną geografię zmarszczek tej *àvia*, jej żółte od nikotyny zęby, siwe sztywne włosy, wysuwające się spod kapelusza jak siano, i palce wykręcone artrozą i myślał, że gdyby tak jeszcze miała anteny na głowie, mogłaby być Marsjanką.

Dwudziestoletnia rachityczna taksówka wiozła ich przez miasto rozłożone między górami, które według Carme było stolicą szpiegostwa i przemytu, praktycznie jedynych lukratywnych zajęć w tych czasach. Ona zajmowała się tą drugą działalnością, bo do szpiegostwa potrzebne są dobre kontakty z mocarstwami europejskimi i z Amerykanami. Cztery lata po zakończeniu drugiej wojny światowej zniszczone miasta podnosiły się z głodu i z ruin, ale nadal wielu uchodźców i przesiedleńców szukało swojego miejsca na ziemi. Opowiadała, że Andora była gniazdem szpiegów podczas wojny i teraz, w czasie zimnej wojny, niewiele pod tym względem się zmieniło. Przedtem sprawdziła się jako droga awaryjna dla uciekających przed Niemcami, zwłaszcza dla Żydów i zbiegłych więźniów, których często zdradzali bądź zabijali przewodnicy, żeby zabrać im pieniądze i klejnoty, jakie mieli przy sobie. „Niektórzy pasterze wzbogacili się nagle, a co roku, w czasie roztopów, pojawiają się zwłoki z rękami związanymi drutem kolczastym", wtrącił się do rozmowy kierowca taksówki. Po wojnie uciekali przez Andorę niemieccy oficerowie i sympatycy nazizmu, kierując się do Ameryki Południowej. Mieli nadzieję przedostać się przez Hiszpanię, gdzie mogli liczyć na pomoc generała Franco. „Co do przemytu, to nic wielkiego: tytoń, alkohol i tym podobne, nic niebezpiecznego", uspokoiła ich Carme.

Kiedy dotarli do domu, który Carme dzieliła z małżeństwem wieśniaków od czasu, gdy ocalili jej życie, zasiedli do stołu przy smakowicie pachnącej potrawce z królika z cieciorką i dwoma porronami czerwonego wina, żeby sobie nawzajem opowiedzieć przeżycia z ostatniej dekady. Podczas Wielkiej Ewakuacji babcia uznała, że nie czuje się na siłach iść dalej i nie wyobraża sobie życia na emigracji, zostawiła więc Roser i Aitora Ibarrę i postanowiła zamarznąć na śmierć w nocy jak najdalej od nich. Niestety obudziła się nazajutrz zesztywniała i głodna, ale o wiele bardziej żywotna, niżby chciała. Leżała w tym samym miejscu, podczas gdy obok niej płynęła rzeka uciekinierów, coraz mniej liczna, aż po południu została całkiem sama, niczym ślimak na zamarzniętej ziemi. Nie pamięta, co wtedy czuła, ale przekonała się, że umrzeć wcale nie jest łatwo, a szukanie śmierci jest zwykłym tchórzostwem. Jej mąż już nie żył i prawdopodobnie obaj synowie, ale została Roser, jej synowa, a w niej dziecko Guillema; to zdecydowało, że postanowiła iść dalej, ale zdołała się podnieść. Wkrótce przyplątał się do niej jakiś zabłąkany kundel, który podążał za kolumną uchodźców; położył się obok i ogrzał ją swoim ciepłem. Ten zwierzak ją uratował. Godzinę czy dwie później para wieśniaków, którzy sprzedali swoje produkty ostatnim uciekinierom i wracali do domu, usłyszała skomlenie psa i wzięła je za płacz dziecka. Tak znaleźli Carme i przygarnęli ją. Zamieszkała z nimi i z wielkim wysiłkiem, ale marnymi efektami pomagała uprawiać ziemię, aż najstarszy syn gospodarzy zabrał ich do Andory. Tam przetrwali wojnę, zajmując się przemytem między Hiszpanią i Francją wszystkiego, czym się dało handlować, nawet ludzi, jak się nadarzała okazja.

– Czy to ten pies? – zapytał Marcel, trzymając kundelka na kolanach.

– Ten sam. Będzie miał jakieś jedenaście lat i oby żył co najmniej drugie tyle. Wabi się Gosset.

– To nie imię. *Gosset* to po katalońsku piesek.

– Takie imię mu wystarczy, nie potrzebuje innego – zamknęła temat babcia, zaciągając się papierosem.

* * *

Minął pełny rok, zanim Carme zdecydowała się emigrować, żeby się połączyć z jedyną rodziną, jaka jej została. Ponieważ nie wiedziała nic o Chile, tym długim robaku na południu mapy, zaczęła szukać w książkach i rozpytywać, czy ktoś zna jakiegoś Chilijczyka, żeby wziąć go na spytki, ale akurat żaden w tym czasie nie trafił do Andory. Po tylu wspólnie spędzonych latach żal jej było rozstawać się z wieśniakami, którzy ją przygarnęli, poza tym nie miała żadnego doświadczenia w podróżowaniu, a należało się przemieścić na drugi kraniec planety, i to jeszcze ze starym psem. Obawiała się, że Chile jej się nie spodoba. „Wujek Jordi twierdzi, że w Chile jest jak w Katalonii", uspokoił ją Marcel w jednym z listów.

Gdy już podjęła decyzję, pożegnała się z przyjaciółmi, wzięła głęboki oddech i przestała się zamartwiać, gotowa na przygodę. Podróżowała ziemią i morzem siedem tygodni, z kundelkiem w torbie, bez pośpiechu, wykorzystując czas na turystykę i podziwianie innych pejzaży i języków, na degustowanie egzotycznych potraw i porównywanie obcych obyczajów z własnymi. Dzień po dniu oddalała się od własnej przeszłości, by przenieść się w inny wymiar. Kiedyś, jeszcze jako nauczycielka, uczyła się świata i przekazywała tę wiedzę innym, a teraz przekonywała się, że świat nie przystawał do opisów w tekstach ani fotografii; okazał się o wiele bardziej skomplikowany i kolorowy i wcale nie taki straszny. Dzieliła się swoimi spostrzeżeniami ze zwierzęciem i zapisywała wspomnienia w szkolnym zeszycie, na wypadek gdyby pewnego dnia zaczęła zawodzić ją pamięć. Upiększała fakty, bo zdawała sobie sprawę, że życie jest takie, jak opowieść o nim, więc nie warto notować rzeczy trywialnych. Ostatnim etapem wędrówki była żegluga po Pacyfiku, podobna do tej, jakiej dokonała jej rodzina w 1939 roku. Syn przysłał pieniądze na bilet pierwszej klasy, przekonując, że na to zasługuje po tylu chudych latach, ale ona wolała podróżować klasą turystyczną, gdzie czuła się swobodnie. Wojna i jej doświadczenia przemytnicze sprawiły, że stała się zamknięta w sobie, ale postanowiła rozmawiać z nieznajomymi, kiedy się przekonała, że ludzie lubią mówić i wystarczy zadać parę pytań, żeby zyskać przyjaciół i dowiedzieć się wielu rzeczy. Każdy człowiek ma swoją historię i chce się nią podzielić.

Gosset, który już zaczynał odczuwać dolegliwości związane z wiekiem, w podróży jakby odmłodniał i gdy dopływali do wybrzeży Chile, był jak nowy, czujny i pozbawiony lisiej woni. W porcie w Valparaíso na babcię i psa czekali Víctor, Roser i Marcel. Towarzyszył im gadatliwy facet z brzuszkiem, który przedstawił się jako „Jordi Moliné, padam do stóp, szanowna pani". Dodał po katalońsku, że gotów jest pokazać jej wszystko, co najlepsze w tym pięknym kraju. „Wie pani, że jesteśmy prawie w tym samym wieku? Ja też jestem wdowcem", dodał, nie bez kokieterii. W pociągu do Santiago Carme dowiedziała się, że ten człowiek sumiennie pełnił w rodzinie funkcję dziadka i wujka, że jej wnuk był stałym bywalcem jego tawerny, gdzie zachodził prawie codziennie odrabiać lekcje, żeby nie siedzieć w pustym domu. Od kiedy Víctor został kardiologiem w szpitalu San Juan de Dios, już nie pracował w Winnipegu nocami, Roser też rzadko zaglądała do tawerny, ale na odległość sprawdzała rachunki, które prowadził pewien emerytowany księgowy w zamian za towarzystwo, jedzenie i napitek.

Carme odnalazła rodzinę dzięki Elisabeth Eidenbenz, wtedy przebywającej w Wiedniu, gdzie bez reszty poświęcała się swojej stałej misji: pomocy kobietom i dzieciom. Miasto zostało bezlitośnie zbombardowane i gdy ona tam dotarła, tuż po wojnie, wygłodniała ludność grzebała w śmieciach w poszukiwaniu jedzenia, a setki zabłąkanych dzieci żyły jak szczury w ruinach tego, co niegdyś było najpiękniejszym miastem cesarstwa. W 1940 roku, kiedy przebywała na południu Francji, Elisabeth zrealizowała swój plan stworzenia w opuszczonym pałacyku w Elnie domu matki dla ciężarnych kobiet, żeby mogły rodzić w godziwych warunkach. O ile najpierw korzystały z niego Hiszpanki z obozów koncentracyjnych dla uchodźców, później pojawiły się Żydówki, Romki i inne kobiety uciekające przed nazistami. Korzystająca ze wsparcia Czerwonego Krzyża Elna powinna była pozostać neutralna i powstrzymać się przed udzielaniem pomocy uciekinierom politycznym, ale Elisabeth nie przejmowała się regulaminem, mimo kontroli, i z tego powodu gestapo aresztowało ją w 1944 roku. Udało się jej ocalić ponad sześćset dzieci.

Carme przez przypadek poznała w Andorze jedną z tych szczęśliwych matek, a ta powiedziała, że jej dziecko mogło przyjść na świat tylko dzięki Elisabeth. Wtedy Carme skojarzyła pielęgniarkę z imieniem osoby, która miała być ich kontaktem we Francji, gdyby udało im się przekroczyć granicę. Napisała do Czerwonego Krzyża i tak od biura do biura, z kraju do kraju, dzięki wytrwałej korespondencji, która pokonywała biurokratyczne przeszkody i przemierzała Europę z jednego krańca na drugi, udało się ustalić, że Elisabeth jest w Wiedniu; tamta odpisała, że przynajmniej jeden z jej synów, Víctor, żyje, że ożenił się z Roser, że Roser urodziła chłopca, Marcela, i że wszyscy troje mieszkają w Chile. Nie wiedziała, jak ich szukać, ale na szczęście Roser napisała kiedyś do rodziny, która ją przygarnęła, gdy opuściła obóz w Argelès-sur-Mer. Kwakrzy mieszkali teraz w Londynie i nie od razu udało się ich zlokalizować. Wtedy przeszukali strych i znaleźli kopertę listu Roser, a na niej jedyny dostępny adres – domu Felipa del Solar w Santiago. I tak po wielu latach Elisabeth Eidenbenz połączyła rodzinę Dalmau.

* * *

Roser pojechała do Caracas w połowie lat sześćdziesiątych, zaproszona po raz kolejny przez przyjaciela, Valentína Sáncheza, dawnego ambasadora Wenezueli, który po zakończeniu kariery dyplomatycznej poświęcił się całkowicie swojej pasji – muzyce. W ciągu dwudziestu pięciu lat, jakie upłynęły od przypłynięcia na pokładzie „Winnipegu", Roser stała się prawdziwszą Chilijką niż ktokolwiek urodzony na terytorium kraju, podobnie jak większość hiszpańskich uchodźców, którzy nie tylko byli przykładnymi obywatelami, ale też wielu z nich zrealizowało marzenie Pabla Nerudy o wyciągnięciu społeczeństwa z marazmu. Już nikt nie pamiętał, że kiedyś ich obecność budziła kontrowersje, i nikt nie mógł zaprzeczyć, że ludzie, których Neruda zaprosił do Chile, bardzo się przysłużyli nowej ojczyźnie. Roser i Valentínowi Sánchezowi udało się stworzyć, po latach przygotowań, obfitej korespondencji i podróży, pierwszy na kontynencie zespół muzyki dawnej, sponsorowany przez przemysł naftowy, niewyczerpany skarb, który strumieniami wypływał spod wenezuelskiej ziemi. Podczas gdy on przemierzał Europę, nabywając bezcenne instrumenty i odszukując zapomniane partytury, ona przygotowywała wykonawców wyselekcjonowanych między innymi spośród studentów Szkoły Muzycznej w Santiago, gdzie od niedawna pełniła funkcję wicedziekana. Chętnych znalazło się aż nadto, nadciągali z różnych krajów z nadzieją uczestniczenia w tym utopijnym zespole. Chile nie mogło sobie pozwolić na sfinansowanie takiego projektu, kraj miał inne priorytety w polityce kulturalnej i w tych rzadkich okazjach, kiedy Roser udawało się wzbudzić zainteresowanie swoim projektem, następowało albo trzęsienie ziemi, albo kryzys rządowy, po którym wszystko należało zaczynać od nowa. Ale w Wenezueli można było puścić wodze fantazji, o ile się miało odpowiednie wpływy i znajomości, a Valentínowi Sánchezowi ich nie brakowało, bo należał do tej nielicznej grupy polityków, którym udawało się lawirować bez przeszkód między dyktaturami, przewrotami wojskowymi, eksperymentami demokratycznymi i kolejnymi rządami porozumienia narodowego, bo zawsze na ich czele stał ktoś z jego bliskich znajomych. Wenezuela walczyła z partyzantką, zainspirowaną rewolucją kubańską, podobnie jak inne, które pojawiały się na całym kontynencie z wyjątkiem Chile, gdzie dopiero niedawno zaczął się rozwijać ruch rewolucyjny, ale raczej w teorii niż w praktyce. To wszystko nie wywierało wpływu na dobrobyt kraju ani na miłość Wenezuelczyków do muzyki, również dawnej. Valentín często bywał w Chile, stać go było na kaprys utrzymywania apartamentu w Santiago. Roser odwiedzała go w Caracas i razem podróżowali po Europie w związku z zespołem. Nauczyła się znosić podróż samolotem przy pomocy środków uspokajających, narkotyków i ginu.

O tę przyjaźń Víctor Dalmau mógł się czuć spokojny, ponieważ przyjaciel jego żony był zdeklarowanym homoseksualistą, ale przeczuwał, że mogła też tam mieć jakiegoś kochanka. Za każdym razem, kiedy wracała z Wenezueli, młodniała, przywoziła nowe ubrania, nowe perfumy albo jakąś dyskretną biżuterię, na przykład złote serduszko na cienkim łańcuszku, coś, czego Roser nigdy by sama sobie nie kupiła, bo do wydatków osobistych podchodziła po spartańsku. Najwięcej dawał do myślenia Víctorowi przypływ namiętności, tak jakby po powrocie chciała na nim przećwiczyć jakąś nową sztuczkę, której ktoś inny ją nauczył, albo jakby chciała odpokutować poczucie winy. Zazdrość byłaby nie na miejscu w ich luźnym związku, tak luźnym, że Víctor uważał go raczej za układ koleżeński. Potwierdziło się powiedzonko jego matki, że zazdrość gryzie dotkliwiej niż pchły. Roser dobrze się czuła w roli żony. W czasach, kiedy klepali biedę, a on jeszcze kochał się w Ofelii del Solar, ona kupiła na raty, nie konsultując tego z nim, dwie małżeńskie obrączki, i wymogła, że mają je nosić, dopóki się nie rozwiodą. Zgodnie z zasadą nazywania rzeczy po imieniu, jaką przyjęli od początku, Roser powinna była powiedzieć mu o kochanku, ale uważała, że czasami litościwe przemilczenie jest więcej warte niż bezużyteczna prawda, i Víctor podejrzewał, że skoro ona stosowała tę zasadę w drobnych sprawach, tym bardziej postąpiłaby tak, gdyby chodziło o zdradę. Pobrali się z rozsądku, ale już od dwudziestu sześciu lat byli razem i łączyło ich coś więcej niż spokojna akceptacja, jak w indyjskich małżeństwach aranżowanych na odległość. Marcel już dawno skończył osiemnaście lat i te urodziny, wyznaczające koniec ich umowy, tylko wzmocniły ich wzajemne uczucia i wpłynęły na decyzję, by jeszcze jakiś czas pozostać małżeństwem, z cichą nadzieją, że będą tak funkcjonować, od prolongaty do prolongaty, i do rozstania nigdy nie dojdzie.

Z czasem upodobnili się do siebie w gustach i dziwactwach, ale nie w charakterach. Niewiele mieli powodów do dyskusji i żadnego do kłótni, zgadzali się w sprawach zasadniczych i czuli się równie dobrze i swobodnie zarówno razem, jak i osobno. Tak dobrze się znali, że uprawianie miłości stało się czymś w rodzaju tańca, który im obojgu przynosił satysfakcję. Nie popadali w rutynę, bo Víctor zdawał sobie sprawę, że wtedy Roser szybko by się znudziła. Roser naga w łóżku bardzo się różniła od eleganckiej, powściągliwej kobiety na scenie czy surowej pani profesor w Szkole Muzycznej. Przeżyli razem wiele przeciwności losu, aż osiągnęli stan pogodnego współżycia w dojrzałych latach, bez problemów materialnych czy uczuciowych. Mieszkali sami, bo Carme przeprowadziła się do Jordiego Molinégo, kiedy zdechł Gosset, bardzo już stary, ślepy i głuchy, ale do końca czujny, natomiast Marcel zamieszkał z dwoma kolegami. Po ukończeniu inżynierii górniczej otrzymał rządowy kontrakt w przemyśle miedziowym. Nie odziedziczył ani muzycznego talentu matki i dziadka, Marcela Lluísa Dalmau, ani wojowniczego talentu ojca; nie pociągała go medycyna, jak Víctora, ani nauczanie, jak babcię Carme, która w wieku osiemdziesięciu jeden lat jeszcze pracowała jako nauczycielka.

„Ale z ciebie dziwak, Marcel! Co ty widzisz w tych kamieniach?", spytała go Carme, kiedy dowiedziała się, jakie wybrał studia. „Bo one nie wyrażają swojego zdania ani nie protestują", odpowiedział wnuk.

* * *

Nieudany związek z Ofelią del Solar pozostawił Víctorowi Dalmau na parę lat cichą, zapiekłą wściekłość, którą potraktował jako słuszną karę za podłe uwiedzenie niewinnej dziewczyny, z pełną świadomością, że nie jest wolny i że spoczywa na nim odpowiedzialność za żonę i syna. To było dawno temu. Od tego czasu żarliwa nostalgia, jaką pozostawiła w nim tamta miłość, powoli wygasała, roztapiając się w szarej strefie pamięci, w której zacierają się wszystkie wspomnienia. Wydawało się, że czegoś go to nauczyło, aczkolwiek wymykał mu się sens tego doświadczenia. To był jedyny miłosny epizod w ciągu wielu lat, bo żył pochłonięty pracą. Taki czy inny sporadyczny kontakt z jakąś chętną pielęgniarką się nie liczył, poza tym zdarzało się to rzadko, na ogół podczas jednego z dwudniowych dyżurów w szpitalu. Przygodne pieszczoty nigdy nie komplikowały mu życia, nie miały przeszłości ni przyszłości i ulatniały się z pamięci po paru godzinach. Silne uczucie do Roser było kotwicą jego egzystencji.

W 1942, niedługo po tym, jak Víctor otrzymał pożegnalny list od Ofelii, ale jeszcze żywił nadzieję, że uda mu się ją odzyskać, Roser wiedząc, że to będzie tak, jakby posypała zranione serce solą, uznała, że trzeba zastosować drastyczne lekarstwo, żeby wyciągnąć go z depresji, i którejś nocy weszła mu do łóżka bez zaproszenia, tak jak kiedyś postąpiła z jego bratem. Tamta decyzja była najlepszym, co się jej przytrafiło w życiu, bo dzięki niej miała Marcela. Tej nocy myślała, że zaskoczy Víctora, ale okazało się, że on na nią czekał. Nie zdziwił się, widząc ją na progu sypialni, prawie nagą, z rozpuszczonymi włosami, tylko posunął się na łóżku, żeby zrobić jej miejsce, i objął ją tak spontanicznie, jakby to była normalna małżeńska sytuacja. Baraszkowali prawie całą noc, poznając się w sensie biblijnym, bez wprawy, ale z humorem; oboje mieli świadomość, że czekali na tę chwilę od czasu niewinnych pieszczot w łodzi ratunkowej na „Winnipegu", kiedy ograniczali się do rozmowy szeptem, podczas gdy inne pary czekały na swoją kolejkę do intymności. Nie pamiętali ani o Ofelii, ani o Guillemie, którego wszechobecny duch towarzyszył im podczas rejsu, ale w Chile, gdzie zaabsorbowały ich nowe sprawy, ten duch znalazł sobie dyskretne miejsce w sercu ich obojga i w niczym nie przeszkadzał. Odtąd już zawsze spali razem.

Duma nie pozwoliła Víctorowi śledzić Roser ani ujawnić swoich podejrzeń. Nie skojarzył tych dylematów z uporczywymi bólami żołądka, które mu dokuczały, uznał, że to pewnie wrzód, ale nie zrobił żadnych badań i ograniczył się do zażywania mleka magnezjowego w alarmujących ilościach. Jego uczucie do Roser różniło się tak bardzo od ślepej namiętności, którą wzbudzała w nim Ofelia, że zadręczał się ponad rok, zanim zdołał nazwać swoje uczucia po imieniu. Żeby nie myśleć o zazdrości, skupiał się na dolegliwościach swoich pacjentów w szpitalu i na badaniach naukowych. Starał się być na bieżąco z postępami medycyny, tak niewiarygodnymi, że nawet poważnie rozważano możliwość udanego przeszczepu ludzkiego serca. Dwa lata wcześniej w Missisipi przeszczepiono umierającemu mężczyźnie serce szympansa i chociaż pacjent żył tylko dziewięćdziesiąt minut, ten eksperyment wyniósł możliwości nauk medycznych na poziom cudu. Víctor Dalmau, podobnie jak tysiące innych lekarzy, marzył o powtórzeniu tego wyczynu z ludzkim dawcą. Od czasu, kiedy trzymał w dłoni serce Łazarza, upłynęło całe życie, ale nadal miał obsesję na punkcie tego wspaniałego organu.

Poza pracą i badaniami, na których skupiał całą swoją energię, Víctor przeżywał kolejny okres melancholii. „Coś ty taki markotny, synu", zauważyła Carme podczas jednego z rodzinnych obiadów niedzielnych w domu Jordiego Molinégo. Zwykle rozmawiali po katalońsku, ale Carme przechodziła na hiszpański, jeśli Marcel był z nimi, bo w wieku dwudziestu siedmiu lat jej wnuk nadal nie chciał posługiwać się językiem swojej rodziny. „Tato, *àvia* ma rację. Zgłupiałeś czy co? Co z tobą?", przyłączył się Marcel. „Tęsknię za twoją matką", odpowiedział Víctor spontanicznie. To było jak objawienie. Roser odbywała w Wenezueli kolejne tournée koncertowe, które Víctorowi wydawały się coraz częstsze. Zamyślił się nad tym, co powiedział, bo aż do chwili, kiedy powiedział to na głos, nie zdawał sobie w pełni sprawy, jak bardzo ją kocha. Mimo że rozmawiali ze sobą o wszystkim, nigdy nie wyznali sobie miłości, z powodu czegoś w rodzaju wstydu; po co było mówić o uczuciach, wystarczyło je okazywać. Skoro są razem, to dlatego, że się kochają, po co dzielić włos na czworo, skoro prawda jest prosta.

Parę dni później, gdy ciągle rozważał pomysł zaskoczenia Roser oficjalnymi oświadczynami i pierścionkiem z brylantami, który powinien był jej dać wiele lat temu, ona wróciła z Santiago bez uprzedzenia i plany Víctora zostały odsunięte bezterminowo. Przyjechała elegancka, jak z poprzednich podróży, z zadowoloną miną, która tyle podejrzeń budziła w jej mężu, w wyzywającej minispódnicy w czarne i czerwone kwadraty, niczym na kuchennym obrusie, kontrastującej z jej dyskretną osobowością. „Nie wydaje ci się, że jest za krótka jak na twój wiek?", zapytał Víctor, zamiast powiedzieć jej te wszystkie piękne słowa, które starannie przygotowywał. „Mam czterdzieści osiem lat, ale czuję się na dwadzieścia", odpowiedziała beztrosko.

To był pierwszy raz, kiedy zareagowała na ostatni krzyk mody; do tej pory pozostawała wierna swojemu stylowi i niewiele w nim zmieniała. Jej pewna siebie odpowiedź przekonała Víctora, że lepiej niczego nie zmieniać i nie szukać prawdy, która mogłaby okazać się bolesna i nieodwracalna.

Víctor Dalmau dowiedział się parę lat później, kiedy to już nie miało żadnego znaczenia, że kochankiem Roser był jego dawny przyjaciel, Aitor Ibarra. Ten związek, udany, mimo że tylko okazjonalny, bo spotykali się, gdy ona przyjeżdżała do Wenezueli, a w pozostałym czasie nie utrzymywali kontaktów, trwał pełne siedem lat. Zaczął się od pierwszego koncertu zespołu muzyki dawnej, który stał się kulturalnym wydarzeniem sezonu w Caracas. Aitor znalazł w prasie nazwisko Roser Bruguery, pomyślał, że byłby to niezwykły zbieg okoliczności, gdyby chodziło o tę samą ciężarną kobietę, z którą pokonywał Pireneje podczas Wielkiej Ewakuacji, ale na wszelki wypadek kupił bilet. Zespół występował w auli Uniwersytetu Centralnego, pod ruchomymi panelami Alexandra Caldera w kształcie chmur, zapewniającymi najlepszą na świecie akustykę. Na wielkiej scenie, dyrygując muzykami grającymi na bezcennych instrumentach, które większość publiczności miała okazję oglądać pierwszy raz w życiu, Roser wydawała się malutka. Aitor widział ją przez lornetkę i tylko od tyłu, więc jedyne, co mu się wydało znajome, to kok na karku, taki sam jak w młodości. Rozpoznał ją, gdy się odwróciła podczas oklasków, jednak jej trudniej było go rozpoznać, kiedy zjawił się w garderobie, bo niewiele zostało z tego chudego młodzieńca, skonanego, ale wesołego, któremu zawdzięczała życie. Przemienił się w zamożnego przedsiębiorcę, oszczędnego w gestach, ze sporą nadwagą, prześwitującą przez resztki włosów łysiną i gęstymi wąsami, ale zachował błysk w spojrzeniu. Ożenił się z fantastyczną kobietą, królową piękności, miał czworo dzieci i kilkoro wnuków i dorobił się fortuny. Przybył do Wenezueli z piętnastoma dolarami w kieszeni, na zaproszenie krewnych, i zajął się tym, na czym znał się najlepiej – naprawą samochodów. Założył warsztat samochodowy i wkrótce mógł otworzyć filie w różnych miastach; stąd do handlu starymi kolekcjonerskimi samochodami był jeden krok. To doskonały kraj dla kogoś tak przedsiębiorczego i rzutkiego jak Aitor. „Tu okazje spadają z drzew jak owoce mango", opowiadał Roser.

Przeżyli siedem lat intensywnej namiętności w uczuciach, bezpruderyjnej w formie. Zamknięci przez cały dzień w pokoju hotelowym uprawiali miłość jak nastolatkowie, pokładając się ze śmiechu, z butelką białego reńskiego wina, chlebem i serem, zadziwieni pokrewieństwem duchowym i niewyczerpaną namiętnością, które ich połączyły jak coś, co przydarza się w życiu tylko raz, bo nigdy wcześniej ani później to doświadczenie nie miało się powtórzyć. Umówili się, że będą utrzymywać swoją miłość w zapieczętowanym, ukrytym miejscu w swoim życiu, z dala od szczęśliwych małżeństw ich obojga. Aitor kochał i szanował swoją piękną żonę, tak jak Roser kochała Víctora. Od samego początku, kiedy zaskoczeni swoją miłością byli bliscy szaleństwa, zdecydowali, że jedyną przyszłością, na jaką może liczyć ta wielka namiętność, jest pozostawanie w ukryciu; nie mogli pozwolić, by zrujnowała im życie i wyrządziła krzywdę ich rodzinom. I dotrzymali postanowienia przez siedem szczęśliwych lat; zanosiło się na wiele dłużej, ale wylew unieruchomił Aitora Ibarrę i skazał na opiekę żony. Jednak Víctor o niczym nie wiedział, dopóki Roser sama mu nie powiedziała.

* * *

Víctor Dalmau znów zaczął częściej widywać Pabla Nerudę, z daleka na oficjalnych uroczystościach, a czasami w domu senatora Salvadora Allendego, z którym grywał w szachy. Poeta zapraszał go również na spotkania w jego organicznym nadmorskim domu na Isla Negra, przypominającym swoją szaloną architekturą statek osiadły na lądzie. To było miejsce inspiracji i tworzenia. „Morze chilijskie, morze rozhukane, z łodziami na cumach, z wichrami pian białych i czarnych, z nadbrzeżnym ludem rybaków kształconych w cierpliwości, morze szczere, kipiące, nieskończone"*. Mieszkał tam z Matyldą, swoją trzecią żoną, i z niekontrolowaną obfitością przedmiotów z jego kolekcji, poczynając od zakurzo-

---

* Przełożyła Magdalena Pabisiak.

nych butelek z pchlego targu po maszkarony z rozbitych statków. Tam przyjmował dygnitarzy z całego świata, którzy przyjeżdżali z pozdrowieniami i zaproszeniami, lokalnych polityków, intelektualistów i dziennikarzy, ale przede wszystkim swoich przyjaciół, wśród nich uchodźców z „Winnipegu". Był celebrytą, autorem przetłumaczonym na wszystkie możliwe języki; już nawet najgorsi wrogowie nie mogli negować magicznej mocy jego poezji. Poeta, miłośnik wygodnego życia, pragnął tylko nieustannie pisać, gotować dla przyjaciół i mieć święty spokój, ale nawet w tej skalnej samotni na Isla Negra nie dało się tego osiągnąć; ludzie wszelkiego autoramentu stukali do drzwi i przypominali mu, że jest głosem cierpiących narodów, jak sam siebie nazywał. I tak pewnego dnia przybyli jego towarzysze, domagając się, żeby ich reprezentował w kampanii wyborczej. Salvador Allende, naturalny kandydat lewicy, startował bez powodzenia już trzykrotnie w wyborach prezydenckich i wydawało się, że jest skazany na przegraną. Tak więc poeta musiał zostawić zeszyty i pióro z zielonym atramentem i wyruszyć w objazd po całym kraju samochodami, autobusami i pociągami na spotkania z ludem, podczas których recytował swoje wiersze otoczony robotnikami, wieśniakami, rybakami, kolejarzami, górnikami, studentami i rzemieślnikami, ci zaś słuchali z przejęciem jego głosu. To doświadczenie dodało nowego wigoru jego walecznej poezji, a zarazem uświadomiło mu, że nie nadaje się do polityki. Przy pierwszej nadarzającej się okazji wycofał się i ograniczył do popierania kandydatury Salvadora Allendego, który wbrew niesprzyjającym okolicznościom stanął na czele Frontu Jedności Ludowej, koalicji partii lewicowych. Neruda popierał go w kampanii wyborczej.

Teraz to Allende musiał przemierzać kraj pociągami z północy na południe; wzbudzał entuzjazm ludzi, którzy gromadzili się na każdej stacji i słuchali jego płomiennych przemówień, zarówno w miejscowościach wyjałowionych piaskiem i solą, jak i w innych, ciemnych, gdzie zawsze padał deszcz. Víctor Dalmau często mu towarzyszył, oficjalnie jako lekarz, ale w rzeczywistości jako partner do gry w szachy, jedynej rozrywki kandydata, która pozwalała mu się odprężyć, bo z drugiej – oglądania westernów – nie mógł korzystać w pociągach. Był tak niespożyty, zdeterminowany i czujny w dzień i w nocy, że nikt za nim nie nadążał i osoby towarzyszące musiały się wymieniać. Víctorowi przypadły późne godziny nocne, kiedy przemęczony kandydat potrzebował oczyścić umysł z hałasu tłumów i swojego własnego głosu dzięki partii szachów, która czasem przeciągała się aż do świtu albo zostawała nierozstrzygnięta do następnej nocy. Allende niewiele spał, ale potrafił wykorzystać krótkie, dziesięciominutowe przerwy między różnymi aktywnościami, gdziekolwiek, na drzemkę, po której budził się świeży i wypoczęty. Chodził wyprostowany, pierś wypinał do przodu, jakby chciał pokazać, że jest gotowy do walki; miał głos aktorski i elokwencję krasomówcy, panował nad gestykulacją, szybko myślał i był niezachwiany w sprawach zasadniczych. Podczas długiej kariery politycznej poznał Chile jak własną kieszeń i nigdy nie stracił wiary w pokojową rewolucję, chilijską drogę do socjalizmu. Część jego zwolenników, zapatrzonych w rewolucję kubańską, twierdziła, że nie da się przeprowadzić prawdziwej rewolucji i uwolnić od imperializmu amerykańskiego bez przelewu krwi, do tego konieczna jest walka zbrojna, ale według niego rewolucja była jak najbardziej do pomyślenia w solidnej demokracji chilijskiej, której konstytucję szanował. Do końca wierzył, że wystarczyło obnażać fakty, uświadamiać, wysuwać propozycje i uwrażliwiać na problemy, by ludzie pracy powstali i wzięli los we własne ręce. Również nie ignorował siły przeciwników, wiedział, że mają władzę. Jako osoba publiczna zachowywał się z nieco wyniosłą godnością, którą jego wrogowie uznawali za arogancję, ale prywatnie okazywał się uosobieniem bezpośredniości i człowiekiem skłonnym do żartów. Był wierny danemu słowu; nie wyobrażał sobie, że można kogoś zdradzić, i to go w końcu zgubiło.

Víctora Dalmau hiszpańska wojna domowa zaskoczyła w młodym wieku; walczył, pracował i udał się na emigrację jako republikanin, przyjmując ideologię swego stronnictwa w ciemno. W Chile dochował warunku trzymania się z dala od polityki, narzuconego uchodźcom z „Winnipegu", i nie należał do żadnej partii, ale przyjaźń z Salvadorem Allendem przyczyniła się do skrystalizowania jego poglądów z równą precyzją, z jaką wojna domowa ukierunkowała jego uczucia. Víctor podziwiał Allendego jako polityka i z pewnymi zastrzeżeniami również jako człowieka. Nie bardzo pasował do stereotypu socjalistycznego lidera z jego mieszczańskimi nawykami, ubraniem w najlepszym gatunku, wyrafinowaniem, zamiłowaniem do unikalnych przedmiotów, którymi obdarowywały go spontanicznie obce rządy i najwybitniejsi artyści Ameryki Łacińskiej: gromadził obrazy, rzeźby, oryginalne rękopisy, ceramikę prekolumbijską – to wszystko zagrabiono mu w ostatnim dniu jego życia. Był łasy na komplementy i miał słabość do pięknych kobiet, potrafił jednym spojrzeniem wyłowić je z tłumu, oczarować osobowością i zaimponować, wykorzystując przewagę, jaką dawała mu władza. Víctorowi przeszkadzały słabe strony jego charakteru, ale skrytykował je tylko raz, w rozmowie z Roser. „Víctorze, daj spokój, jesteś przewrażliwiony! Allende to nie Gandhi", polemizowała. Oboje głosowali na niego w wyborach i żadne z nich nie wierzyło, że może zostać wybrany. Sam Allende w to wątpił, ale we wrześniu zebrał więcej głosów niż pozostali kandydaci. Z braku zdecydowanej większości Kongres miał dokonać wyboru między dwoma kandydatami z największą liczbą głosów. Oczy całego świata były zwrócone na Chile, tę wydłużoną plamę na mapie, która stawiała wyzwanie konwencjom.

Zwolennicy utopijnej, demokratycznej rewolucji socjalistycznej, nie czekając na decyzję Kongresu, masowo wylegli na ulicę, żeby świętować długo oczekiwane zwycięstwo. Całe rodziny, z dziadkami i wnukami włącznie, w odświętnych strojach, śpiewały w euforii, zachłystując się niewiarygodnym zwycięstwem;

nie było żadnych ekscesów, jakby się umówili, że trzeba zachować dyscyplinę. Víctor, Roser i Marcel wmieszali się w tłum, machając flagami i śpiewając, że naród zjednoczony nie będzie zwyciężony. Carme nie poszła z nimi, bo, jak twierdziła, w wieku osiemdziesięciu pięciu lat już jej nie starczało życia, żeby się entuzjazmować czymś tak kapryśnym jak polityka, ale prawda była taka, że niewiele wychodziła, poświęcając się całkowicie opiece nad Jordim Moliném, który na starość opadł z sił i nie chciał się ruszać z domu. Zachowywał młodzieńczy stan ducha aż do momentu utraty baru. Winnipeg, który w swoim czasie stał się wielką atrakcją w mieście, przestał istnieć, kiedy wyburzono cały kwartał, żeby wznieść tam wieżowce, skazane, zdaniem Molinégo, na zawalenie się przy najbliższym trzęsieniu ziemi. Natomiast Carme nadal służyło zdrowie i dopisywała jej energia. Zmalała, wyglądała jak oskubany z piór ptak, kupka kości pokryta skórą, z rzadkimi włosami na głowie i nieodłącznym papierosem w ustach. Była niezmordowana, niezawodna, niezbyt wylewna, ale w gruncie rzeczy sentymentalna, prowadziła dom i opiekowała się Jordim jak niepełnosprawnym dzieckiem. Oboje nastawiali się na oglądanie tego spektaklu w telewizji, mieli zamiar uczcić zwycięskie wybory butelką czerwonego wina i hiszpańską szynką. Patrzyli na masy ludzi z transparentami i pochodniami, widzieli entuzjazm i nadzieję. „To już przeżyliśmy w Hiszpanii, Jordi. Ciebie tam nie było w trzydziestym szóstym, ale zapewniam cię, że to to samo. Oby nie skończyło się tak jak tam", podsumowała Carme.

* * *

Po północy, kiedy już rozrzedziły się tłumy, państwo Dalmau zauważyli na ulicy Felipa del Solar, nie do pomylenia z nikim innym, w marynarce z wielbłądziej wełny i zamszowej dżokejce w kolorze musztardy. Przywitali się serdecznie jak starzy przyjaciele, Víctor cały spocony i zachrypnięty od wykrzykiwania, a Felipe nienaganny, pachnący lawendą, elegancki i zdystansowany, taki sam od dwudziestu lat. Ubierał się w Londynie, gdzie bywał dwa razy w roku; przysłowiowa brytyjska powściągliwość była jakby dla niego stworzona. Towarzyszyła mu Juana Nancucheo, którą państwo Dalmau rozpoznali bez trudu, bo niewiele się zmieniła od tamtych odległych czasów, gdy przyjeżdżała tramwajem odwiedzić Marcela.

– Nie wierzę, że głosowałeś na Allendego! – zawołała Roser, witając się z Felipem i z Juaną.

– Skądże znowu, kobieto. Głosowałem na chrześcijańską demokrację, chociaż nie wierzę ani w demokrację, ani w chrześcijaństwo, ale nie mogłem dać satysfakcji ojcu i głosować na jego kandydata. Jestem monarchistą.

– Monarchistą? Człowieku, na litość boską! Czy nie byłeś jedynym obrońcą postępu wśród troglodytów swojego klanu? – zawołał rozbawiony Víctor.

– Grzech młodości. To, czego potrzebujemy w Chile, to król albo królowa, jak w Anglii, gdzie wszystko jest bardziej cywilizowane niż tutaj – zażartował Felipe, pykając wygasłą fajkę, którą zawsze nosił, bo pasowała do jego stylu.

– Co w takim razie robisz na ulicy?

– Chodzimy sobie i badamy puls gawiedzi. Juana głosowała po raz pierwszy. Już od dwudziestu lat kobietom przysługuje prawo wyborcze, a ona dopiero teraz je wykorzystuje, by głosować na prawicę. Nie udało mi się wbić jej do głowy, że należy do klasy robotniczej.

– Ja głosuję jak pański tatuś, paniczu Felipe. My już widzieliśmy, do czego prowadzi bunt motłochu, jak powiada don Isidro.

– Kiedy? – zainteresowała się Roser.

– Ma na myśli rząd Pedra Aguirrego Cerdy – wyjaśnił Felipe.

– Dzięki temu prezydentowi my tu jesteśmy, Juano. To on sprowadził uchodźców na „Winnipegu", pamięta pani? – zapytał Víctor.

– Będę miała z osiemdziesiąt lat, ale pamięć mnie nie zawodzi, młody człowieku.

Felipe opowiadał, że jego rodzina zabarykadowała się w domu przy Mar del Plata, przekonana, że marksistowskie hordy napadną górną dzielnicę. Stali się ofiarą propagandy strachu, którą sami wywołali. Isidro del Solar był tak pewny zwycięstwa konserwatystów, że przygotował przyjęcie, żeby świętować z przyjaciółmi i pobratymcami. W domu zostawił jeszcze kucharzy i kelnerów, w nadziei że interweniuje Pan Bóg i zmieni bieg wydarzeń, a potem będzie można serwować szampana i ostrygi. Tylko Juana chciała zobaczyć, co się dzieje na ulicy, nie z powodu sympatii politycznych, ale przez ciekawość.

– Mój ojciec zapowiedział, że wyjedzie z całą rodziną do Buenos Aires, dopóki rozsądek nie wróci do tego zasranego kraju, ale matka stąd się nie ruszy. Nie chce zostawić Dzidziusia samego na cmentarzu – dodał Felipe.

– A co się dzieje z Ofelią? – zainteresowała się Roser, domyślając się, że Víctor nie ma odwagi sam o nią zapytać.

– Ominęło ją szaleństwo wyborów. Matías został mianowany radcą handlowym w Ekwadorze; jest zawodowym dyplomatą, więc nowy rząd go nie wyrzuci. Ofelia to wykorzystuje, by studiować malarstwo w pracowni Oswalda Guayasamína. Agresywny ekspresjonizm, wyraźne pociągnięcia pędzlem. Rodzina uważa, że jej obrazy są koszmarne, ale ja mam kilka.

– A ich dzieci?

– Studiują w Stanach Zjednoczonych. One też przeczekają ten kataklizm polityczny z dala od Chile.

– Ty zostajesz?

– Na razie tak. Chcę zobaczyć, na czym polega ten eksperyment socjalistyczny.

– Całym sercem jestem za tym, żeby się udał – powiedziała Roser.

– Wierzysz, że prawica i Amerykanie na to pozwolą? Zapamiętaj sobie moje słowa, ten kraj zmierza ku przepaści – Felipe pozostał sceptyczny.

Entuzjastyczne manifestacje przebiegły bez ekscesów i następnego dnia, kiedy najwięksi panikarze biegli wycofywać pieniądze z banków i kupować bilety, żeby uciec, zanim Sowieci opanują kraj, zobaczyli, że ulice są zamiatane jak w każdą sobotę i żaden obdartus nie biega po mieście z garrotą, grożąc przyzwoitym ludziom. W sumie nie było powodu do pośpiechu. Szacowano, że od wygrania wyborów do objęcia urzędu prezydenta droga daleka, Kongres miał jeszcze dwa miesiące na podjęcie korzystnej dla nich decyzji. Napięcie wisiało w powietrzu i plan rzucania kłód pod nogi Salvadorowi Allendemu już wprowadzano w życie, zanim jeszcze objął urząd. W następnych tygodniach komplot popierany przez Amerykanów zaowocował zabójstwem naczelnego dowódcy sił zbrojnych, żołnierza wiernego konstytucji, który stał im na drodze. Ta zbrodnia przyniosła efekt odwrotny od zamierzonego i zamiast zmobilizować wojskowych do buntu, wywołała powszechną dezaprobatę i wzmocniła legalistyczną postawę większości Chilijczyków, nieprzyzwyczajonych do takich bandyckich metod, typowych bardziej dla jakiejś republiki bananowej, ale nie dla Chile, gdzie różnice nigdy nie prowadziły do konfrontacji zbrojnej, jak twierdziła prasa. Kongres zatwierdził Salvadora Allendego, który stał się pierwszym mandatariuszem marksistowskim wybranym demokratycznie. Idea pokojowej rewolucji przestała się wydawać absurdalna.

Podczas tych konfliktowych tygodni, jakie upłynęły między wyborami a objęciem władzy, Víctor nie miał okazji grać w szachy z Allendem, bo dla przyszłego prezydenta był to czas obrad politycznych, ustaleń i kłótni w zamkniętym gronie, targowania się partii koalicyjnych o przydział stanowisk i ciągłego nękania przez opozycję. Allende oskarżał na wszelkie możliwe sposoby interwencję rządu amerykańskiego. Nixon i Kissinger poprzysięgli, że zrobią wszystko, by eksperyment chilijski nie odniósł sukcesu, bo mógłby stać się prochem zapalającym pozostałą część Ameryki Łacińskiej i Europy, a kiedy nie mogli tego osiągnąć przekupstwem i groźbami, zaczęli flirtować z wojskiem. Allende nie lekceważył swoich wrogów zewnętrznych i wewnętrznych, ale żywił irracjonalną wiarę, że naród stanie murem za rządem. Mówiono, że ma dobrą rękę do obracania każdej sytuacji na swoją korzyść, ale podczas trzech kolejnych, dramatycznych lat potrzebowałby prawdziwej magii i szczęścia, a nie tylko dobrej ręki. Partie szachów wznowili rok później, gdy prezydent osiągnął już pewną rutynę w swojej skomplikowanej egzystencji.

10

· 1 9 7 0 – 1 9 7 3 ·

Głęboką nocą gnębi mnie pytanie:
co będzie z Chile?
Co z moją ciemną, nieszczęsną ojczyzną?

PABLO NERUDA

BEZSENNOŚĆ, Z CYKLU PAMIĘTNIK Z ISLA NEGRA

Dla Víctora i Roser życie wróciło do normy, każde z nich zajmowało się swoimi sprawami, on w szpitalu, ona dzieliła czas między lekcje, koncerty i podróże, a tymczasem krajem wstrząsał wiatr zmian. Na dwa lata przed wyborami pewien złotoręki chirurg przeszczepił serce dwudziestoczteroletniej kobiecie w szpitalu w Valparaíso. Podobnego wyczynu dokonano wcześniej w Republice Południowej Afryki, ale tego typu operacje nadal uważano za stawianie wyzwania prawom natury. Víctor Dalmau śledził każdy szczegół tego przypadku i odnotowywał w kalendarzyku jeden po drugim trzydzieści trzy dni życia pacjentki po operacji. Znów śnił mu się Łazarz, ów żołnierzyk, którego wyrwał z rąk śmierci na peronie Dworca Północnego, tuż przed zakończeniem wojny domowej. To, co było wcześniej powracającym koszmarem, w którym Łazarz pojawiał się z martwym sercem na tacy, teraz przekształciło się w świetlistą wizję; widział chłopca z piersią otwartą jak okno, a w niej biło zdrowe serce i emitowało złote promienie, niczym na obrazie Najświętszego Serca Jezusowego.

Pewnego dnia Felipe del Solar wybrał się na konsultację do szpitala, gdzie pracował Víctor, ponieważ odczuwał kłucie w klatce piersiowej. Nigdy wcześniej nie przekroczył progu publicznej służby zdrowia, korzystał z usług prywatnych klinik, ale reputacja, jaką cieszył się jego przyjaciel, sprawiła, że zdecydował się wystawić nos poza górną dzielnicę i udać się do szarej strefy, zamieszkiwanej przez ludzi innej klasy. „Kiedy zdecydujesz się na otwarcie prywatnego gabinetu we właściwym miejscu? Tylko nie pleć mi tu andronów, że zdrowie jest przysługującym wszystkim prawem, a nie przywilejem nielicznych. Już to słyszałem", pouczył go na dzień dobry. Było dla niego nowością, że trzeba się zarejestrować i czekać w kolejce, siedząc na metalowym krześle. Víctor go zbadał i uśmiechnięty uspokoił, że serce ma zdrowe, a to kłucie w piersi zapewne jest powodowane nieczystym sumieniem albo stanem lękowym. Ubierając się, Felipe skomentował, że połowa Chile miała objawy nieczystego sumienia i stanów lękowych, wywołane sytuacją polityczną, ale jego zdaniem ta osławiona rewolucja socjalistyczna pozostanie w sferze projektu, a rząd ugrzęźnie w sprzeczkach koalicyjnych partii i w chorych kompromisach władzy.

– Jeżeli poniesie klęskę, Felipe, to nie tylko z wymienionych przez ciebie powodów, ale przede wszystkim przez intrygi oponentów i interwencję Waszyngtonu – polemizował Víctor.

– Założę się, że nie dojdzie do żadnych radykalnych zmian!

– Mylisz się. Zmiany już są widoczne. Allende od czterdziestu lat pracował nad tym projektem politycznym, a teraz nadał mu szybkie tempo.

– Co innego projekty, co innego rządy. Zobaczysz, że to się skończy chaosem politycznym i społecznym w kraju, a gospodarka zbankrutuje. Ci ludzie nie mają doświadczenia, nie są przygotowani, marnują czas na niekończących się dyskusjach i nie udaje im się dojść do porozumienia w żadnej sprawie – oponował Felipe.

– Natomiast opozycja ma tylko jeden cel, prawda? Obalić rząd za wszelką cenę. Niewykluczone, że go zrealizuje, bo ma do dyspozycji ogromne środki i żadnych skrupułów – oburzył się Víctor.

Allende ogłosił podczas kampanii, jakie są jego plany: nacjonalizacja przemysłu miedziowego, przejęcie przedsiębiorstw i banków przez państwo i wywłaszczenie majątków ziemskich. To było prawdziwe polityczne trzęsienie ziemi. W pierwszych miesiącach reformy przyniosły pozytywne skutki, ale z powodu niekontrolowanego drukowania pieniędzy doszło do tak galopującej inflacji, że nikt nie wiedział, czy dziś cena chleba będzie taka sama jak wczoraj. Zgodnie z tym, co prognozował Felipe del Solar, partie kłóciły się ze sobą, przedsiębiorstwa przejęte przez robotników coraz gorzej funkcjonowały, produkcja leciała na łeb, na szyję, i sprytny sabotaż opozycji spowodował niedobór w zaopatrzeniu. W rodzinie Dalmau najgłośniej narzekała Carme.

– Chodzenie na zakupy to prawdziwe nieszczęście, Víctorze, nigdy nie wiem, z czym wrócę. Kuchnia to nie moja działka, dla nas gotuje Jordi, ale zrobił się z niego lękliwy, płaczliwy staruszek, który nosa nie wystawi na ulicę. To ja stoję w kolejce po rachitycznego kurczaka za państwową cenę. Muszę Jordiego zostawić samego na wiele godzin, a on denerwuje się, kiedy mnie nie ma. Po to przyjechałam na koniec świata, żeby teraz stać w kolejce po papierosy?

– Mama za dużo pali. Szkoda czasu, żeby po to stać w kolejkach.

– Nie stoję w kolejkach, płacę zawodowym staczom.

– Jakim staczom?

– Od razu widać, synu, że ty zaopatrujesz się na czarnym rynku. To młokosi, którzy nie mają nic lepszego do roboty, i emeryci; za parę groszy zajmują miejsce w kolejce.

– Allende wyjaśnił, jakie są powody niedoborów w zaopatrzeniu. Przypuszczam, że widziała mama w telewizji.

– I słyszałam setki razy przez radio. Że po raz pierwszy lud ma pieniądze, żeby kupować, ale przedsiębiorcy mu to uniemożliwiają; wolą zbankrutować, aby tylko wywołać niezadowolenie. Bla, bla... Pamiętasz, co się działo w Hiszpanii?

– Tak, mamo, bardzo dobrze pamiętam. Mam kontakty, zobaczę, czy uda mi się coś dla mamy zdobyć.

– Co na przykład?

– Na przykład papier toaletowy. Mam pacjenta, który czasem przynosi mi kilka rolek w prezencie.

– Coś takiego! To teraz towar na wagę złota, Víctorze.

– Tak słyszałem.

– Słuchaj, synu, a nie masz kontaktów, żeby załatwić mleko skondensowane czy oliwę? Tyłek mogę sobie podcierać gazetą. I postaraj się dla mnie o papierosy.

* * *

Nie tylko żywność znikała, ale również części zamienne do maszyn, opony samochodowe, cement na budowie, pieluchy, odżywki dla niemowląt i inne podstawowe artykuły; natomiast było w nadmiarze sosu sojowego, kaparów i lakieru do paznokci. Kiedy zaczęło się reglamentowanie benzyny, namnożyło się w kraju niedoświadczonych rowerzystów, którzy poruszali się zygzakiem między pieszymi. Ale lud nadal trwał w euforii. Wreszcie czuł się reprezentowany przez rząd, wszyscy sobie równi, towarzysz tu, towarzysz tam, towarzysz prezydent. Ograniczenia, reglamentacja i uczucie permanentnego niedostatku nie były niczym nowym dla ludzi, którzy zawsze żyli skromnie albo na granicy ubóstwa. Wszędzie rozbrzmiewały rewolucyjne pieśni Víctora Jary, które Marcel znał na pamięć, chociaż on akurat najmniej z całej rodziny Dalmau pasjonował się polityką. Elewacje zapełniły się muralami i plakatami, na placach wystawiano sztuki teatralne, publikowano i sprzedawano za grosze książki, żeby każde gospodarstwo domowe mogło sobie pozwolić na własną bibliotekę.

Wojskowi siedzieli cicho w koszarach i nawet jeżeli jacyś konspirowali, nie wychodziło to na zewnątrz. Kościół katolicki oficjalnie trzymał się z daleka od konfrontacji politycznej; zdarzali się kapłani, którzy z zapałem inkwizytorów podsycali z ambony urazy i nawoływali do nienawiści, ale byli też księża i zakonnice sympatyzujący z rządem nie z racji ideologicznych, lecz ze względu na pomoc potrzebującym. Prasa prawicowa wielkimi literami krzyczała CHILIJCZYCY, ZJEDNOCZCIE SIĘ W NIENAWIŚCI, a burżuazja, wystraszona i wściekła, podjudzała wojskowych, wzywając ich do buntu. „Tchórze, pedały, chwyćcie za broń!"

– To się skończy jak w Hiszpanii – przepowiadała Carme.

– Allende twierdzi, że tu nigdy nie dojdzie do bratobójczej wojny, bo rząd i lud do tego nie dopuszczą – Víctor usiłował ją uspokoić.

– Ten twój towarzysz grzeszy naiwnością. Synu, Chile jest podzielone na dwa wykluczające się obozy. Przyjaciele się kłócą, skaczą sobie do oczu, rodziny zrywają więzi i już się nie da rozmawiać z kimś, kto nie podziela twoich poglądów. Ja przestałam się spotykać z dawnymi przyjaciółkami, dla świętego spokoju.

– Niech mama nie przesadza.

Ale on też zdawał sobie sprawę, że groźba przemocy wisiała w powietrzu. Którejś nocy Marcel wracał rowerem z koncertu Víctora Jary i zatrzymał się, żeby popatrzeć na grupę młodych ludzi, którzy na drabinach malowali mural przedstawiający gołębie i karabiny. Nagle nie wiadomo skąd pojawiły się dwa samochody, wysiadła z nich grupa mężczyzn uzbrojonych w żelazne pręty i pałki i w ciągu paru minut rozprawiła się z artystami. Zanim Marcel zdążył zareagować, wsiedli do samochodów, które na nich czekały z włączonymi silnikami, i ulotnili się w mgnieniu oka. Kilka minut później zjawił się patrol policji, zaalarmowany przez któregoś z sąsiadów, a karetka pogotowia zabrała ciężej pobitych. Marcel musiał udać się z karabinierami do komisariatu złożyć zeznanie jako świadek wydarzenia. Stamtąd o trzeciej nad ranem odebrał go Víctor. Chłopak był tak poruszony, że nie chciał wracać do domu rowerem.

Pojawił się ruch lewicowy głoszący konieczność walki zbrojnej, zmęczony oczekiwaniem, aż rewolucja zatriumfuje po dobroci, a równolegle drugi ruch, faszystowski, który również nie wierzył w cywilizowane umowy. „Jeżeli trzeba walczyć, to walczmy", mówili jedni i drudzy. Żeby odpocząć choć na chwilę od zachłannej czułości Jordiego, Carme chodziła na wielkie manifestacje poparcia dla rządu, których uczestnicy blokowali ulice, i inne, równie liczne, organizowane przez opozycję. Zakładała tenisówki i wychodziła wyposażona w domowe lekarstwo przeciw gazom łzawiącym – cytrynę i chusteczkę spryskaną octem – a wracała przemoczona do suchej nitki strumieniami wody miotanymi pod dużym ciśnieniem przez armatki wodne, którymi policja próbowała przywrócić porządek. „Atmosfera jest napięta", mówiła. „Wystarczy iskra, żeby nastąpił wybuch".

Majątek ziemski Isidra del Solar formalnie nie został wywłaszczony, ale chłopi przejęli go bez czekania na reformę rolną. Pogodził się ze stratą, uznając ją za tymczasową, bo przywoitość i moralność raczej wcześniej niż później powrócą, jak zapowiadał oburzony, i angażował siły w ochronę wełny na eksport, zanim motłoch zje wszystkie zwierzęta. Opłacił przemytników, obeznanych ze ścieżkami i przesmykami kordyliery, którzy wyprowadzili jego owce do argentyńskiej Patagonii, podobnie jak inni hodowcy postąpili z krowami. Zgodnie z wcześniejszym planem rodzinę też wysłał do Buenos Aires. Wyjechali dosłownie wszyscy, nawet zamężne córki, zięciowie i wnuki z niańkami, została tylko Juana Nancucheo, żeby pilnować domu przy Mar del Plata. Aby skłonić Laurę do wyjazdu, trzeba było użyć siły, oszołomić środkami uspokajającymi i słodyczami; poskutkowała dopiero złożona przez Felipa obietnica, że pod jej nieobecność będzie nosił świeże kwiaty na grób Leonarda. Jako jedyny z rodziny nigdzie się nie wybierał i nadal pracował w swojej kancelarii; pozostali dwaj adwokaci wyjechali z zamiarem otwarcia filii w Montevideo.

W tym czasie Felipe często odwiedzał państwa Dalmau w starej dzielnicy Nuñoa, gdzie nie mieszkał nikt należący do jego towarzystwa. Wpadał z dwiema butelkami wina, żeby pogadać. Przestał czuć się swobodnie wśród dawnych przyjaciół, nie dogadywał się też z paroma znajomymi o lewicowych poglądach, traktującymi nieufnie jego gnuśne maniery w angielskim stylu i chwiejność poglądów politycznych. Członkowie Klubu Oburzonych już dawno się rozproszyli po świecie. Felipe wpadł w nałóg kupowania po okazyjnych cenach antyków i dzieł sztuki od rodzin wyjeżdżających z kraju i wkrótce miał ich tyle, że w mieszkaniu nie dało się ruszyć. Zaczął rozglądać się za innym, większym, korzystając z tego, że nieruchomości były prawie za bezcen. Pokpiwał z siebie, wspominając, jak w młodości krytykował rozrzutność rodziców. Roser pytała, co zamierza zrobić z całą tą rupieciarnią, jeśli zdecyduje się wyjechać za granicę, jak zapowiadał, ale on nie widział problemu; do czasu powrotu przechowa po prostu wszystko w magazynie; Chile to nie Rosja i nie Kuba, a ta osławiona rewolucja chilijska długo nie potrwa. Wygłaszał te poglądy z taką pewnością siebie, że Víctor zastanawiał się, czy przypadkiem jego przyjaciel nie jest wtajemniczony w jakąś gigantyczną intrygę. Na wszelki wypadek nigdy przy nim nie wspominał o swoich partiach szachowych z prezydentem. Kiedy Felipe po winie podawanym do kolacji zaczynał popijać whisky, rozwiązywał mu się język i krytykował wszystko i wszystkich. Niewiele w obecnym cyniku zostało z młodzieńczego idealizmu i wspaniałomyślności. Zgadzał się, że w teorii socjalizm jest najsprawiedliwszym systemem, ale w praktyce prowadzi do państwa policyjnego czy dyktatury, jak na Kubie, gdzie niezadowoleni z ustroju albo uciekali do Miami, albo kończyli w więzieniu. Jego arystokratyczną naturę raziły absurdy równości, rewolucyjne komunały, nadęte hasła, pospolitość obyczajów, zmierzwione brody, rękodzielnicze wyroby – postarzane meble, dywany z juty, espadryle, poncha, naszyjniki z pestek, koronkowe spódnice – jednym słowem, totalny bałagan. „Nie rozumiem, dlaczego mielibyśmy się ubierać jak żebracy", dziwił się. A jeszcze do tego ta tak zwana kultura popularna, niemająca nic wspólnego z prawdziwą kulturą, lekko podretuszowany potworny sowiecki realizm o lokalnym zabarwieniu, murale przedstawiające górników z wzniesioną pięścią, portrety Che Guevary, bardowie indoktrynujący ludzi przy monotonnej muzyczce. „Nawet trutruka Mapuczów i quena ludów Keczua stały się modne!" Ale wśród swoich znajomych o prawicowych poglądach wypowiadał się równie krytycznie o reakcyjnych, konspirujących paniskach, zakotwiczonych w przeszłości, ślepych i głuchych na potrzeby ludu, o zdrajcach gotowych bronić przywilejów kosztem kraju i demokracji. Wszystkim działał na nerwy i wszyscy go unikali. Ciążyła mu starokawalerska samotność i miał coraz więcej dziwactw.

Víctor, który tak się cieszył z poprawy publicznej służby zdrowia, od codziennej szklanki mleka dla każdego dziecka w walce z niedożywieniem, po budowę szpitali, teraz dostrzegał brak antybiotyków, środków znieczulających, igieł, strzykawek, podstawowych lekarstw i rąk do pracy, ponieważ wielu lekarzy opuściło Chile, uciekając przed budzącą lęk tyranią sowiecką, którą straszyła propaganda opozycji, i dlatego że Kolegium Lekarskie ogłosiło strajk, poparty przez większość jego kolegów. On pracował na dwie zmiany. Zasypiał na stojąco, słaniał się ze zmęczenia; przypominał sobie, że podobnie czuł się w Hiszpanii podczas wojny domowej. Inne grupy zawodowe i gremia pracodawców i przedsiębiorców też ogłosiły strajk. Kiedy zastrajkowali kierowcy ciężarówek, ten długi kraj został pozbawiony transportu; ryby gniły na północy, warzywa i owoce na południu, a w Santiago brakowało wszystkich podstawowych produktów. Allende otwarcie oskarżał Amerykę o ingerencję, o przekupywanie kierowców, a prawicę o konspirowanie. Również studenci przyczyniali się do większego zamieszania, przemieniając aule uniwersyteckie w okopy. Gdy zabarykadowali wejście na wydział workami z piaskiem, Roser zaczęła się umawiać ze swoimi studentami w parku Forestal, gdzie robiła wykłady na temat teorii na wolnym powietrzu, pod parasolem, jeśli było trzeba; sprawdzała obecność i wystawiała oceny jak zwykle, i tylko ubolewała nad brakiem fortepianu. Ludzie oswoili się z obecnością karabinierów w mundurach bojowych, z transparentami i hasłami, plakatami nawołującymi do agresji, groźbami i katastroficznymi ostrzeżeniami w prasie, z dochodzącym ze wszystkich stron pokrzykiwaniem, wszyscy przeciw wszystkim. Przynajmniej w jednej sprawie panowała jednomyślność: całkowitej nacjonalizacji górnictwa.

– Najwyższy czas – komentował Marcel Dalmau w rozmowach z babcią. – Miedź jest naturalnym dobrem Chile, na niej opiera się cała gospodarka.

– Jeżeli miedź jest chilijska, nie widzę powodu, by ją nacjonalizować.

– Dlatego, àvia, że zawsze była w rękach koncernów amerykańskich. Rząd ją im odebrał i uznał, że odszkodowanie już sobie wzięli, ponieważ są winni państwu miliony dolarów za ponadnormatywne zyski i wyprowadzanie podatków.

– To się Amerykanom nie spodoba. Zapamiętaj sobie moje słowa, Marcel, będzie awantura – skomentowała Carme.

– Kiedy wyjadą amerykańscy specjaliści od górnictwa, będą potrzebni inżynierowie i geolodzy chilijscy. Zobaczysz, àvia, będę rozchwytywany.

– Cieszę się. Będziesz lepiej zarabiał?

– Nie wiem. Dlaczego?

– Bo powinieneś się ożenić, Marcel. Nasza rodzina to czterech dziadów i jak ty się nie ustatkujesz, nie doczekam się prawnuków. Masz trzydzieści jeden lat, w sam raz, żeby spoważnieć.

– Ależ ja jestem poważny.

– Nie widzę żadnych kobiet w twoim życiu, to nienormalne. Czyżbyś nigdy się nie zakochał? A może jesteś jednym z tych...? No wiesz, kogo mam na myśli.

– *Àvia*, jesteś bardzo niedyskretna!

– To wszystko przez ten rower. Prasuje jądra, a z tego się bierze impotencja i bezpłodność.

– Aha.

– Czytałam o tym w gazecie u fryzjera. A przecież, Marcelu, przystojny z ciebie chłopak. Jak byś zgolił tę brodę i ściął włosy, byłbyś podobny do Dominguína.

– Do kogo?

– No, do tego toreadora. I głupi też nie jesteś. Zrób coś ze sobą. Żyjesz jak mnich trapista.

Carme nie spodziewała się, że jednym ze skutków nacjonalizacji będzie wyjazd wnuka do Stanów Zjednoczonych ze stypendium Korporacji Miedzi. Wbiła sobie do głowy, że jeżeli tam pojedzie, już nigdy go nie zobaczy. Marcel wyjechał do Kolorado, do miasta u podnóża Gór Skalistych, założonego w czasie gorączki złota, gdzie miał studiować geologię. Zabrał swój rozłożony na części rower, bo był dostosowany do jego parametrów, i płyty Víctora Jary. Wyjechał, zanim chaos ewoluował w kierunku przemocy, która w końcu zrujnowała kraj. „Będę do ciebie pisać", pożegnała go na lotnisku.

Marcel uczył się angielskiego z równą determinacją, z jaką odmawiał mówienia po katalońsku, i w ciągu paru tygodni zasymilował się w Kolorado. Przyjechał na początku złotej jesieni, a zaledwie parę tygodni później już musiał odgarniać śnieg. Dołączył do grupy entuzjastów kolarstwa trenujących z zamiarem przejechania Stanów Zjednoczonych od Pacyfiku do Atlantyku i do innej grupy, która pasjonowała się wspinaczką wysokogórską. Víctor, pochłonięty zamieszkami, manifestacjami, strajkami i przeciążony pracą, nie znalazł czasu, żeby go odwiedzić, ale Roser była u niego parę razy i mogła poinformować resztę rodziny, że najprawdopodobniej jej syn wypowiedział w Kolorado więcej słów po angielsku niż po hiszpańsku w całym swoim życiu. Ogolił się i teraz włosy zaczesane do tyłu zaplatał w krótki warkoczyk. Carme miała rację, przypominał Dominguína. Z dala od krytykującej go rodziny, wolny od konfliktów i problemów chilijskich, w spokojnej intelektualnej atmosferze uczelni, zajmując się badaniem sekretnej natury kamieni, czuł się swobodnie, pierwszy raz na swoim miejscu. Przestał być synem uchodźców, bo nikt tam nie słyszał o hiszpańskiej wojnie domowej; nawet Chile niewiele osób umiało zlokalizować na mapie, a co dopiero Katalonię. W tej nowej rzeczywistości i w obcym języku wreszcie nawiązał przyjaźnie, a po paru miesiącach wynajął maleńkie mieszkanko ze swoją pierwszą miłością, dziewczyną z Jamajki, która studiowała literaturę i publikowała artykuły w prasie. Roser poznała ją podczas drugiej wizyty i po powrocie do Chile opowiadała, że dziewczyna nie tylko jest piękna, ale też posiada to, czego Marcelowi brakuje: poczucie humoru i elokwencję. „Doña Carme, proszę się nie martwić o wnuka, Marcel wreszcie się rozkręcił. Jamajka uczy go tańczyć do rytmów karaibskich. Kiedy się widzi, jak wykręca ciało niczym Afrykanin w rytm perkusji i marakasów, aż trudno uwierzyć, że on to on".

* * *

Tak jak się obawiała, Carme nie udało się już uścisnąć wnuka ani poznać dziewczyny z Jamajki i innych jego narzeczonych ani prawnuków, którzy mieliby przedłużyć ród Dalmau, ponieważ nie obudziła się w dniu swoich osiemdziesiątych siódmych urodzin, kiedy na patio namiot i stoły były już przygotowane do uroczystości. Poprzedniego dnia położyła się jak zwykle z kaszlem palacza, ale poza tym w dobrym zdrowiu, nastawiając się na przyjęcie urodzinowe. Jordi Moliné obudził się, gdy przez żaluzje zaczęło prześwitywać światło, i leniuchował w łóżku, czekając na dochodzący z kuchni zapach tostów, oznaczający, że czas wstawać, założyć kapcie i iść na śniadanie. Dopiero po paru minutach zorientował się, że Carme leży obok, nieruchoma i zimna jak marmur. Wziął ją za rękę i leżał bez ruchu, płacząc żałośnie, z pretensją, że tak perfidnie go zdradziła, odeszła pierwsza i pozostawiła samego.

Roser znalazła Carme koło pierwszej po południu, kiedy przyjechała, żeby nakryć do stołu, zanim zjawi się kucharz z pomocnikami. Przywiozła tort i mnóstwo baloników. Zdziwiły ją opuszczone żaluzje, półmrok i martwa cisza. Wołała teściową i Jordiego, najpierw w salonie, potem zaczęła ich szukać w kuchni, aż w końcu zajrzała do sypialni. Jak już ochłonęła, podeszła do telefonu i najpierw wybrała numer Víctora w szpitalu, a później zadzwoniła do Marcela, do hotelu w Buenos Aires, gdzie akurat przebywał z grupą studentów, i poinformowała ich obu, że *àvia* nie żyje, a Jordi zniknął.

Carme często powtarzała, że jeżeli umrze w Chile, to chce zostać pochowana w Hiszpanii, gdzie spoczywają jej mąż i syn Guillem, a jeśli w umrze w Hiszpanii, to chce, by ją pochować w Chile, żeby znaleźć się blisko pozostałej części rodziny. Dlaczego tak? Żeby wszystkich wkurzyć, śmiała się zadowolona. Ale to był nie tyle żart, ile raczej smutek podzielonej miłości, rozłąki, życia i śmierci daleko od bliskich. Marcelowi udało się przylecieć do Santiago następnego dnia. Czuwali przy babci w domu, gdzie przeżyła dziewiętnaście lat z Jordim Moliném. Nie było religijnej ceremonii, bo ostatni raz Carme przekroczyła próg kościoła w dzieciństwie, zanim jeszcze zakochała się w Marcelu Lluísie Dalmau, ale z własnej inicjatywy przyszli mieszkający w sąsiedztwie dwaj księża z towarzystwa misyjnego Maryknoll, z którymi Carme prowadziła handel wymienny. Ona miała szynkę i ser z La Manchy, zdobywane przez Jordiego na czarnym rynku, a oni papierosy z Nowego Jorku. Księża zaimprowizowali uroczystość, która spodobałaby się Carme, z gitarą i śpiewem, i tylko Marcel, którego łączyła z babcią nić szczególnego porozumienia, pozostał niepocieszony. Wypił dwa kieliszki pisco i na stronie opłakiwał to, czego jej nigdy nie powiedział, czułość nieokazaną z powodu wstydu, niechęć do rozmawiania z nią po katalońsku, żarty z jej antytalentu do gotowania i listy, które pozostawił bez odpowiedzi. On był najbliżej serca tej pewnej siebie, despotycznej kobiety, która pisała do niego codziennie, od kiedy wyjechał do Kolorado, aż do ostatniego dnia przed śmiercią. Pudełko po butach, przewiązane sznurkiem, zawierające trzysta pięćdziesiąt dziewięć listów, odtąd miało mu zawsze towarzyszyć, gdziekolwiek był. Víctor przysiadł się do Marcela, milczący i smutny, bo zdał sobie sprawę, że jego mała rodzina straciła właśnie kolumnę, na której się wspierała. Nocą, w intymnej atmosferze sypialni, podzielił się tą refleksją z Roser. „Kolumną, która zawsze nas wspiera, jesteś ty, Víctorze", uświadomiła mu Roser. W czuwaniu przy trumnie wzięli udział sąsiedzi, dawni koledzy i uczniowie ze szkoły, w której Carme pracowała kilka lat, przyjaciele z czasów, gdy towarzyszyła Jordiemu w tawernie Winnipeg, i przyjaciele Víctora i Roser. O ósmej wieczorem zjawili się karabinierzy i zablokowali cały kwartał, eskortując przejazd trzech niebieskich fiatów. Jednym z nich przyjechał prezydent, żeby złożyć kondolencje swojemu szachowemu partnerowi. Víctor wykupił większą działkę na cmentarzu, gdzie oprócz matki miał zamiar pochować Jordiego i być może szczątki ojca, jeżeli kiedyś uda mu się je sprowadzić z Hiszpanii. Wtedy uświadomił sobie, że od tej chwili definitywnie należy do Chile. „Ojczyzna jest tam, gdzie są nasi zmarli", mawiała Carme.

Tymczasem policja szukała Jordiego Molinégo. Starzec nie miał rodziny, a znajomi byli znajomymi Carme. Nikt go nie widział. Zakładając, że gdzieś zabłądził, bo umysł już mu trochę szwankował, i że nie zdołał odejść daleko, państwo Dalmau rozwiesili ogłoszenia z jego zdjęciem na wystawach sklepów w całej dzielnicy i nie zamknęli domu na klucz, żeby w każdej chwili mógł wejść, gdyby wrócił. Roser przypuszczała, że wyszedł w piżamie i kapciach, bo wydawało się jej, że wszystkie jego ubrania i buty zostały w szafie, ale nie była całkiem pewna. Jej przypuszczenia się potwierdziły latem, kiedy opadł poziom rzeki Mapocho i w końcu znaleziono w krzakach szczątki starca i strzępy piżamy. Minął cały miesiąc, zanim jednoznacznie potwierdzono jego tożsamość, i wtedy został przekazany rodzinie Dalmau, żeby mogła go pochować obok Carme.

* * *

Pomimo problemów wszelkiego rodzaju, galopującej inflacji i katastroficznych wiadomości rozpowszechnianych przez prasę rząd cieszył się poparciem ludu, co potwierdziły wybory do parlamentu, w których nieoczekiwanie wzrosła liczba głosów oddanych na lewicę. Wtedy stało się oczywiste, że nie wystarczy kryzys ekonomiczny i eskalacja nienawiści, żeby obalić Allendego.

– Panie doktorze, prawica się zbroi – ostrzegał Víctora ten pacjent, który zaopatrywał go w papier toaletowy. – Wiem, bo w mojej fabryce są teraz magazyny zamknięte na cztery spusty, a na drzwiach wiszą rygle i kłódki. Nikt tam nie może wejść.

– To o niczym nie świadczy.

– Niektórzy towarzysze dyżurują dzień i noc w obawie przed sabotażem, wie pan? Widzieli, jak wyładowują skrzynie z ciężarówek. Ponieważ nie był to zwykły towar, postanowili się tym zainteresować. Są pewni, że w środku jest broń. Panie doktorze, tu będzie krwawa jatka, bo chłopcy z ruchu rewolucyjnego też są uzbrojeni.

Tej samej nocy Víctor przekazał tę informację Allendemu. Kończyli partię szachów, którą przerwali wiele nocy temu. Budynek, zakupiony przez rząd na oficjalną rezydencję głowy państwa, wybudowano w stylu hiszpańskim, z łukowatymi oknami, dachówkami, mozaiką przedstawiającą herb narodowy nad wejściem i dwiema wysokimi palmami, widocznymi z ulicy. Strażnicy znali Víctora i nikogo nie dziwiło, że przyjeżdża późną nocą. Rozgrywali partię w salonie, gdzie zawsze czekała rozłożona szachownica, wśród książek i dzieł sztuki. Allende wysłuchał Víctora bez zaskoczenia, już o tym wiedział, ale legalnie nie można było przeprowadzić rewizji ani w tej fabryce, ani w innych przedsiębiorstwach, gdzie też prawdopodobnie działo się to samo. „Proszę się nie przejmować, Víctorze, dopóki wojsko zachowa lojalność w stosunku do rządu, nie ma się czego obawiać. Mam zaufanie do głównodowodzącego, to człowiek honoru". Dodał, że równie niebezpieczni są wrzaskliwi lewicowi ekstremiści, domagający się rewolucji w kubańskim stylu; ci zapaleńcy tak samo szkodzą rządowi jak prawica.

Pod koniec roku wielki tłum złożył hołd Pablowi Nerudzie na Stadionie Narodowym, w tym samym miejscu, które dziewięć miesięcy później wypełnią więźniowie i oprawcy. To było ostatnie publiczne wystąpienie poety; parę tygodni wcześniej odebrał Nagrodę Nobla z rąk sędziwego szwedzkiego monarchy. Zrezygnował z funkcji ambasadora we Francji i wycofał się do przedziwnego domu na Isla Negra, który tak bardzo kochał. Był chory, ale nadal pisał przy małym biurku, patrząc przez okno na wzburzone, spienione morze. Tam go parokrotnie odwiedził Víctor, jako przyjaciel, a czasem jako lekarz. Ten gadatliwy łasuch czekał już na niego w indiańskim poncho i w berecie, z pieczonym kulbinem, butelką chilijskiego wina, chętny do rozmów o życiu. Już nie pisał ód do szczęśliwego dnia, stracił chęć do żartów i nie przebierał się, żeby zaskoczyć przyjaciół. Miał mnóstwo zaproszeń, obsypywano go nagrodami i z całego świata otrzymywał wyrazy uznania, ale coś mu leżało na sercu. Bał się o Chile. Pisał wspomnienia, w których hiszpańska wojna domowa i „Winnipeg" zajmowały wiele stron. Ze wzruszeniem wspominał hiszpańskich przyjaciół, zamordowanych lub zaginionych. „Nie chcę umrzeć wcześniej niż Franco", powtarzał. Víctor zapewniał go, że będzie żył wiele lat, jego choroba postępowała powoli i była pod kontrolą, ale też podejrzewał, że caudillo jest nieśmiertelny, już od trzydziestu trzech lat trzymał się władzy żelazną ręką. Wspomnienie Hiszpanii powoli zacierało się w pamięci Víctora. Co roku o północy 31 grudnia wznosił toast za Nowy Rok i za bliski powrót do kraju, ale robił to bardziej z przyzwyczajenia niż z rzeczywistej potrzeby. Podejrzewał, że Hiszpania, w której się urodził i o którą walczył, już nie istnieje. Opanowana przez mundury i sutanny stała się miejscem, do którego już nie należał.

On też, podobnie jak Neruda, bał się o Chile. Pogłoski o możliwości wojskowego zamachu stanu, rozpowszechniane od dwóch lat, teraz rozbrzmiewały coraz głośniej. Prezydent miał zaufanie do sił zbrojnych, mimo że wiedział o ich wewnętrznych podziałach. Na początku wiosny przemoc opozycji eskalowała do niewyobrażalnych granic i niezadowolenie wojskowych stało się groźne. Głównodowodzący, obalony przez niesubordynowanych oficerów, podał się do dymisji. Tłumaczył się przed prezydentem, że żołnierski obowiązek nakazuje mu wycofać się ze względu na szacunek dla dyscypliny wojskowej. Jego gest okazał się bezużyteczny. Parę dni później, o piątej rano, wybuchł ten wojskowy zamach stanu, którego się obawiano; w ciągu kilku godzin rzeczywistość zmieniła kurs i nic już nie było takie jak dawniej.

Víctor wyszedł wczesnym rankiem do szpitala i zastał ulice zablokowane przez czołgi, sznury zielonych ciężarówek wypełnionych żołnierzami, helikoptery huczące na małej wysokości niczym złowieszcze ptaki, żołnierzy z bojowym wyposażeniem, z twarzami pomalowanymi jak Komancze, przepędzający kolbami nielicznych cywilów, którzy o tej porze znaleźli się na ulicy. Natychmiast zrozumiał, co się dzieje. Wrócił do domu i zadzwonił do Roser do Caracas i do Marcela w Kolorado. Oboje oświadczyli, że wsiądą do najbliższego samolotu, żeby wrócić do Chile, a on ich przekonywał, że powinni poczekać, aż przejdzie ta nawałnica. Na próżno próbował skontaktować się z prezydentem i ze znajomymi politykami. Niczego się nie dowiedział. Buntownicy opanowali kanały telewizyjne i radiostacje, poza jedną, która potwierdziła stan rzeczy. Operacja wygaszania państwa, zorganizowana przez ambasadę Stanów Zjednoczonych, była precyzyjna i skuteczna. Natychmiast zaczęła działać cenzura. Víctor zdecydował, że jego miejsce jest w szpitalu; wrzucił do torby odzież na zmianę i szczoteczkę do zębów i pojechał swoim starym citroënem bocznymi ulicami, słuchając przedzierającego się przez szum radia tranzystorowego głosu prezydenta, który mówił o zdradzie wojskowych i faszystowskim zamachu stanu, prosił ludzi o zachowanie spokoju i nieopuszczanie miejsc pracy, i żeby nie dali się sprowokować ani zastraszyć, a on ze swojej strony obiecywał, że będzie do końca spełniał obowiązki, które mu powierzono, broniąc legalnego rządu. „W tej historycznej chwili zapłacę życiem za swoją lojalność wobec ludu"*. Víctorowi łzy napłynęły do oczu i musiał zatrzymać samochód, dokładnie w momencie, gdy przelatywały nad nim samoloty bojowe; niemal natychmiast usłyszał wybuch pierwszych bomb. Zobaczył z daleka gęsty dym i domyślił się, nie wierząc własnym oczom, że właśnie jest bombardowany pałac prezydenta, La Moneda.

* * *

Czterej generałowie tworzący juntę wojskową, która trzymała teraz w rękach losy ojczyzny, w mundurach polowych, z flagą narodową i godłem państwowym w tle, przy akompaniamencie wojskowych marszów, ciągle pojawiali się w telewizji, gdzie wygłaszali apele i proklamacje. Wszystkie informacje były kontrolowane. Wersja oficjalna brzmiała tak, że Salvador Allende popełnił samobójstwo w płonącym pałacu, ale Víctor podejrzewał, że go zamordowano, jak tylu innych. Wtedy dopiero zrozumiał, że to koniec. Ministrowie zostali aresztowani, parlament rozwiązany, partie polityczne

---

* Przełożył Piotr Ikonowicz.

zdelegalizowane, wolność prasy i prawa obywatelskie zawieszone do odwołania. W koszarach aresztowano wszystkich, którzy nie poparli puczu, i wielu rozstrzelano, ale o tym dowiedziano się dopiero później, ponieważ siły zbrojne miały sprawiać wrażenie niezwyciężonego monolitu. Dotychczasowy głównodowodzący uciekł do Argentyny, żeby go nie zamordowali towarzysze broni, ale rok później zginął wraz z żoną, rozerwany na strzępy bombą podłożoną w samochodzie. Generał Augusto Pinochet objął dowództwo junty wojskowej i niebawem miał stać się twarzą dyktatury. Represje były natychmiastowe, błyskawiczne i radykalne. Zapowiedziano, że nie zostanie kamień na kamieniu, że marksiści zostaną wyciągnięci z kryjówek, a ojczyzna oczyszczona z komunistycznej zarazy, bez względu na koszty tej operacji. Podczas gdy w górnej dzielnicy burżuazja, czekająca na tę okazję od prawie trzech lat, wreszcie mogła świętować i otwierać butelki szampana, dzielnice robotnicze ogarnął strach. Víctor nie wracał do domu przez dziewięć dni, najpierw dlatego, że przez siedemdziesiąt dwie godziny trwała godzina policyjna i nikt nie mógł wyjść na ulicę, a później szpital nie nadążał z przyjmowaniem pacjentów, którzy przybywali z ranami postrzałowymi, a kostnica wypełniła się niezidentyfikowanymi ciałami. Jadł to, co można było dostać w kawiarni, zasypiał na siedząco, kiedy miał krótką przerwę w pracy, zamiast mycia przecierał ciało gąbką i tylko raz udało mu się zmienić bieliznę. Czekał parę godzin na połączenie międzynarodowe – zadzwonił do Roser ze szpitala, nakazując jej, żeby nie wracała pod żadnym pozorem, dopóki jej nie zawiadomi, i prosił o przekazanie wiadomości Marcelowi. Zamknięto uniwersytet i wszystkie próby oporu ze strony studentów kończyły się strzelaniną. Słyszał, że ściany Szkoły Dziennikarskiej i innych wydziałów spłynęły krwią. Nie umiał powiedzieć Roser, jak wyglądała sytuacja w Szkole Muzycznej i co się działo z jej uczniami. Strajk lekarzy zakończył się natychmiast, a jego koledzy wrócili do pracy w dobrym nastroju; tymczasem już rozpoczęła się czystka wśród personelu, a nawet wśród pacjentów, których wyciągali z łóżek agenci tajnych służb. Na czele szpitala stał teraz pułkownik, żołnierze z bronią maszynową pilnowali wejścia i wyjścia, korytarzy, sal, nawet bloków operacyjnych. Aresztowano wielu lewicowych lekarzy, a inni albo uciekli, albo ukryli się i nie wrócili do pracy, ale Víctor nadal pracował z irracjonalnym przekonaniem, że nic mu nie grozi.

Kiedy wreszcie wyszedł do domu wykąpać się i przebrać, nie mógł poznać miasta, czystego i przemalowanego na biało. W ciągu kilku dni zniknęły rewolucyjne murale, plakaty wzywające do nienawiści, śmieci, mężczyźni z brodami i kobiety w spodniach; zauważył na wystawach sklepów towary wcześniej dostępne tylko na czarnym rynku, ale mało kto je kupował, bo ceny poszły w górę. Żołnierze i karabinierzy patrolowali ulice, na skrzyżowaniach stały czołgi i szybko przejeżdżały zamknięte na głucho furgonetki, wyjąc jak szakale. Panował sterylny, koszarowy porządek i sztuczny spokój wymuszony strachem. Wchodząc do domu, Víctor zauważył w oknie sąsiadkę, z którą znali się od wielu lat. Nie odpowiedziała mu na pozdrowienie i szybko zamknęła okno. To powinno było dać mu do myślenia, ale tylko wzruszył ramionami i uznał, że biedna kobieta podobnie jak on pogubiła się w tym, co się teraz dzieje. Zastał mieszkanie w takim stanie, w jakim je zostawił, wychodząc w pośpiechu w dniu zamachu stanu, rozkopaną pościel, rozrzucone ubrania, brudne naczynia, na jedzeniu w kuchni pleśń. Nie miał siły zabrać się do porządków. Padł na łóżko tak jak stał i przespał czternaście godzin.

* * *

W tych dniach zmarł Pablo Neruda. Wojskowy zamach stanu był kulminacją najgorszych przeczuć; to go przerosło, jego zdrowie gwałtownie się pogorszyło. Podczas gdy karetka wiozła go do kliniki w Santiago, wojsko przeprowadziło rewizję w domu na Isla

Negra, przetrząsnęło wszystkie papiery i podeptało kolekcję butelek i wszelkiego rodzaju muszli, szukając broni i partyzantów. Kiedy Víctor poszedł odwiedzić Nerudę w klinice, strażnicy go zrewidowali, zdjęli odciski palców, zrobili zdjęcie, lecz w końcu żołnierz stojący na warcie przy drzwiach pokoju zagrodził mu drogę. Jako lekarza, bardzo go zdziwiła śmierć Nerudy, znał diagnozę jego choroby. Poza tym widział go w dobrej formie miesiąc temu. Nie był jedyną osobą nieufającą okolicznościom śmierci; niebawem zaczęła krążyć plotka, że go otruto. Trzy dni przed przyjęciem do kliniki poeta zapisał ostatnie strony swoich wspomnień, przybity stanem swego kraju, podzielonego i upokorzonego, i losem swego przyjaciela, Salvadora Allendego, pochowanego po cichu, byle gdzie, tylko w obecności wdowy: „Wielki zmarły miał spocząć w grobie przebity i zmasakrowany kulami żołnierzy, którzy jeszcze raz zdradzili swój kraj…"* – napisał. Nie mylił się, wojskowi już wcześniej stawali przeciw legalnemu rządowi, ale krótka pamięć zbiorowa usunęła z historii poprzednie zdrady. Pogrzeb poety stał się pierwszym aktem dezaprobaty dla zamachowców, a nie zakazano go tylko dlatego, że na Chile patrzyły oczy całego świata. Víctor operował wtedy ciężko chorego pacjenta i nie mógł wyjść ze szpitala. O szczegółach dowiedział się parę dni później od swojego dostawcy papieru toaletowego.

– Nie było dużo ludzi, panie doktorze. Pamięta pan te tłumy na Stadionie Narodowym, kiedy naród złożył hołd poecie? No więc moim zdaniem na cmentarzu było nas co najwyżej dwieście osób.

– Wiadomość za późno ukazała się w prasie; mało ludzi dowiedziało się o jego śmierci i o pogrzebie.

– Ludzie się boją.

– Wielu przyjaciół i wielbicieli Nerudy pewnie się ukrywa albo siedzą w więzieniu. Proszę mi opowiedzieć, jak wyglądał pogrzeb – poprosił Víctor.

---

* Przełożyła Zofia Szleyen.

– Ja szedłem z przodu, z duszą na ramieniu, bo żołnierze z automatami stali wzdłuż całej trasy prowadzącej na cmentarz. Trumnę zakrywały kwiaty. Szliśmy w milczeniu, aż ktoś krzyknął: „Towarzysz Pablo Neruda!". I wszyscy odpowiedzieliśmy: „Obecny, teraz i zawsze!".

– Jak zareagowali żołnierze?

– Nie reagowali. Wtedy ktoś odważny krzyknął: „Towarzysz prezydent!". I wszyscy odpowiedzieliśmy: „Obecny, teraz i zawsze!". To było naprawdę przejmujące, panie doktorze. Potem krzyczeliśmy „naród zjednoczony nie będzie zwyciężony" i też nie reagowali, ale jakieś typy robiły zdjęcia wszystkim uczestnikom konduktu. Nie wiadomo, jak je wykorzystają.

Víctor stał się bardzo nieufny; rzeczywistość była niepewna, ludzie żyli wśród przemilczeń, kłamstw i eufemizmów, w atmosferze groteskowej egzaltacji przesławnej ojczyzny, dzielnych żołnierzy i tradycyjnej moralności. Wykreślone zostało słowo „towarzysz", nikt nie śmiał go używać. Po cichu krążyły przekazywane z ust do ust wieści o obozach koncentracyjnych, egzekucjach bez sądu, o tysiącach zatrzymanych, zaginionych, zbiegłych i wypędzonych, o miejscach tortur, w których używali psów do gwałcenia kobiet. Zastanawiał się, skąd się brali ci oprawcy i donosiciele, bo wcześniej ich nie widział. Pojawili się spontanicznie w ciągu paru godzin, przygotowani i zorganizowani, tak jakby trenowali całymi latami. Głęboko pod powierzchnią Chile zawsze kryli się faszyści, gotowi wyłonić się w każdej chwili. To był triumf zadufanej w sobie prawicy i klęska ludu, który wierzył w tę rewolucję. Słyszał, że Isidro del Solar wrócił z rodziną parę dni po zamachu stanu, jak wielu innych, gotowy odzyskiwać przywileje i przejąć cugle gospodarki, ale nie władzę polityczną; tę przywłaszczyli sobie wojskowi, kiedy wprowadzali porządek po chaosie, w którym, jak twierdzili, marksizm pogrążył ojczyznę. Nikt nie wiedział, jak długo miała trwać dyktatura, tylko generałowie.

***

Donos na Víctora Dalmau złożyła sąsiadka, ta sama, która dwa lata wcześniej prosiła go, by dzięki przyjaźni z prezydentem pomógł jej synowi dostać się do karabinierów, ta sama, której wstawił dwie zastawki serca, ta sama, która wymieniała się cukrem i ryżem z Roser, która zasmucona uczestniczyła w pogrzebie Carme. Aresztowali go w szpitalu. Przyszli po niego trzej mężczyźni w cywilu, nie przedstawili się, ale mieli tyle przyzwoitości, żeby zaczekać, aż skończy operację. „Pan pójdzie z nami, panie doktorze, to rutynowa kontrola", rozkazali stanowczym tonem. Na ulicy wepchnęli go do czarnego samochodu, założyli kajdanki i zawiązali oczy. Pierwszy cios dostał w brzuch.

Dopiero dwa dni później Víctor Dalmau zorientował się, gdzie jest, wtedy bowiem zakończyli przesłuchania i wyciągnęli go z czeluści budynku, odsłonili oczy, zdjęli kajdanki i wreszcie mógł odetchnąć świeżym powietrzem. Parę minut zajęło mu przystosowanie wzroku do oślepiającego światła południa i odzyskanie równowagi. Był na Stadionie Narodowym. Jakiś młodziutki rekrut wręczył mu koc, wziął go ostrożnie pod ramię i poprowadził powoli na trybunę, którą mu wyznaczono. Z trudem się poruszał, bolało go całe ciało od bicia i od rażenia prądem, miał pragnienie niczym rozbitek na morzu i trudno mu było odnaleźć się w czasie, ani też nie pamiętał dokładnie, co się właściwie stało. Oprawcy mogli go trzymać tydzień albo tylko parę godzin. O co go pytali? Allende, szachy. Plan Zeta. Co to takiego ten Plan Zeta? Nie miał pojęcia. Byli inni w tych celach, dochodził hałas ogromnych wentylatorów, przeraźliwe krzyki i strzały. „Rozstrzelali ich, rozstrzelali", powtarzał szeptem Víctor.

Na trybunach, gdzie bywał wcześniej na meczach i na imprezach kulturalnych, siedziały teraz tysiące więźniów, pilnowanych przez żołnierzy. Kiedy odszedł rekrut, który go tu przyprowadził, zajął się nim jakiś więzień, zaprowadził na wolne miejsce i podzielił się z nim wodą z termosu. „Nie martw się, towarzyszu, najgorsze masz już za sobą". Pozwolił mu wypić wszystko do ostatniej kropli, a potem pomógł mu się położyć ze zwiniętym kocem pod głową. „Nabieraj sił, to tak szybko się nie skończy", dodał. Ten robotnik pracujący w przemyśle metalurgicznym został aresztowany dwa dni po zamachu i na stadionie spędził parę tygodni. Po południu, gdy upał zelżał i Víctor mógł usiąść, mężczyzna wprowadził go w logikę funkcjonowania obozu.

– Nie trzeba zwracać na siebie uwagi. Zachowuj się cicho i siedź spokojnie, pamiętaj, że pod byle pretekstem mogą cię zatłuc na śmierć kolbami. To bestie.

– Skąd tyle nienawiści, tyle okrucieństwa... Nie rozumiem... – wyszeptał Víctor. Miał spierzchnięte usta, słowa więzły mu w gardle.

– Każdy może zdziczeć, wystarczy karabin i rozkaz. – Podszedł do nich inny więzień i wtrącił się do rozmowy.

– Ja na pewno nie, towarzyszu – zaprotestował robotnik. – Widziałem, jak te dranie w mundurach zmiażdżyły dłonie Víctorowi Jarze. „Śpiewaj teraz, palancie!", krzyczeli. Pobili go pałkami i podziurawili kulami jak sito.

– Najważniejsze, żeby ktoś na zewnątrz wiedział, gdzie jesteś – powiedział ten drugi. – Wtedy łatwiej śledzić twój trop w przypadku, gdybyś zaginął. Wiele osób znika bez śladu. Jesteś żonaty?

– Tak – potwierdził Víctor.

– Daj mi adres albo telefon żony. Moja córka może ją zawiadomić. Ona całymi dniami stoi pod stadionem w miejscu, gdzie krewni więźniów czekają na informacje.

Ale Víctor nie skorzystał z propozycji, obawiając się, że to może być ktoś, kto ma za zadanie zdobywanie informacji.

Jednej z pielęgniarek, która widziała aresztowanie Víctora w szpitalu San Juan de Dios, udało się zlokalizować Roser w Wenezueli i opowiedzieć jej przez telefon, co zaszło. Roser natychmiast zadzwoniła do Marcela; przekazała mu złą wiadomość i kazała zostać tam, gdzie jest, bo z zewnątrz łatwiej mógł pomóc, niż gdyby był w Chile, ale ona postanowiła wrócić natychmiast. Kupiła bilet na samolot, a przed odlotem odwiedziła Valentína Sáncheza. „Jak tylko się dowiemy, co zrobili z twoim mężem, będziemy go ratować", obiecał przyjaciel. Dał jej list do ambasadora w Chile, swojego kolegi z czasów, gdy pracował w dyplomacji, w którego rezydencji w Santiago setki azylantów czekały na list żelazny, by udać się na emigrację; to była jedna z niewielu ambasad, która pomagała uciekinierom. Do Caracas zaczęły napływać setki, a wkrótce tysiące Chilijczyków.

Roser wylądowała w Chile w końcu października, ale dopiero w listopadzie dowiedziała się, że jej męża zabrano na Stadion Narodowy, jednak kiedy ambasador Wenezueli poszedł się o niego upomnieć, zapewniono go, że nigdy tam nie był. W tym czasie przeprowadzono ewakuację więźniów do obozów koncentracyjnych na terenie całego kraju. Roser szukała go całymi miesiącami, wykorzystując znajomości i kontakty zagraniczne, pukając do drzwi różnych osobistości, sprawdzając listy zaginionych w kościołach. Nigdzie nie trafiła na jego nazwisko. Przepadł bez śladu.

Víctora Dalmau wraz z innymi więźniami politycznymi wiozła długa karawana ciężarówek w podróży trwającej jeden dzień i jedną noc do obozu na terenie nieczynnej od wielu lat kopalni saletry, niedawno przekształconej w więzienie. Był w pierwszej, dwustuosobowej grupie, która trafiła do obozowiska zajmowanego kiedyś przez robotników, a teraz otoczonego drutem kolczastym pod napięciem, z wysokimi wieżami strażniczymi, żołnierzami uzbrojonymi w pistolety maszynowe i czołgiem okrążającym obóz; od czasu do czasu również pojawiały się na niebie samoloty sił zbrojnych. Komendant, otyły oficer karabinierów, nie mówił, tylko krzyczał, i pocił się w przyciasnym mundurze. Ten podły człowiek, któremu władza uderzyła do głowy, postanowił trzymać więźniów w nieustannym napięciu, karząc ich za zbrodnie, które popełnili lub mieli zamiar popełnić, co ogłosił przez megafon, jak tylko wysiedli z ciężarówek. Kazano im się rozebrać i godzinami stali w pełnym słońcu pustyni bez jedzenia i bez wody, a on tymczasem krążył od jednego do drugiego, ubliżał i kopał. Wymyślił tę karę, żeby złamać morale swoich ofiar, a jego podwładni przejęli te metody. Víctor Dalmau liczył na to, że po doświadczeniu kilku miesięcy spędzonych w obozie w Argelès-sur-Mer jest lepiej zahartowany niż inni więźniowie i wszystko przetrzyma, ale minęło zbyt wiele lat, a on był wtedy młody. Zbliżał się już do sześćdziesiątki, ale aż do chwili aresztowania nie miał czasu zastanawiać się nad swoim wiekiem. Tam, na północy, podczas upalnych dni i mroźnych nocy, na saletrowej pampie, chciał umrzeć ze zmęczenia. Ucieczka nie wchodziła w grę, wokół nic, tylko bezkresna pustynia, tysiące kilometrów suchej ziemi, piasku, kamieni i wiatru. Poczuł się bardzo stary.

11

·1974–1983·

Teraz ci powiem:
moja ziemia będzie twoja,
ja ją zdobędę
nie tylko tobie chcę ją darować,
będzie dla wszystkich,
dla całego mojego ludu.

PABLO NERUDA

LA CARTA EN EL CAMINO, Z CYKLU *WIERSZE KAPITANA*

W ciągu jedenastu miesięcy, jakie Víctor Dalmau spędził w obozie koncentracyjnym, nie tylko nie umarł z wycieńczenia, jak się obawiał, ale wręcz zahartował ciało i umysł. Zawsze był szczupły, natomiast tam zostały z niego włókna i mięśnie, skórę spaliło mu nielitościwe słońce, sól i piasek; rysy mu się wyostrzyły i wyglądał jak żelazna rzeźba Giacomettiego. Nie pokonał go ani absurd ćwiczeń wojskowych, kiedy głodny i sponiewierany wykonywał przysiady, biegał w bezlitosnym słońcu, trząsł się z zimna mroźną nocą, znosił bicie i kary, przymuszony do wykonywania bezsensownych prac. Wszedł w rolę więźnia, przestał się łudzić, że cokolwiek w życiu od niego zależy; ubezwłasnowolniony przez ciemięzców, bezkarnych w sprawowaniu władzy absolutnej, podczas gdy on mógł panować tylko nad emocjami. Powtarzał sobie powiedzenie o brzozie, którą burza pochyli, ale nie złamie. Już to kiedyś przeżywał w innych okolicznościach. Bronił się przed sadyzmem i głupotą oprawców, zamykając się we wspomnieniach, w ciszy, przekonany, że Roser go szuka i pewnego dnia znajdzie. Odzywał się tak rzadko, że inni więźniowie przezwali go „Niemową". Myślał o Marcelu, który spędził pierwsze trzydzieści lat życia w niemal zupełnym milczeniu, bo po prostu nie miał ochoty się odzywać. Jemu też przeszła chęć do mówienia, zresztą o czym tu mówić. Towarzysze niedoli dodawali sobie otuchy, porozumiewając się szeptem z dala od strażników, a on tymczasem pogrążał się w tęsknocie za Roser, myślał o tym, ile razem przeżyli i jak bardzo ją kocha. Chcąc utrzymać umysł w formie, obsesyjnie odtwarzał z pamięci krok po kroku najsłynniejsze historyczne partie szachowe albo własne partie rozgrywane z prezydentem. Czasem nawet marzył o tym, by wyciąć z miejscowego porowatego kamienia figury szachowe i grać z innymi, ale nie dopuściłaby do tego despotyczna kontrola strażników. Ci mundurowi pochodzili z klasy robotniczej, z biednych rodzin, i większość z nich sympatyzowała z rewolucją socjalistyczną, ale słuchali rozkazów tak zapamiętale, jakby dawne czyny więźniów obrażały ich osobiście.

Co tydzień wywożono ludzi do innych obozów albo mordowano i wysadzano dynamitem ich ciała na pustyni, ale i tak więcej ludzi przybywało, niż ubywało. Víctor naliczył ponad tysiąc pięćset osób pochodzących z różnych części kraju, w różnym wieku i różnych profesji; tyle tylko mieli ze sobą wspólnego, że wszyscy byli prześladowani jako wrogowie ojczyzny. Niektórzy, tak jak on, nie należeli do żadnej partii i nie odgrywali żadnej roli w polityce, a znaleźli się tutaj z powodu mściwego donosu albo przez biurokratyczną pomyłkę.

Zaczęła się wiosna, więźniowie już zaczęli się nastawiać na upały podczas letnich dni, które zamieniały obóz koncentracyjny w piekło, kiedy sytuacja Víctora Dalmau przybrała nieoczekiwany obrót. Komendanta powalił atak serca, gdy dał się ponieść emocjom na porannym apelu, perorując przed więźniami, którzy go słuchali ustawieni w rzędach na dziedzińcu, boso, w samej bieliźnie. Najpierw upadł na kolana, zdołał jeszcze zaczerpnąć powietrza i runął jak długi na ziemię, zanim stojący najbliżej żołnierze zdążyli go podtrzymać. Więźniowie trwali w bezruchu, sparaliżowani, nikt nawet nie pisnął. Dla Víctora ta scena przebiegała jak na zwolnionym filmie, w milczeniu, w innym wymiarze, niczym część jakiegoś koszmaru. Widział, że dwaj żołnierze próbują go podnieść, a inni biegli po pielęgniarza; nie zastanawiając się nad konsekwencjami, niczym somnambulik przecisnął się do przodu. Uwaga wszystkich skupiała się na leżącym i kiedy wreszcie został dostrzeżony i padł rozkaz, żeby się zatrzymał i padł twarzą do ziemi, już wyszedł przed szereg. „On jest lekarzem!", krzyknął jeden z więźniów. Víctor szybko podbiegł i klęknął przy nieprzytomnym komendancie. Żołnierze cofnęli się o krok, żeby mu nie przeszkadzać. Nie wyczuł oddechu. Kiwnął ręką na jednego ze strażników, żeby ściągnął z niego mundur, podczas gdy on robił sztuczne oddychanie i obiema rękami mocno uciskał klatkę piersiową. Wiedział, że w ambulatorium jest ręczny defibrylator, bo czasem używano go do reanimacji ofiar tortur. Parę minut później przybiegł pielęgniarz i jego asystent, z tlenem i defibrylatorem, i pomogli Víctorowi przywrócić pracę serca komendanta. „Helikopter! Trzeba natychmiast przetransportować go do szpitala!", zażądał Víctor. Zabrali mężczyznę do ambulatorium, gdzie Víctor utrzymywał go przy życiu aż do przybycia helikoptera, który stał na obrzeżach obozu. Znajdowali się w odległości trzydziestu pięciu minut lotu od najbliższego szpitala. Kazali Víctorowi towarzyszyć pacjentowi i dali mu koszulę, spodnie i kamasze wojskowe.

To był prowincjonalny, ale dobrze wyposażony szpital, który w normalnych czasach dysponowałby wszystkim, co jest potrzebne w nagłych wypadkach, ale teraz pracowało tam tylko dwóch lekarzy. Obaj słyszeli o doktorze Víctorze Dalmau i powitali go z szacunkiem. Okazało się, że typowa w tych czasach ironia losu sprawiła, że główny chirurg i kardiolog zostali aresztowani. Víctor nie miał czasu pytać, dokąd ich zabrano, ale wszystko wskazywało na to, że żaden z nich nie przebywał w ich obozie. Sala operacyjna była jego miejscem pracy przez całe dziesięciolecia, a mięsień sercowy, jak zazwyczaj powtarzał swoim uczniom, nie krył żadnych niespodzianek; te tajemnice, które mu się przypisuje, są czysto subiektywne. W rekordowym tempie wydał niezbędne polecenia, umył się, przygotował komendanta i w asyście jednego z lekarzy przystąpił do operacji, którą wykonywał setki razy. Przekonał się, że jego ręce zachowały pamięć rutynowych czynności; poruszały się, nie czekając na instrukcje.

Víctor spędził noc przy łóżku pacjenta, w euforii, która pozwalała zapomnieć o zmęczeniu. W szpitalu nie pilnował go nikt uzbrojony, traktowano go z szacunkiem i podziwem, podali mu befsztyk z purée ziemniaczanym, kieliszek czerwonego wina i lody na deser. Przez kilka godzin był znów doktorem Dalmau, a nie numerem. Już zdążył zapomnieć, jak wyglądało życie, zanim został zatrzymany. Rano, gdy jego pacjent znajdował się w ciężkim, ale stabilnym stanie, przyjechał kardiolog wojskowy, ściągnięty z Santiago. Przyszedł też rozkaz, by więźnia odesłać z powrotem do obozu koncentracyjnego, ale Víctorowi udało się poprosić lekarza, który mu asystował przy operacji, aby skontaktował się z Roser. Ryzykował, bo ten człowiek musiał być z prawicy, ale w czasie, kiedy razem pracowali, wydało mu się oczywiste, że darzą się szacunkiem. Nie wątpił, że Roser wróciła do Chile, żeby go szukać, bo on zrobiłby dla niej to samo.

Nowy komendant obozu pod względem skłonności do okrucieństwa nie różnił się od poprzedniego, ale Víctor musiał go znosić tylko pięć dni. Tamtego ranka po sprawdzeniu listy obecności odczytano tych, których miano zabrać. Usłyszał swoje nazwisko. To był najgorszy moment w ciągu dnia dla więźniów, oznaczał przeniesienie do którejś katowni, do innego, jeszcze gorszego obozu, albo śmierć. Po trzech godzinach czekania na stojąco po grupę przyjechała ciężarówka. Strażnik z listą nazwisk zatrzymał Víctora, zanim zdążył on wsiąść z innymi na pakę. „Stój tu i czekaj, palancie". Stał jeszcze godzinę, po czym zaprowadzili go do biura, gdzie komendant osobiście poinformował go, że ma szczęście, po czym wręczył mu kartkę papieru. Otrzymał zwolnienie warunkowe i usłyszał następujący komentarz: „Gdyby to ode mnie zależało, otworzyłbym ci bramę, żebyś sobie poszedł w cholerę przez pustynię, ty zasrany komunisto. Ale niestety mam cię dostarczyć do szpitala".

W szpitalu czekała na niego Roser i urzędnik z ambasady Wenezueli. W pocałunku Víctora wyrażała się rozpacz tych długich miesięcy niepewności, kiedy myślał o żonie z miłością i żałował, że nigdy jej nie wyznał swoich uczuć. „Och, Roser, tak bardzo cię kocham, tak bardzo za tobą tęskniłem", wyszeptał, z twarzą wtuloną w jej włosy. Oboje płakali.

* * *

Zwolnienie warunkowe oznaczało, że ma się meldować codziennie na posterunku u karabinierów i podpisywać listę. Ten nakaz mógł się przedłużać w nieskończoność, bo zależał od widzimisię dyżurnego oficera. Podpisał dwa razy i podjął decyzję, że poprosi o azyl w ambasadzie Wenezueli. Dwa dni wystarczyły, żeby zrozumiał, że pobyt w więzieniu skazywał go na ostracyzm; nie mógł wrócić do pracy w szpitalu, przyjaciele go unikali, w każdej chwili groziło mu ponowne zatrzymanie. Niepokój i lęk, w jakich żył, kontrastowały z aroganckim optymizmem i rewanżyzmem zwolenników dyktatury. Nie mówiono głośno o tym, co się działo w ukryciu. Nikt nie protestował; zastraszeni robotnicy stracili swoje prawa, dało się ich zwolnić w każdej chwili, więc brali z pocałowaniem ręki jakąkolwiek wypłatę, bo za bramą stała kolejka bezrobotnych, i tylko czekali na okazję. Istny raj dla pracodawców.

W wersji oficjalnej Chile było krajem porządnym, czystym, spokojnym, dążącym do dobrobytu. Myślał o torturowanych, zabitych, widział twarze tych mężczyzn, których poznał w więzieniu i którzy przepadli bez wieści. Ludzie się zmienili, z trudem rozpoznawał kraj, który go przygarnął i otoczył przyjacielskim uściskiem swoich obywateli trzydzieści pięć lat temu, kraj, który pokochał jak swój własny.

Drugiego dnia oznajmił Roser, że nie zniesie dyktatury. „To było ponad moje siły w Hiszpanii i tu też tego nie wytrzymam. Za stary jestem, żeby żyć w strachu, Roser; ale z drugiej strony kolejna emigracja jest równie nie do pomyślenia jak pozostanie w Chile bez względu na konsekwencje". Ona przekonywała, że to nie potrwa długo, że reżim wojskowy szybko minie, bo Chile, jak powiadają, ma solidną tradycję demokratyczną, i wtedy wrócą. Jednak jej argumenty nie wytrzymywały konfrontacji z oczywistością trzydziestu lat sprawowania władzy generała Franco, a z Pinochetem mogło być podobnie. Víctor nie spał całą noc; leżał w ciemności, rozważając argumenty za i przeciw, z Roser zwiniętą w kłębek tuż przy nim, i wsłuchiwał się w odgłosy dochodzące z ulicy. O trzeciej usłyszał, że przed ich domem zatrzymuje się samochód. To mogło znaczyć, że wrócili po niego; po godzinie policyjnej jeździło tylko wojsko i służby bezpieczeństwa. Nie było szans, żeby uciec czy gdzieś się schować. Leżał bez ruchu, zlany potem, a serce waliło mu w piersi. Roser uchyliła firankę i zauważyła drugi czarny samochód obok pierwszego. „Ubieraj się szybko, Víctorze", poleciła. Ale wtedy zobaczyła, że mężczyźni, którzy bez pośpiechu wysiadali z samochodów, nie biegali, nie krzyczeli i nie byli uzbrojeni. Stali tam przez chwilę, rozmawiając i paląc papierosy, i w końcu odjechali. Víctor i Roser, przytuleni, drżący, czekali przy oknie, aż zacznie świtać i z wybiciem piątej minie godzina policyjna.

Roser wszystko zorganizowała tak, żeby to sam ambasador Wenezueli zabrał Víctora samochodem z rejestracją dyplomatyczną. W tym czasie większość azylantów, którzy schronili się w ambasadach, zdążyła już wyjechać do przyjaznych im państw, i nie pilnowano placówek tak surowo jak dawniej. Víctor został przewieziony w bagażniku. Miesiąc później dostał list żelazny i dwaj wenezuelscy funkcjonariusze towarzyszyli mu aż do drzwi samolotu, gdzie czekała na niego Roser. Był czysty, ogolony i spokojny. Tym samym samolotem leciał inny uchodźca, któremu zdjęto kajdanki, dopiero gdy usiadł na swoim miejscu. Víctor zauważył, że jest brudny, rozczochrany i trzęsie się ze strachu. Kiedy już wystartowali, podszedł do niego. Nie przejawiał chęci rozmowy. Nie wiedział, jak go przekonać, że nie jest agentem służby bezpieczeństwa. Zauważył, że mężczyźnie brakuje przednich zębów i ma połamane palce.

– Towarzyszu, w czym mogę pomóc? Jestem lekarzem – przedstawił się.

– Oni zawrócą samolot. Znów mnie zabiorą do... – rozpłakał się.

– Proszę się uspokoić, lecimy już prawie godzinę, nie wrócimy do Santiago, daję słowo. To lot bez śródlądowania, bezpośredni do Caracas, a tam będziemy bezpieczni i otrzymamy pomoc. Zdobędę dla towarzysza łyk alkoholu, dla relaksu.

– Wolałbym coś do jedzenia – poprosił tamten.

* * *

Roser wyjeżdżała do Wenezueli na długie tournée z zespołem muzyki dawnej; dawała koncerty, spotykała się z przyjaciółmi i czuła się jak ryba w wodzie w społeczeństwie mającym zasady współżycia zupełnie inne niż w Chile. Valentín Sánchez przedstawił jej wszystkich, których warto poznać, i otworzył jej drzwi do świata kultury. Jej romans z Aitorem Ibarrą skończył się lata temu, ale nadal byli przyjaciółmi i odwiedzała go od czasu do czasu. Wylew zrobił z niego półinwalidę – miał trudności z artykułowaniem słów – ale nie wpłynął na jego umysł ani nie ograniczył intuicji do dobrych interesów, które prowadził teraz z najstarszym synem. Rezydował w dzielnicy Cumbres de Curumo, skąd roztaczał się widok na Caracas; hodował tam orchidee, kolekcjonował ptaki egzotyczne i ręcznie robione auta. To był teren zamknięty, otoczony murem jak więzienie i pilnowany przez uzbrojonego strażnika, z cienistym parkiem, stały tam też domy, gdzie mieszkali również jego dwaj synowie, z żonami i wnukami. Zdaniem Aitora żona nigdy nie domyśliła się, że łączył ich wieloletni romans, ale Roser nie dałaby za to głowy, bo przecież musieli zostawić dużo śladów przez te lata. Doszła do wniosku, że królowa piękności musiała milcząco zaakceptować, że jej mąż jest kobieciarzem, jak wielu innych, traktujących swoje ekscesy jako dowód męskości, ale nie przywiązywała do tego wagi; ona była legalną małżonką, matką jego dzieci, i tylko ona się liczyła. Od kiedy unieruchomił go paraliż, miała go na wyłączność i pokochała jeszcze bardziej, bo odkryła w nim wielkie zalety, których w pospiesznym rytmie i kłopotach wcześniejszego życia nie mogła docenić. Starzeli się razem w pełnej zgodzie, w otoczeniu rodziny. „Sama widzisz, Roser, jak słuszne jest przysłowie, że nie ma tego złego, co by na dobre nie wyszło. Na fotelu inwalidzkim jestem lepszym mężem, ojcem i dziadkiem, niż gdybym chodził. Może mi nie uwierzysz, ale jestem szczęśliwy", wyznał Aitor, kiedy go odwiedziła. Żeby nie zakłócać spokoju przyjaciela, nie wspomniała, jak ważne były dla niej tamte wieczorne pocałunki przy białym winie.

Oboje postanowili nie przyznawać się przed swoimi małżonkami do minionej miłości – po co ich ranić – ale Roser nie dotrzymała słowa. Dwa dni, jakie upłynęły między uwolnieniem Víctora z obozu koncentracyjnego i azylem w ambasadzie, wystarczyły, żeby zakochali się w sobie tak mocno, jakby zobaczyli się po raz pierwszy. To było prawdziwe olśnienie. Tak bardzo za sobą tęsknili, że gdy znów się połączyli, nie widzieli siebie obecnych, ale takich z przeszłości, kiedy udawali miłość na łodzi ratunkowej „Winnipegu", młodzi i smutni, pocieszający się nawzajem szeptem, przy niewinnych pieszczotach. Ona zakochała się w tym obcym mężczyźnie, wysokim, nieco drętwym, o rysach wyrytych w ciemnym drewnie i czułych oczach, pachnącym świeżo wyprasowanym ubraniem, gotowym zaskoczyć ją i rozśmieszyć byle czym, przynieść rozkosz, jakby znał na pamięć mapę jej ciała, kołysać ją przez całą noc, żeby mogła usnąć i obudzić się na jego ramieniu, który mówił coś, czego nie spodziewała się nigdy usłyszeć, tak jakby pod wpływem cierpienia przestał udawać twardego faceta, jakby nagle stał się sentymentalny. Víctor zakochał się w kobiecie, którą wcześniej kochał miłością kazirodczą, niczym brat. Przez trzydzieści pięć lat była jego żoną, ale dopiero niedawno, podczas ponownego spotkania, zobaczył ją wolną od obciążeń przeszłością, roli wdowy po Guillemie, matki Marcela, objawiła mu się jako zjawisko młode i świeże. Zobaczył pięćdziesięcioletnią Roser – kobietę zmysłową, pełną entuzjazmu i odważną, z niewyczerpaną energią. Podobnie jak on nienawidziła dyktatury, ale nie czuła przed nią lęku. Víctor uświadomił sobie, że faktycznie nigdy nie sprawiała wrażenia, że się czegoś boi, poza lataniem samolotem, nawet pod koniec wojny domowej. Z taką samą równowagą ducha, z jaką stawiała czoło emigracji wtedy, teraz podejmowała ją bez słowa skargi, nie oglądając się za siebie, ze wzrokiem skierowanym w przyszłość. Z jakiego niezniszczalnego materiału została zrobiona Roser? Jak to możliwe, że przez tyle lat los obdarzał go takim szczęściem? Jak mógł być tak głupi, żeby nie kochać jej od samego początku, tak jak na to zasługiwała, tak jak kochał ją teraz? Nigdy nie przypuszczał, że w jego wieku można się zakochać młodzieńczą miłością i zapłonąć pożądaniem. Przyglądał się jej oczarowany i dostrzegł, że pod warstwą kobiety dojrzałej zachowała się ta dziewczynka, którą Roser musiała być wtedy, gdy pasła kozy w katalońskich górach, niewinna i urzekająca. Chciał ją bronić i chronić, chociaż zdawał sobie sprawę, że w godzinie próby to ona okazywała się silniejsza. To wszystko i jeszcze więcej wyznał jej w krótkich dniach ponownego spotkania i powtarzał w kolejnych, aż do jej śmierci. Podczas długich wieczorów wyznań i wspomnień, gdy oboje dzielili się tym, co wielkie, co małe i co ukryte, ona opowiedziała mu o Aitorze, o którym nigdy wcześniej nie wspominała. Kiedy to usłyszał, Víctor poczuł tak mocne ukłucie w sercu, że aż go zatkało. Fakt, że ten romans skończył się dawno temu, jak zapewniała Roser, był marnym pocieszeniem. Zawsze podejrzewał, że podczas swoich podróży spotykała się z jednym czy drugim kochankiem, ale to, że chodziło o długą, poważną miłość, obudziło w nim zazdrość o przeszłość, zdolną zniszczyć obecne szczęście, gdyby ona mu na to pozwoliła. Kierując się swoim bezwzględnym zdrowym rozsądkiem Roser udowodniła, że nie zabrała mu niczego, żeby dać to Aitorowi, nie kochała go mniej, bo ta relacja zawsze znajdowała się w osobnym miejscu w jej sercu i nie miała wpływu na inne sprawy w jej życiu. „W tamtym czasie ty i ja byliśmy bliskimi przyjaciółmi, powiernikami, wspólnikami i małżonkami, ale nie byliśmy kochankami tak jak teraz. Gdybym wtedy ci o tym powiedziała, mniej byś się przejął, bo nie odebrałbyś tego jako zdradę. Koniec końców, ty też nie dochowałeś mi wierności". Víctor zareagował gwałtownie, ponieważ jego własne przygody wydawały mu się bez znaczenia, ledwie o nich pamiętał i nie przyszło mu do głowy, że ona może o nich wiedzieć. Przyjął jej argumenty bez przekonania i przez jakiś czas zastanawiał się nad swoimi uczuciami, aż w końcu zrozumiał bezsens pogrążania się w bagnie przeszłości. „Było, minęło", jak mawiała jego matka.

Wenezuela przyjęła Víctora z tą samą beztroską hojnością, z jaką przyjmowała tysiące imigrantów z różnych części świata, a ostatnio uciekających przed chilijską dyktaturą i brudną wojną w Argentynie i Urugwaju, nie licząc Kolumbijczyków, którzy przekraczali granicę, uciekając przed nędzą. Była to jedna z nielicznych demokracji na kontynencie zdominowanym przez bezwzględne reżimy i bezduszne junty wojskowe, jeden z najbogatszych krajów na świecie dzięki niewyczerpanemu strumieniowi ropy, obfitujący również w inne surowce, bujną roślinność i korzystnie usytuowany na mapie. Zasoby były tak obfite, że nikt nie musiał się przepracowywać, wystarczało miejsca i możliwości dla wszystkich, którzy chcieli się tam urządzić. Ludzie żyli beztrosko, od imprezy do imprezy, ciesząc się swobodą i z poczuciem równości. Byle pretekst wystarczał do świętowania z muzyką, tańcami i alkoholem; miało się wrażenie, że pieniądze płyną szeroką rzeką, a korupcja obejmowała wszystkich. „Nie łudź się, jest dużo nędzy, zwłaszcza na prowincji. Wszystkie rządy zapominały o biedakach, a to wywołuje agresję i wcześniej czy później kraj zapłaci za te zaniedbania", ostrzegał Roser Valentín Sánchez. Víctorowi, który przyjechał z trzeźwego, ostrożnego, pruderyjnego i gnębionego przez dyktaturę Chile, ta swawolna wesołość wydawała się szokująca. Uważał, że ludzie są powierzchowni, nie traktują niczego poważnie, że za dużo tu rozrzutności i ostentacji, a wszystko jest tymczasowe i nietrwałe. Narzekał, że w jego wieku trudno zaadaptować się do nowych warunków, że życia mu na to nie starczy, ale Roser przekonywała go, że skoro w wieku sześćdziesięciu lat mógł uprawiać miłość jak młodzieniaszek, dostosowanie się do tego wspaniałego kraju nie będzie trudne. „Zrelaksuj się, Víctorze. Nic nie zyskasz, chodząc naburmuszony. Bólu nie unikniesz, ale cierpieć nie musisz". Cieszył się uznaniem jako lekarz, ponieważ spora grupa chirurgów, którzy studiowali w Chile, była jego uczniami; nie musiał zarabiać na życie jako taksówkarz czy podając do stołu, jak wielu innych wykształconych uchodźców, którzy w jednej chwili musieli przekreślić swoją przeszłość i zaczynać od zera. Szybko nostryfikował dyplom i już wkrótce operował w najstarszym szpitalu w Caracas. Niczego mu nie brakowało, ale czuł się cudzoziemcem i cały czas czekał na wiadomość, kiedy wreszcie będzie mógł wrócić do Chile. Roser świetnie sobie radziła ze swoim zespołem i grała sporo koncertów, a Marcel, który zrobił doktorat w Kolorado, pracował w spółce naftowej w Wenezueli. Byli zadowoleni, ale również oni myśleli o Chile z nadzieją na powrót.

* * *

Gdy Víctor liczył dni do powrotu, 20 listopada 1975 roku po długiej agonii zmarł Franco. Po raz pierwszy od wielu lat Víctor poczuł pokusę powrotu do Hiszpanii. „Koniec końców okazało się, że Franco jednak jest śmiertelny", komentarz Marcela był lapidarny; chłopak wcale nie czuł się zainteresowany ojczyzną swoich przodków, całą duszą czuł się Chilijczykiem. Ale Roser zdecydowała się towarzyszyć Víctorowi, bo jakakolwiek rozłąka, nawet krótka, budziła w nich obojgu niepokój, była jak kuszenie losu; mogło się zdarzyć, że już nigdy nie będą razem. Światem rządzi entropia, wszystko dąży do bezładu, do zniszczenia, do rozproszenia, ludzie gdzieś się gubią, wystarczy przypomnieć, co się działo podczas Wielkiej Ewakuacji, uczucia blakną i życie pogrąża się w zapomnieniu jak we mgle. Trzeba mieć heroiczną siłę woli, żeby utrzymać wszystko na swoim miejscu. „To przesądy uchodźców", polemizowała Roser. „To przesądy zakochanych", poprawiał ją Víctor. Oglądali pogrzeb Franco w telewizji, widzieli trumnę w eskorcie szwadronu konnych lansjerów, przewożoną z Madrytu do Doliny Poległych, tłumy ludzi składających caudillo hołd, klęczące kobiety zalane łzami, Kościół z całym przepychem i ostentacją, biskupów wystrojonych jak na sumę, polityków i grube ryby w głębokiej żałobie, z wyjątkiem chilijskiego dyktatora, który wystąpił w cesarskiej pelerynie, niekończący się pochód sił zbrojnych i wiszące w powietrzu pytanie, co się teraz stanie z Hiszpanią. Roser przekonała Víctora, że trzeba odczekać rok, zanim podejmą próbę powrotu do kraju. W tym czasie obserwowali z daleka okres transformacji pod wodzą króla, który nie okazał się frankistowską marionetką, czego ludzie się obawiali, lecz osobą zdecydowaną doprowadzić kraj do demokracji na drodze pokojowej, omijając przeszkody w postaci niereformowalnej prawicy, przeciwnej jakimkolwiek zmianom, obawiającej się, że bez caudilla utraci swoje przywileje. Pozostali Hiszpanie domagali się przyspieszenia koniecznych reform, by zapewnić Hiszpanii właściwe miejsce w Europie i XX wieku.

W listopadzie następnego roku Víctor i Roser po raz pierwszy od czasów gehenny ewakuacji stanęli na ojczystej ziemi. Najpierw krótko zabawili w Madrycie, który nadal był piękną stolicą imperium, jakby nic się nie zmieniło. Víctor zwracał uwagę Roser na domy i dzielnice odbudowane po bombardowaniach i zabrał ją do miasteczka uniwersyteckiego, gdzie do tej pory w niektórych miejscach widniały ślady po kulach. Wybrali się nad Ebro, bo tam najprawdopodobniej zginął Guillem, ale nie znaleźli niczego, co by przypominało najkrwawszą w czasie wojny bitwę, która kosztowała tylu zabitych. W Barcelonie odszukali w dzielnicy Raval kamienicę, gdzie niegdyś mieszkała rodzina Dalmau. Zdezorientowały ich zmienione nazwy ulic. W końcu ją znaleźli, stała tam nadal, stara i tak zaniedbana, że prawie się waliła. Z zewnątrz sprawiała wrażenie opuszczonej, ale gdy zadzwonili do drzwi, po długim oczekiwaniu otworzyła im dziewczyna z oczami obwiedzionymi węglem, w mocno sfatygowanej indyjskiej spódnicy. Pachniała marihuaną i paczuli i trudno jej było zrozumieć, czego mogło chcieć tych dwoje nieznajomych, bo ona unosiła się w innym wymiarze, ale w końcu zaprosiła ich do środka. Dom został niedawno zajęty przez komunę młodych ludzi, którzy przyjęli hippisowską kulturę z pewnym opóźnieniem, bo w czasach frankistowskich to było nie do pomyślenia. Przeszli się po pokojach z uczuciem pustki. Na ścianach, z których łuszczyła się farba, wisiały jakieś bohomazy, na podłodze drzemali lub zaciągali się dymem jacyś ludzie, wszędzie walały się śmieci, łazienkę i kuchnię doprowadzono do strasznego stanu, drzwi i okiennice ledwo trzymały się zawiasów, panował przenikliwy smród brudu, zaduchu i marihuany. „Sam widzisz, Víctorze, nie można wrócić do przeszłości", zamknęła temat Roser, kiedy stamtąd wyszli.

Podobnie jak nie rozpoznali domu rodzinnego, nie rozpoznali również Hiszpanii. Czterdzieści lat frankizmu odcisnęło głęboki ślad w relacjach międzyludzkich i w każdym aspekcie kultury. Katalonię, która pozostała ostatnim bastionem republikańskiej Hiszpanii, spotkał najsurowszy odwet zwycięzców, największe represje. Zaskoczyło ich, że cień Franco nadal jest obecny. Ludzie byli niezadowoleni z powodu bezrobocia i inflacji, z powodu reform i z powodu braku reform, z powodu władzy konserwatystów i bałaganu socjalistów; jedni optowali za tym, by odłączyć Katalonię od Hiszpanii, inni chcieli ją mocniej zintegrować. Wielu uchodźców, w większości starych i rozczarowanych, wracało, ale już nie było dla nich miejsca. Nikt o nich nie pamiętał. Víctor poszedł do Rosynanta, który stał tam, gdzie zawsze, na rogu ulicy, pod tą samą nazwą, i wypił piwo na cześć swojego ojca i jego partnerów od domina, starców, którzy śpiewali na jego pogrzebie. Przez ten czas tawerna zdążyła się zmodernizować; zniknęły szynki wiszące pod sufitem i zaduch marnego wina – teraz szpanowała pociągniętymi akrylem stolikami i wentylatorami. Zdaniem szefa lokalu Hiszpanię szlag trafił po śmierci Franco, rozpanoszyło się chamstwo i bałagan, nic tylko strajki, protesty, manifestacje, dziwki i pedały, i komuniści, nikt nie szanował wartości rodzinnych i patriotycznych, nikt nie pamiętał o Bogu, a król był skurwysynem; caudillo popełnił błąd, mianując go swoim następcą.

Wynajęli małe mieszkanie w dzielnicy Gracia i spędzili tam sześć ciągnących się w nieskończoność miesięcy. Powrót z wygnania, jak nazywali swój przyjazd do ojczyzny, którą opuścili wiele lat temu, okazał się dla nich równie trudny jak emigracja w 1939 roku, kiedy przekraczali granicę Francji, ale potrzebowali aż pół roku, aby przyznać, że czują się tu obco, on z powodu dumy, ona przez swój stoicyzm. Ani on, ani ona nie znaleźli pracy, częściowo z powodu wieku, ale także z braku kontaktów. Nie mieli tu żadnych znajomych. Miłość ocaliła ich przed depresją, bo czuli się jak nowożeńcy w podróży poślubnej, a nie dwie osoby w słusznym wieku bez konkretnego zajęcia, samotne, które spędzały poranki na spacerach po mieście, a popołudnia w kinie, gdzie oglądali stare filmy. Żyli marzeniami, ile się dało, aż pewnej leniwej niedzieli, która niczym nie różniła się od innych leniwych dni, wyczerpała się ich cierpliwość. Rozgrzewali się filiżanką gorącej, gęstej czekolady z biszkoptami w cukierni przy ulicy Petritxol, aż nagle Roser pod wpływem impulsu wypowiedziała zdanie, które zdeterminowało ich plany na kolejne lata. „Mam powyżej uszu bycia cudzoziemką. Wracajmy do Chile. Tam jest nasz kraj". Víctor westchnął głośno jak smok i pochylił się, by pocałować ją w usta. „Wrócimy najszybciej, jak się da, obiecuję ci, Roser. Ale na razie wracamy do Wenezueli".

Minęło sporo czasu, zanim mógł spełnić obietnicę, czasu spędzonego w Wenezueli, gdzie mieszkał Marcel, gdzie mieli pracę i przyjaciół. Kolonia chilijska rosła z każdym dniem, bo poza emigrantami politycznymi przyjeżdżali inni w poszukiwaniu lepszych warunków życia. W ich dzielnicy, Los Palos Grandes, częściej słyszeli akcent chilijski niż wenezuelski. Większość przybyszów zamykała się we własnym środowisku; lizali swoje rany i stale śledzili sytuację w Chile, gdzie nic się nie zmieniało na lepsze mimo budzących optymizm wieści przekazywanych z ust do ust. Prawda była bowiem taka, że dyktatura trzymała się mocno. Roser przekonała Víctora, że w ich wieku integracja jest jedyną zdrową formą dożywania starości. Powinni cieszyć się dniem dzisiejszym i korzystać z tego, co ten przyjazny kraj ma do zaoferowania, wdzięczni za dobre przyjęcie i pracę, bez rozpamiętywania przeszłości. Myśl o powrocie do Chile nie powinna im przesłaniać codziennych radości. Taka postawa uwolniła ich od próżnej nostalgii i nadziei i pozwoliła korzystać z uroków życia bez poczucia winy, w czym naśladowali wspaniałomyślnych Wenezuelczyków. Przez dziesięć lat po sześćdziesiątce Víctor zmienił się bardziej niż przez całe wcześniejsze życie. Uznał, że zawdzięcza to permanentnemu stanowi zakochania, niezmordowanej walce Roser o wygładzenie kantów jego charakteru i podnoszenie go na duchu, a także pozytywnemu wpływowi karaibskiego luzu, jak nazywał zinstytucjonalizowaną postawę relaksu, który uwolnił go od powagi, jeśli nie na zawsze, to przynajmniej na parę lat. Nauczył się tańczyć salsę i grać na wenezuelskiej gitarze.

* * *

W tym czasie Víctor spotkał się ponownie z Ofelią del Solar. Przez ostatnie lata sporadycznie dochodziły do niego słuchy o niej, ale się nie widzieli, bo obracali się w różnych kręgach, a poza tym ona spędziła dużą część życia za granicą ze względu na zawód męża. Unikał jej świadomie, żeby spod popiołów nieszczęśliwej młodzieńczej miłości nie wybuchł na nowo płomień i nie zakłócił jego uporządkowanego życia. Nigdy nie zrozumiał, czemu Ofelia usunęła go ze swego życia jednym cięciem i zawiadomiła krótkim listem, tonem rozkapryszonej pannicy, który w niczym nie przypominał młodej kobiety wymykającej się z lekcji, by uprawiać z nim miłość w podrzędnym hoteliku. Najpierw nad tym ubolewał i przeklinał ją, a później znienawidził. Przypisywał Ofelii najgorsze wady jej klasy: bezmyślność, egoizm, arogancję, pedanterię. Później niesmak minął i pozostało mu miłe wspomnienie najpiękniejszej kobiety, jaką dane mu było poznać, jej spontanicznych wybuchów śmiechu, kokieterii. Rzadko o niej myślał i nie czuł potrzeby, żeby śledzić jej poczynania. W Chile, przed dyktaturą, docierały do niego strzępy wiadomości na jej temat, zwykle w komentarzach Felipa del Solar; spotykał się z nim wtedy parę razy w roku, czując się w obowiązku podtrzymywania przyjaźni opierającej się tylko na poczuciu wdzięczności. Widywał czasem jakieś jej niezbyt korzystne zdjęcia w prasie, na stronach towarzyskich, nie w sekcji sztuki; o jej twórczości w Chile nikt nie słyszał. „No proszę, taki oto los spotyka miejscowych artystów, a zwłaszcza kobiety", skomentowała Roser, która przy okazji jednej ze swoich podróży przywiozła z Miami czasopismo, a w nim kolorowe reprodukcje obrazów Ofelii zajmowały cztery środkowe strony. Víctor przyjrzał się fotografiom artystki towarzyszącym reportażowi. Oczy miała jak zawsze, ale wszystko inne się zmieniło; może po prostu nie była fotogeniczna.

Roser przyniosła wiadomość, że w Ateneum w Caracas jest wystawa najnowszych prac Ofelii del Solar. „Zauważyłeś, że występuje pod panieńskim nazwiskiem?", zdziwiła się Roser. Víctor uświadomił jej, że zawsze tak było, że to zwyczaj rozpowszechniony wśród kobiet chilijskich, a poza tym Matías Eyzaguirre zmarł dawno temu; skoro Ofelia nie nosiła nazwiska męża za jego życia, dlaczego miałaby to robić jako wdowa? „Dobrze, wszystko jedno. Idziemy na wernisaż", zdecydowała.

W pierwszej chwili chciał odmówić, jednak zwyciężyła ciekawość. Na wystawie wisiało niewiele obrazów, ale zajmowały trzy sale, bo każdy z nich był wielkości drzwi. Ofelia nie wyzwoliła się spod wpływu Guayasamína, wielkiego malarza ekwadorskiego, u którego studiowała; jej płótna utrzymywały podobny styl, wyraźne pociągnięcia pędzlem, ciemna kreska i abstrakcyjne kształty, ale nie miały nic z humanitarnego przesłania, żadnego oskarżenia okrucieństwa i wyzysku człowieka, żadnych konfliktów historycznych czy politycznych naszych czasów, typowych dla tamtego artysty. Ona malowała obrazy zmysłowe, niektóre wręcz dosłowne, przedstawiające pary w nienaturalnym, brutalnym uścisku i kobiety oddające się rozkoszy bądź cierpieniu. Víctor oglądał je zmieszany, ponieważ inaczej sobie wyobrażał Ofelię jako artystkę.

Zapamiętał Ofelię z wczesnej młodości, tę rozpieszczoną dziewczynę, naiwną i impulsywną, w której się kiedyś zakochał, dziewczynę malującą akwarele z pejzażami i bukietami kwiatów. Wiedział o niej tylko tyle, że najpierw była żoną, a później wdową po dyplomacie; że jest kobietą tradycyjną, pogodzoną z własnym losem. Ale te obrazy odsłaniały gorący temperament i zaskakującą wyobraźnię erotyczną, tak jakby namiętność, którą on zdołał poznać w podrzędnym hoteliku, przetrwała stłumiona w jej wnętrzu, a pędzle i malarstwo stały się jedynym dostępnym wentylem bezpieczeństwa.

Ostatni obraz, wiszący samotnie na ścianie galerii, wywarł na nim silne wrażenie. Przedstawiał nagiego mężczyznę z karabinem w rękach, w czerni, bieli i szarości. Víctor przyglądał mu się uważnie kilka minut, z czymś w rodzaju konsternacji. Podszedł bliżej ściany, żeby przeczytać tytuł: *Miliciano, 1973*. „Nie jest na sprzedaż", powiedział ktoś obok niego. To była Ofelia, inna niż w jego wspomnieniach, inna niż na tych paru fotografiach, które widział, postarzała i wyblakła.

– Ten obraz jest pierwszy w serii i wyznacza dla mnie koniec pewnego etapu, dlatego go nie sprzedaję.

– To data puczu wojskowego w Chile – powiedział Víctor.

– Nie ma nic wspólnego z Chile. W tym roku wyzwoliłam się jako artystka.

Aż do tej chwili nie spojrzała na Víctora, mówiła ze wzrokiem utkwionym w obraz. Kiedy kontynuując rozmowę, odwróciła się w jego stronę, nie poznała go. Minęło ponad czterdzieści lat, a ona, w przeciwieństwie do niego, nie miała okazji widzieć go na żadnym zdjęciu. Víctor podał jej rękę i przedstawił się. Ofelia potrzebowała paru sekund, żeby przypomnieć sobie jego imię i gdy w końcu jej się udało, spontaniczny okrzyk zdziwienia upewnił Víctora, że niemal zniknął z jej pamięci. To, co ciążyło mu w sercu jak nieszczęście, na niej nie pozostawiło śladu. Zaprosił ją na lampkę wina do kawiarni i poszedł szukać Roser. Kiedy zobaczył je razem, zwrócił uwagę, jak odmiennie potraktował je czas. Można by oczekiwać, że piękna, frywolna, bogata i wyrafinowana Ofelia lepiej zniesie upływ lat, ale wyglądała starzej niż Roser. Jej siwe włosy były jakby osmalone, miała zniszczone ręce, plecy przygarbione przy malowaniu, a długą luźną lnianą tuniką w ceglastym kolorze próbowała zatuszować nadwagę; nosiła ogromną różnokolorową gwatemalską torbę, a na nogach franciszkańskie sandały. Nadal była piękna. Jej niebieskie oczy błyszczały jak u dwudziestolatki na twarzy spalonej nadmiarem słońca i pooranej zmarszczkami. Roser, wolna od próżności, o urodzie raczej dyskretnej, farbowała siwe włosy, malowała usta, dbała o dłonie, trzymała się prosto i pilnowała wagi, ubrała się na tę okazję z niewyszukaną elegancją, jak zwykle: założyła czarne spodnie i białą bluzkę. Przywitała się entuzjastycznie z Ofelią, po czym usprawiedliwiła się, że nie może im towarzyszyć, bo spieszy się na próbę zespołu. Víctor spojrzał na nią pytająco i wpadł w panikę, gdy się domyślił, że chce go zostawić sam na sam z Ofelią.

* * *

Przy stoliku na patio Ateneum, wśród nowoczesnych rzeźb i tropikalnych roślin, Ofelia i Víctor wymienili się najważniejszymi informacjami o tym, co się z nimi działo przez czterdzieści lat, omijając temat namiętności, która kiedyś wprowadziła zamieszanie do ich życia. Víctor nie odważył się poruszyć tej kwestii, a tym bardziej nie przyszło mu do głowy prosić ją o spóźnione wyjaśnienie, bo wydało mu się to upokarzające. Ona też nie widziała potrzeby, żeby mu cokolwiek tłumaczyć, bo jedynym mężczyzną, który liczył się w jej życiu, był Matías Eyzaguirre. W porównaniu z niezwykłą miłością, jaką razem przeżyli, krótka przygoda z Víctorem wydawała się dziecinadą i całkiem wymazałaby ją z pamięci, gdyby nie maleńki grób na pewnym wiejskim cmentarzu w Chile. O nim też nie wspomniała Víctorowi, wzięła na siebie pełną odpowiedzialność za tę wpadkę, która miała pozostać w ukryciu, tak jak nakazał ojciec Vicente Urbina.

Rozmawiali długo, jak dobrzy przyjaciele. Ofelia powiedziała, że ma dwoje dzieci i że przeżyła trzydzieści trzy szczęśliwe lata z Matíasem, który kochał ją równie wytrwale, jak wytrwale o nią zabiegał. Kochał tak mocno, miłością tak zaborczą, że dzieci czuły się zazdrosne.

– Niewiele się zmienił, zawsze był uosobieniem spokoju i wspaniałomyślności, był mi bezgranicznie oddany, a z czasem te zalety jeszcze się pogłębiły. Wspierałam go w pracy najlepiej, jak umiałam. Dyplomacja to absorbujące zajęcie. Przeprowadzaliśmy się z kraju do kraju co dwa, trzy lata, trzeba było się pakować, żegnać z przyjaciółmi i zaczynać od nowa w innym miejscu. Dla dzieci to też trudne wyzwanie. Najgorzej znosiłam obowiązki towarzyskie; ja się nie nadaję do uczestniczenia w koktajlach i przedłużających się w nieskończoność obiadach.

– Mogłaś malować?

– Próbowałam, ale trudno było poważnie się zaangażować. Zawsze znalazło się coś ważniejszego czy pilniejszego do zrobienia. Kiedy dzieci poszły na studia, oświadczyłam Matíasowi, że przechodzę na emeryturę jako matka i żona i mam zamiar całkowicie poświęcić się malarstwu. Uznał to za słuszne. Dał mi pełną swobodę, więcej nie nalegał, żebym mu towarzyszyła w rautach.

– No proszę, wyjątkowy człowiek.

– Szkoda, że go nie poznałeś.

– Raz go widziałem. To on postawił pieczątkę na moim dokumencie wjazdowym do Chile na pokładzie „Winnipegu" w 1939 roku. Nigdy tego nie zapomnę. Twój Matías był porządnym człowiekiem, Ofelio.

– Popierał mnie we wszystkim. Wystarczy powiedzieć, że zapisał się na kurs, żeby móc docenić moje obrazy, bo nie znał się na sztuce, i sponsorował moją pierwszą wystawę. Pokonał go podstępny zawał serca sześć lat temu, a ja nadal płaczę po nocach, że nie ma go przy mnie – zwierzyła się Ofelia w nagłym przypływie szczerości i skonfundowała tym Víctora.

Wyznała, że od jego śmierci wyzwoliła się od wszelkich obowiązków, które wcześniej ją rozpraszały; żyła jak wieśniaczka na gospodarstwie dwieście kilometrów od Santiago, miała sad i hodowała miniaturowe kozy z długimi uszami, które sprzedawała jako maskotki, a poza tym malowała i malowała. Nie ruszała się z pracowni, chyba że w odwiedziny do syna i córki, do Brazylii i Argentyny, na jakąś wystawę i raz w miesiącu do matki.

– Wiesz, że mój ojciec zmarł, prawda?

– Tak, przeczytałem w prasie. Gazety chilijskie docierają tu z opóźnieniem, ale w końcu dochodzą. Był ważną figurą w rządzie Pinocheta.

– Tak, na początku. Zmarł w 1975. Moja matka wtedy rozkwitła. Ojciec był despotą.

Opowiedziała mu, że doña Laura zaniedbuje teraz kompulsywną modlitwę i filantropię, a więcej czasu poświęca na grę w kanastę i seanse spirytystyczne z grupą ezoterycznych staruszek, które mają łączność z duszami z zaświatów. Dzięki temu utrzymuje kontakt z Leonardem, swoim ukochanym Dzidziusiem. Doña Laura zdawała sobie sprawę, że przywoływanie duchów było demoniczną praktyką zdecydowanie potępianą przez Kościół, więc przezornie pomijała ten temat podczas spowiedzi i ksiądz Vicente Urbina pozostawał w nieświadomości nowego grzechu plamiącego ognisko domowe rodziny del Solar.

Ofelia mówiła o kapłanie z sarkazmem. Powiedziała, że ponadosiemdziesięcioletni Urbina jako biskup z dużą elokwencją bronił metod stosowanych przez dyktaturę, uzasadniając je koniecznością obrony zachodniej kultury chrześcijańskiej przed perwersją marksizmu. Kardynał, który zorganizował specjalny wikariat, by pomagać prześladowanym i prowadzić rejestr zaginionych, musiał przywołać go do porządku, kiedy z egzaltacją usprawiedliwiał tortury i egzekucje bez sądu. Biskup Urbina niezmordowanie pełnił misję zbawienia dusz, zwłaszcza gdy chodziło o jego parafian z górnej dzielnicy, i nadal był doradcą rodziny del Solar, a jego autorytet jeszcze wzrósł po śmierci patriarchy rodu. Doña Laura, jej córki, zięciowie, wnuki i prawnuki polegały na jego mądrości w sprawach ważnych i błahych.

– Wyzwoliłam się spod jego wpływu, nienawidzę go, to nikczemny człowiek, ale ja prawie zawsze byłam daleko od Chile.

Felipe też się wyzwolił, bo jest najmądrzejszy w rodzinie i spędza połowę życia w Anglii.

– Co u niego słychać?

– Zniósł trzy lata rządów Allendego, pewny, że to długo nie potrwa, i miał rację, ale nie wytrzymał koszarowej mentalności junty, bo odgadł, że prędko się nie skończy. Sam wiesz, jak bardzo mu się podoba wszystko, co angielskie. Nienawidzi chilijskiej hipokryzji i dewocji. Często odwiedza matkę i przy okazji zajmuje się rodzinnymi finansami, których prowadzenia podjął się po śmierci ojca.

– Nie miałaś jeszcze jednego brata? Tego, który badał huragany i tajfuny?

– Osiadł na Hawajach i odwiedził Chile tylko raz, żeby się upomnieć o swoją część spadku po ojcu. Pamiętasz Juanę, która u nas pracowała i która uwielbiała twojego syna, Marcela? Nic się nie zmieniła. Nikt, nawet ona sama, nie wie, ile ma lat, ale nadal jest gospodynią i opiekuje się moją matką, która ma ponad dziewięćdziesiąt lat i często jej odbija. W rodzinie mamy wiele przypadków demencji. No dobrze, już jesteś na bieżąco z naszymi sprawami. Teraz opowiedz mi o sobie.

Víctor streścił jej swoje życie w pięć minut, wspominając krótko rok, który spędził w obozie, i omijając najgorsze przeżycia, bo wydało mu się, że opowiadanie o nich byłoby w złym guście, i przypuszczał, że Ofelia wolała o nich nie wiedzieć. Nawet jeśli czegoś się domyślała, nie drążyła tematu, powiedziała tylko, że Matías miał konserwatywne poglądy polityczne, ale bez szemrania służył Chile jako dyplomata przez trzy lata socjalizmu, natomiast wstydził się, reprezentując rząd wojskowy, ze względu na jego złą reputację na świecie. Dodała, że jej polityka nigdy nie interesowała, dla niej istnieje tylko sztuka, i tak żyje sobie spokojnie w Chile wśród drzew i zwierząt, nie czytając prasy. Z dyktaturą czy bez, jej życie wygląda tak samo.

Żegnając się, obiecali sobie, że będą w kontakcie, ale doskonale wiedzieli, że to tylko grzecznościowa formułka. Víctor poczuł ulgę: jeśli człowiek żyje wystarczająco długo, sprawy zataczają koło. Koło Ofelii del Solar domknęło się elegancko w tej kawiarni w Ateneum i zgliszcza nie pozostawiły popiołu. Żar wygasł już dawno temu. Víctor doszedł do wniosku, że nie podoba mu się ani jej osobowość, ani malarstwo; jedyna rzecz godna zapamiętania to jej oczy w rzadko spotykanym odcieniu błękitu. Roser czekała na niego w domu zaniepokojona, ale wystarczyło jej jedno spojrzenie i zaczęła się śmiać. Mąż zrzucił z siebie ciężar wielu lat. Przekazał jej nowiny o rodzinie del Solar i zakończył uwagą, że Ofelia pachniała więdnącymi gardeniami. Przyszło mu do głowy, że Roser zaplanowała to rozczarowanie, że specjalnie zabrała go na wystawę i zostawiła sam na sam z jego dawną miłością. Żona dużo ryzykowała; mogło się zdarzyć, że zamiast się rozczarować Ofelią, znów się w niej zakocha, ale najwyraźniej tej możliwości Roser w ogóle nie brała pod uwagę. „Problem polega na tym, że ona jest pewna moich uczuć, natomiast ja cały czas się zadręczam, czy nie odejdzie z innym", pomyślał.

12

Ja teraz mieszkam w kraju delikatnym
niczym jesienna skórka winogrona...

PABLO NERUDA
KRAJ, Z CYKLU *BEZOWOCNA GEOGRAFIA*

Wiadomość o tym, że w Chile właśnie powstał spis tysiąca ośmiu-
set uchodźców, którym wolno było wrócić do kraju, została opu-
blikowana w „El Universal" w niedzielę, w jedyny dzień, gdy państwo Dalmau czytali gazetę od deski do deski. Roser udała się do
chilijskiego konsulatu i na umieszczonej w oknie liście odszukała
nazwisko Víctora Dalmau. Poczuła, że pod jej stopami otwiera się
przepaść. Czekali na tę chwilę dziewięć lat, a kiedy nadeszła, nie
potrafiła się cieszyć, bo to oznaczało porzucenie wszystkiego, co
mieli, w tym Marcela, i powrót do kraju, z którego uciekli przed
represjami. Zastanawiała się, jaki sens ma powrót, skoro nic się
nie zmieniło, ale tej samej nocy rozmawiała z Víctorem i on jej
uświadomił, że albo wrócą teraz, albo nigdy. „Zaczynaliśmy od
zera wiele razy, Roser. Możemy spróbować raz jeszcze. Mam
sześćdziesiąt dziewięć lat i chcę umrzeć w Chile". Przypomniał
sobie fragment wiersza Nerudy: „Więc mogę żyć z daleka / od
tego, co kochałem, kocham?". Marcel zgadzał się z nim; zapropo-

nował, że wybierze się na rekonesans i nie minął tydzień, a już był w Santiago. Zadzwonił do nich, żeby zdać relację. Otóż kraj na pozór wyglądał na nowoczesny i zasobny, ale wystarczyło trochę się rozejrzeć, żeby dostrzec blizny. Panowała przygnębiająca nierówność. Trzy czwarte majątku narodowego znajdowało się w rękach dwudziestu rodzin. Warstwa średnia żyła na kredyt; ubóstwo wielu kontrastowało z dostatkiem nielicznych, dzielnice nędzy kontrastowały z wieżowcami ze szkła i willami za murem, dobrobytowi i bezpieczeństwu jednych towarzyszyło bezrobocie i represje wobec innych. Mówił, że cud gospodarczy z ubiegłych lat, oparty na nieograniczonej swobodzie przepływu kapitału i braku gwarancji podstawowych praw pracowniczych, skończył jak przekłuty balon. Czuło się, że sytuacja musi się zmienić, ludzie nabierali odwagi i masowo protestowali przeciw polityce rządu. Marcel uważał, że dyktatura upadnie siłą bezwładu; to był dobry moment na powrót. Dodał, że jak tylko się pojawił, zaproponowano mu etat w tej samej Korporacji Miedzi, w której zaczynał pracę tuż po studiach, i nikt go nie pytał o poglądy polityczne; liczył się tylko doktorat uzyskany w Stanach Zjednoczonych i doświadczenie zawodowe. „Już tu zostanę, staruszkowie. Ja jestem z Chile". Ten argument przeważył, bo oni też, mimo doznanych krzywd, byli z Chile, a poza tym pod żadnym pozorem nie chcieli się rozstawać z synem. W niecałe trzy miesiące państwo Dalmau zamknęli wszystkie sprawy i pożegnali się z przyjaciółmi i kolegami. Valentín Sánchez zaproponował Roser powrót triumfalny, z podniesioną głową, o tyle łatwiejszy, że ona nigdy nie była na czarnej liście ani nie interesowała się nią służba bezpieczeństwa; powrót w towarzystwie zespołu muzyki dawnej w pełnym składzie, z występami gratis w parkach, kościołach i instytucjach kulturalnych. Na pytanie, kto miałby sfinansować takie przedsięwzięcie, usłyszała, że to będzie prezent narodu wenezuelskiego dla narodu Chile. Budżet kultury w Wenezueli pozwalał na wiele, a w Chile nie odważą się tego zabronić; byłby to afront na skalę światową. I tak się stało.

Powrót Víctora okazał się trudniejszy niż Roser. Zamienił swoje stanowisko w szpitalu w Caracas i bezpieczną sytuację ekonomiczną na niepewność w miejscu, gdzie na powracających z wygnania patrzono nieufnie. Lewica krytykowała ich za to, że uciekli zamiast walczyć z reżimem, a prawica oskarżała o marksizm i terroryzm, w końcu skoro zostali wypędzeni, to musiał istnieć jakiś powód.

Kiedy się zjawił w szpitalu San Juan de Dios, w którym przepracował niemal trzydzieści lat, serdecznie, czasem nawet ze łzami w oczach, przywitały go pielęgniarki; z lekarzy, którzy go pamiętali, pozostało niewielu, tylko ci, którym udało się uniknąć czystki w początkowym okresie dyktatury, gdy tych o postępowych poglądach masowo zwalniano, aresztowano lub zabijano. Dyrektor, w mundurze wojskowym, przywitał go osobiście i zaprosił do gabinetu.

– Wiem, że ocalił pan życie komendantowi Osorio. To godny szacunku gest, zważywszy na pana ówczesną sytuację – pochwalił.

– Chce pan powiedzieć w sytuacji więźnia obozu koncentracyjnego? Jestem lekarzem, udzielam pomocy osobom potrzebującym niezależnie od okoliczności. Jak się czuje komendant?

– Już jest na emeryturze, ale czuje się dobrze.

– Pracowałem wiele lat w tym szpitalu i chciałbym wrócić do pracy – powiedział Víctor.

– Rozumiem, ale w pańskim wieku...

– Sporo mi brakuje do siedemdziesiątki. Jeszcze dwa tygodnie temu kierowałem oddziałem kardiologicznym szpitala Vargas w Caracas.

– Niestety, z pańską przeszłością więźnia politycznego i uchodźcy nie można pana zatrudnić w publicznej służbie zdrowia; oficjalnie jest pan zawieszony w obowiązkach aż do nowego rozkazu.

– Chce pan powiedzieć, że w Chile nie będę mógł podjąć pracy?

– Proszę mi wierzyć, naprawdę jest mi przykro. To nie moja decyzja. Sugeruję panu pracę w prywatnej klinice – powiedział dyrektor i pożegnał go mocnym uściskiem dłoni.

Rząd wojskowy uznał, że usługi dla ludności powinny znajdować się w prywatnych rękach; ochrona zdrowia nie było prawem, lecz towarem konsumpcyjnym, który się kupuje i sprzedaje. W czasie, kiedy sprywatyzowane zostało niemal wszystko, od elektryczności po linie lotnicze, prywatne kliniki pojawiały się jak grzyby po deszczu, doskonale wyposażone w sprzęt i zaplecze medyczne, i przyjmowały tych, którzy mogli sobie na to pozwolić. Prestiż zawodowy Víctora nie ucierpiał w czasie nieobecności i natychmiast otrzymał pracę w najbardziej renomowanej klinice w Santiago, z pensją o wiele wyższą, niżby zarobił w szpitalu państwowym. Tam go odszukał Felipe del Solar podczas jednej z podróży do Chile. Wiele czasu upłynęło od ich ostatniego spotkania i chociaż nigdy nie byli bliskimi przyjaciółmi ani nie łączyły ich wspólne sprawy, uścisnęli się szczerze i serdecznie.

– Dowiedziałem się, że wróciłeś, Víctorze. Bardzo się cieszę. Ten kraj potrzebuje takich jak ty wartościowych ludzi.

– Ty też wróciłeś do Chile? – zainteresował się Víctor.

– Mnie tu nikt nie potrzebuje. Mieszkam w Londynie. Nie widać?

– Widać. Wyglądasz jak angielski lord.

– Muszę często przyjeżdżać w sprawach rodzinnych, chociaż prawdę mówiąc, nie cierpię ich wszystkich, poza Juaną Nancucheo, która mnie wychowała, no ale rodziny się nie wybiera.

Usiedli na ławce w parku, naprzeciwko nowoczesnej fontanny, która wyrzucała strumienie wody jak oddychający wieloryb, i zaczęli się wymieniać informacjami. Víctor dowiedział się, że nikt nie kupuje obrazów malowanych przez Ofelię w wiejskiej samotni, że Laura del Solar cierpi na demencję starczą, unieruchomiona na wózku inwalidzkim, a siostry Felipa stały się nieznośnymi matronami.

– Moi szwagrowie dorobili się w tych latach majątku, Víctorze, mimo że ojciec ich lekceważył. Uważał, że siostry wyszły za mąż za wystrojonych fircyków. Gdyby teraz mógł zobaczyć swoich zięciów, musiałby wszystko odszczekać – zażartował Felipe.

– To jest raj dla interesów i tych, którzy je robią – powiedział Víctor.

– Nie ma nic złego w robieniu forsy, jeżeli ustrój i prawo na to pozwalają. A ty jak się miewasz, Víctorze?

– Próbuję się tu odnaleźć i zrozumieć, co się wydarzyło. Chile zmieniło się nie do poznania.

– Musisz przyznać, że na lepsze. Zamach wojskowy ocalił kraj od chaosu Salvadora Allendego i od dyktatury marksistowskiej.

– Ale zauważ, Felipe, że aby obronić kraj przed tą wyimaginowaną dyktaturą lewicy, wprowadzona została bezlitosna dyktatura prawicy.

– Słuchaj, zachowaj te poglądy dla siebie. Tu ich nie głoś. Nie zaprzeczysz chyba, że w dostatnim kraju żyje się dużo lepiej.

– Ale jakim kosztem społecznym! Ty mieszkasz za granicą, docierają tam do ciebie informacje przemilczane przez tutejszą prasę.

– Nie głędź mi tu o prawach człowieka, nie nudź, stary – przerwał Felipe. – Za ekscesy paru prymitywnych wojskowych, sporadyczne nadużycia nie wolno obciążać odpowiedzialnością rządzącej junty, a już na pewno nie prezydenta Pinocheta. Najważniejsze, że jest spokój i mamy gospodarkę na medal. Zawsze byliśmy krajem mięczaków, a teraz ludzie muszą zdobyć się na wysiłek i pracować. Gospodarka wolnorynkowa zwiększa konkurencyjność i pomnaża bogactwo.

– To nie jest wolny rynek, ponieważ siła robocza nie jest wolna i zostały zawieszone podstawowe prawa. Uważasz, że taki system mógłby funkcjonować w demokratycznym kraju?

– To nowa demokracja, autorytarna, chroniona.

– Bardzo się zmieniłeś, Felipe.

– Czemu tak mówisz?

– Kiedyś byłeś otwarty, obrazoburczy, trochę cyniczny, krytyczny, zbuntowany przeciw wszystkiemu i wszystkim, sarkastyczny i błyskotliwy.

– Nadal taki jestem w niektórych sprawach, Víctorze. Ale z wiekiem człowiek musi się opowiedzieć. Ja zawsze byłem monarchistą – uśmiechnął się Felipe. – W każdym razie, mój drogi, bądź ostrożny i uważaj, co mówisz.

– Uważam, Felipe, ale nie wtedy, gdy rozmawiam z przyjaciółmi.

* * *

Żeby rozwiązać moralny dylemat spowodowany merkantylizacją medycyny, Víctor pracował jako wolontariusz w prymitywnej poradni w jednym z coraz liczniejszych, przeludnionych, nędznych slumsów na obrzeżach Santiago, które zaczęły powstawać pół wieku temu na fali emigracji z terenów rolniczych i zamykania kopalń saletry. Víctor przyjmował pacjentów w miejscu, gdzie w wielkim ścisku żyło około sześciu tysięcy osób. Tam mógł mierzyć puls represji, niezadowolenia i odwagi prostych ludzi. Jego pacjenci mieszkali w budach z desek i kartonu, z klepiskiem zamiast podłogi, bez bieżącej wody, elektryczności i latryn, w kurzu latem, w błocie zimą, wśród śmieci, bezpańskich psów, myszy i owadów, większość z nich bez stałej pracy, zarabiali tylko tyle, żeby przetrwać, w desperacji, wykonując takie czynności jak wyciąganie ze śmietników plastiku, szkła i papieru na sprzedaż, podejmując się najcięższych prac w jakiejkolwiek dziedzinie, zajmując się nielegalnym handlem czy kradzieżą. Rząd miał plan rozwiązania tego problemu, ale jego realizacja się opóźniała, a na razie tylko wznosił mury, żeby zasłonić ten godny pożałowania spektakl, oszpecający miasto.

– Największe wrażenie robią kobiety – opowiadał Víctor żonie. – Są nie do zdarcia, gotowe do poświęceń, bardziej waleczne od mężczyzn; otaczają matczyną miłością swoje dzieci i wszystkich, których przyjmują pod swój dach. Udręczone alkoholizmem i przemocą, opuszczone przez kolejnego konkubenta, nie poddają się.

– Czy dostają przynajmniej jakąś pomoc?

– Tak, z kościołów, zwłaszcza ewangelickich, z instytucji charytatywnych i od wolontariuszy, ale najbardziej martwię się o dzieci, Roser. Są zaniedbane, często idą spać głodne, chodzą do szkoły, kiedy mogą, nie zawsze, i dorastają bez lepszych perspektyw niż bandy, narkotyki czy ulica.

– Na ile cię znam, Víctorze, to przypuszczam, że tam czujesz się o wiele lepiej niż gdziekolwiek indziej – podsumowała.

Roser się nie myliła. Już po trzech dniach w służbie dla tej społeczności, wspólnie z paroma pielęgniarkami i innymi idealistycznymi lekarzami, którzy pracowali na zmianę, Víctor odzyskał młodzieńczy entuzjazm. Wracał do domu ze ściśniętym sercem i mnóstwem opowieści o tragicznych przypadkach, sfatygowany jak zbity pies, ale już niecierpliwie czekał na kolejny dyżur. Życie znów miało jasno wyznaczony cel, jak w czasie wojny domowej, kiedy jego rola na świecie była jasno określona.

– Nie wyobrażasz sobie, Roser, jakie zdolności organizacyjne przejawiają ci ludzie. Każdy w miarę możliwości wkłada, co ma, do dużych, wspólnych kotłów, w których gotuje się na ognisku pod gołym niebem. Chodzi o to, by wszyscy dostali coś ciepłego, chociaż często dla wszystkich nie wystarcza.

– Teraz już wiem, Víctorze, co zrobisz ze swoją pensją.

– Nie tylko jedzenie jest potrzebne, Roser, brakuje również podstawowych rzeczy w poradni.

Opowiadał jej, że mieszkańcy sami dbają o spokój, żeby nie prowokować policji, która stosowała wobec nich broń palną jak na wojnie. Nieosiągalnym marzeniem było mieć własny dach nad głową i kawałek miejsca, gdzie można by się osiedlić. Wcześniej po prostu zajmowali jakiś teren i z determinacją wytrwale bronili się przed usunięciem. „Osiedlanie" zaczynało się od paru osób, które pojawiały się, nim ktokolwiek się zorientował, a za nimi natychmiast przybywali coraz to nowi, w cichej, niepowstrzymanej procesji, ze skromnym dobytkiem na wózkach i taczkach, z torbą na ramieniu, ciągnąc za sobą ubogie materiały, żeby sklecić jakiś dach, kartony, koce, z dziećmi na plecach, z psami, i gdy władze o nich się dowiadywały, już mieszkało ich tam tysiące, gotowych się bronić. To było niemal samobójstwo, zważywszy na to, w jakich czasach żyjemy, kiedy siły porządkowe mają prawo wjechać czołgiem i posłać salwę z karabinu maszynowego bez ostrzeżenia.

– Wystarczy, że jakiś lokalny aktywista spróbuje zorganizować protest czy strajk okupacyjny, natychmiast ginie bez śladu, a jeżeli się znów pojawi, to tylko jako trup przed obozowiskiem, na przestrogę dla innych. Mówiono mi, że tak znaleziono zmasakrowane ciało pieśniarza Víctora Jary, podziurawione czterdziestoma kulami.

W poradni przyjmował nagłe przypadki, poparzenia, złamania, rany w bójkach na noże czy butelki, ofiary przmocy domowej, jednym słowem nie to, co by było dla niego zawodowym wyzwaniem, ale już sama jego obecność dawała mieszkańcom poczucie bezpieczeństwa. Cięższe przypadki wysyłał do najbliższego szpitala, a ponieważ nie dysponował karetką, często zawoził pacjentów własnym samochodem. Przestrzegano go przed kradzieżą, parkowanie samochodu w tym miejscu wiązało się z ryzykiem, że zostanie rozebrany na części, które później trafią na pchli targ, ale jedna z miejscowych przywódczyń, młoda jeszcze babcia, prawdziwa amazonka, uprzedziła wszystkich, zwracając się szczególnie do zdemoralizowanej młodzieży, że jeżeli ktoś się odważy tknąć samochód doktora, osobiście się z nim policzy. To wystarczyło. Víctor nie miał żadnych problemów. W końcu państwu Dalmau zostały na życie tylko oszczędności i to, co zarobiła Roser, bo cała pensja Víctora z kliniki szła na zakup niezbędnego wyposażenia poradni. Widząc jego entuzjazm, Roser postanowiła się przyłączyć. Zdobyła instrumenty sfinansowane przez Valentína Sáncheza z Wenezueli, który przekazał jej czekiem znaczną kwotę, a oprócz tego dużą przesyłkę, i przyjeżdżała do obozowiska w tych samym dniach co jej mąż, żeby uczyć dzieci muzyki. Odkryła, że to ich połączyło bardziej niż seks, ale nie powiedziała tego głośno. Valentínowi Sánchezowi wysyłała sprawozdania i zdjęcia. „W ciągu roku zorganizujemy chór dziecięcy i młodzieżową orkiestrę. Będziesz musiał przyjechać, żeby zobaczyć to na własne oczy. Na razie potrzebujemy dobrego sprzętu do nagrywania i głośników na koncerty pod gołym niebem", pisała, wiedząc, że przyjaciel zrobi wszystko, żeby pozyskać więcej funduszy.

* * *

Zazdrosny o bukoliczny obraz wiejskiego życia Ofelii del Solar, Víctor przekonał Roser do przeprowadzki za miasto. Santiago było koszmarem komunikacyjnym, pełnym zdenerwowanych, spieszących się ludzi. Poza tym poranek często tam wstawał spowity w toksyczną mgłę. Znaleźli to, czego szukali: domek wiejski z drewna i kamienia, pokryty słomianym dachem – taki kaprys architekta, który w ten sposób chciał go zintegrować z naturalnym otoczeniem. Kiedy powstał trzy dekady temu, prowadząca do niego zygzakowata, górska droga nadawała się tylko dla mułów, ale stolica rozrastała się w stronę masywu górskiego i gdy nabyli posiadłość, ta strefa parceli i ogrodów stała się już częścią miasta. Nie docierała tam komunikacja miejska ani poczta, ale za to zasypiali w głębokiej ciszy przyrody, a budził ich chór ptaków. W ciągu tygodnia wstawali o piątej rano, żeby zdążyć do pracy, a wracali już po ciemku, ale czas spędzony w domu dodawał im energii, by walczyć z wszelkimi przeciwnościami. W ciągu dnia domu nikt nie pilnował i w pierwszych latach zdarzyło się jedenaście kradzieży, lecz tak drobnych, że nie warto było się przejmować i alarmować policji. Ukradli im wąż ogrodowy i kury, naczynia z kuchni, radio na baterie, budzik i inne drobiazgi. Gdy zabrali im pierwszy telewizor i dwa następne, którymi go zastąpili, podjęli decyzję, że obędą się bez tego urządzenia. W sumie rzadko nadawano ciekawe programy. Już rozważali możliwość pozostawienia na stałe otwartych drzwi, żeby złodzieje nie wybijali szyb w oknach, kiedy Marcel przywiózł dwa duże psy z miejskiego schroniska; psy szczekały, ale były łagodne, natomiast towarzyszył im jeden mały, a ten gryzł. To rozwiązało problem.

Marcel mieszkał i pracował wśród ludzi, których Víctor przeżywał „uprzywilejowanymi" z braku lepszego określenia, bo faktycznie w porównaniu z jego pacjentami ze slumsów mieli dużo lepiej. Marcelowi nie podobał się ten epitet, bo nie pasował do wszystkich jego znajomych, ale nie chciał się wdawać w bizantyjskie dyskusje z rodzicami: „Wy, staruszkowie, jesteście reliktem przeszłości. Zatrzymaliście się na latach siedemdziesiątych. Trzeba iść z duchem czasu". Dzwonił do nich codziennie i przyjeżdżał w każdą niedzielę na obowiązkowego grilla, zgodnie z obyczajem wprowadzonym przez Víctora, w towarzystwie różnych kobiet, ale zawsze w tym samym stylu, przesadnie szczupłych, z długimi, prostymi włosami, apatycznych; prawie zawsze były to zdeklarowane wegetarianki, całkiem inne niż gorąca dziewczyna z Jamajki, która wprowadziła go w tajniki miłości. Ojciec nie potrafił odróżnić jednej niedzielnej dziewczyny od drugiej ani zapamiętać imienia, zanim syn zmieni sympatię na inną. Kiedy przyjeżdżali, Marcel szeptem prosił Víctora, żeby nie opowiadał o emigracji ani o swojej poradni w slumsach, bo dziewczynę znał od niedawna i nie miał jasności co do jej poglądów politycznych i czy w ogóle jakieś ma. „Wystarczy na nią spojrzeć, Marcelu. Żyje w złotej bańce, nie ma pojęcia ani o przeszłości, ani o tym, co się teraz dzieje. Twoje pokolenie obywa się bez ideałów", skomentował Víctor. Zamykali się w spiżarni, gdzie dyskutowali szeptem, a tymczasem Roser zabawiała gościa. Później, gdy już dochodzili do porozumienia, Marcel smażył krwiste befsztyki, a Víctor gotował szpinak dla długowłosej dziewczyny. Czasem dołączali do nich sąsiedzi, Meche i jej mąż Ramiro, z koszem warzyw z własnego ogrodu i słoikami domowej marmolady. Roser twierdziła, że Ramiro niedługo umrze, mimo że jest całkiem zdrowy, i faktycznie tak się stało: potrącił go pijany kierowca. Víctor spytał żonę, skąd wiedziała. Wyczytała w jego oczach, że jest naznaczony śmiercią. „Kiedy zostaniesz wdowcem, ożeń się z Meche, słyszysz?", wyszeptała Roser przy trumnie nieszczęsnego mężczyzny. Víctor kiwnął głową, przekonany, że Roser go przeżyje.

Víctor i Roser zyskali zaufanie mieszkańców i pracowali jako wolontariusze w obozowisku przez trzy lata, do momentu gdy rząd nakazał ewakuację wszystkich rodzin do osiedli na obrzeżach stolicy, jak najdalej od dzielnic mieszczańskich. W Santiago, mieście o najbardziej rygorystycznej segregacji ludności w skali całego świata, żaden nędzarz nie mieszkał w zasięgu wzroku mieszkańców zamożnych dzielnic. Zjawili się karabinierzy, a za nimi żołnierze, rozdzielili ludzi, posługując się argumentem broni, i wywieźli wojskowymi ciężarówkami pod eskortą mundurowych na motocyklach, żeby rozparcelować ich po różnych prowizorycznych osiedlach, które niczym się od siebie nie różniły, z niewybrukowanymi ulicami i rzędami domów niczym pudełka rozrzucone na piasku. Likwidacja tego obozowiska nie była wyjątkiem. W rekordowym tempie przesiedlono ponad piętnaście tysięcy ludzi tak, że obywatele miasta nie mieli o tym pojęcia. Nędzarze zniknęli. Każda rodzina dostała zbite z desek pomieszczenie składające się z jednego wielofunkcyjnego pokoju, łazienki i kuchni, przyzwoitszych niż wcześniejsze budy, ale jednocześnie jednym pociągnięciem pióra likwidowano wspólnotę. Ludzie zostali rozłączeni, wykorzenieni, osamotnieni i bezbronni; każdy musiał radzić sobie sam.

Operację przeprowadzono w sposób tak szybki i precyzyjny, że Víctor i Roser o wszystkim dowiedzieli się dopiero następnego dnia, kiedy jak zwykle przyszli rano do pracy i zastali spychacze rozjeżdżające teren obozowiska pod budowę apartamentowców. Przez cały tydzień szukali znajomych, ale natychmiast usłyszeli od służby bezpieczeństwa, że są obserwowani; jakikolwiek kontakt z mieszkańcami osiedli zostanie uznany za prowokację. Dla Víctora był to cios poniżej pasa. Nie zamierzał iść na emeryturę. Nadal zajmował się skomplikowanymi przypadkami w klinice, ale ani chirurgia, jego pasja, ani zarobione pieniądze nie mogły mu zrekompensować utraty pacjentów ze slumsów.

W 1987 roku dyktatura pod naciskiem niezadowolenia ogółu obywateli i krytyki zagranicznej po czternastu latach zniosła godzinę policyjną i zliberalizowała nieco cenzurę prasy; dopuściła funkcjonowanie partii politycznych i pozwoliła na powrót pozostałym emigrantom. Opozycja domagała się wolnych wyborów, a w odpowiedzi rząd narzucił referendum, które miało zadecydować, czy Pinochet ma zachować władzę na kolejnych osiem lat. Víctor, choć nie brał udziału w polityce, odczuwał jej konsekwencje, uznał więc, że teraz nadszedł czas, żeby zabrać głos. Dołączył do opozycji, która miała przed sobą herkulesowe zadanie mobilizacji kraju do obalenia rządu wojskowego w plebiscycie. Kiedy zjawili się u niego w domu ci sami agenci służby bezpieczeństwa, którzy go zastraszali już wcześniej, kazał im się wynosić. Zamiast go skuć i założyć kaptur na głowę, tylko zagrozili możliwymi konsekwencjami i wyszli. „Zobaczysz, oni wrócą", denerwowała się Roser, ale miały dni i tygodnie, a jej zapowiedź się nie spełniła. To pozwoliło im mieć nadzieję, że w końcu w Chile coś mogło się zmienić, tak jak prognozował Marcel cztery lata temu. Bezkarność dyktatury przestawała być nieograniczona.

Referendum, kontrolowane przez międzynarodowych obserwatorów i śledzone przez światową prasę, ku zaskoczeniu wszystkich przebiegło wyjątkowo spokojnie. Nikt nie powstrzymał się od głosowania, ani staruszkowie na wózkach inwalidzkich, ani kobiety czujące przedporodowe skurcze, ani chorzy na noszach. Pod koniec dnia, mimo sprytnych manipulacji ludzi sprawujących władzę, dyktatura została pokonana na własnym terenie, własnymi rękami. Tej samej nocy, w obliczu jednoznacznych rezultatów, zadufany w sobie Pinochet, któremu władza absolutna przewróciła w głowie, oderwany od rzeczywistości wieloletnią całkowitą bezkarnością, zaproponował nowy zamach stanu, ale agenci amerykańskiego wywiadu, którzy wcześniej udzielili mu poparcia, i generałowie przez niego samego mianowani tym razem za nim nie poszli. Do ostatniej chwili nie mógł w to uwierzyć, ale w końcu musiał przyjąć swoją klęskę do wiadomości. Parę miesięcy później przekazał władzę cywilowi, którego zadaniem było przeprowadzenie kraju do ostrożnej, obwarowanej wieloma zastrzeżeniami demokracji, ale nadal trzymał twardą ręką siły zbrojne i cały kraj trwał w napięciu. Mijało siedemnaście lat od wojskowego puczu.

* * *

Wraz z przywróceniem w kraju demokracji Víctor Dalmau zostawił prywatną klinikę, by poświęcić się wyłącznie pracy w szpitalu San Juan de Dios; przyjęto go na to samo stanowisko, które zajmował, nim został aresztowany. Nowy dyrektor, były student Víctora, nie skomentował faktu, że profesor dawno już mógł przejść na emeryturę i korzystać z przywilejów wieku. Zaczął pracę w kwietniu, w któryś poniedziałek. Wszedł do szpitala w białym fartuchu, z wytartą walizeczką, która służyła mu przez czterdzieści lat, a w holu już czekało na niego z pół setki osób: lekarze, pielęgniarki, personel administracyjny, z balonikami i z ogromnym tortem bezowym; zgromadzili się, aby go powitać po wielu latach wymuszonej nieobecności. „Coś takiego, *caramba*, starzeję się", pomyślał i poczuł, że oczy zaszkliły mu się łzami. Dawno już nie zdarzyło mu się płakać. Nieliczni wygnańcy, którzy wracali do szpitala, nie byli witani z taką pompą, bo bezpieczniej zachować ostrożność; ludzie, żeby nie zwracać na siebie uwagi wojskowych, udawali, że bliska przeszłość została pogrzebana i zapomniana, ale doktor Dalmau zostawił w pamięci kolegów niezatarty ślad jako osoba uczciwa i kompetentna, życzliwa w stosunku do podwładnych, którzy mogli liczyć na jego pomoc, w każdej chwili mając pewność, że ich nie zlekceważy. Nawet przeciwnicy ideologiczni go szanowali, dlatego nie zadenuncjował go żaden z nich; Víctor „zawdzięczał" więzienie i wygnanie wścibskiej sąsiadce, która wiedziała o jego przyjaźni z Salvadorem Allendem. Wkrótce też zadzwonili do niego ze Szkoły Medycznej z prośbą o wykłady i z Ministerstwa Zdrowia z ofertą stanowiska podsekretarza. Przyjął tę pierwszą propozycję i odrzucił drugą, ponieważ warunkiem jej przyjęcia było wstąpienie do jednej z partii rządowych, a on zdawał sobie sprawę, że zwierzęciem politycznym zostaje się w młodości, nie na starość.

Czuł się, jakby mu ubyło dwadzieścia lat, pełen sił i energii. Po prześladowaniach i ostracyzmie w Chile, po wieloletnim doświadczeniu bycia cudzoziemcem, z dnia na dzień obróciło się koło fortuny: był profesorem Dalmau, ordynatorem oddziału kardiologicznego, najbardziej cenionym w kraju specjalistą, zdolnym dokonywać ze skalpelem w ręku cudów, które innym się nie śniły, zapraszanym na konferencje naukowe; zasięgali jego rady nawet wrogowie – niejednokrotnie przychodziło mu operować wojskowych wysokiej rangi, którzy ciągle sprawowali władzę, i jednego z najbardziej zatwardziałych strategów represji z czasów dyktatury. Kiedy chodziło o ratowanie życia, ci ludzie przychodzili z podwiniętym ogonem prosić o pomoc; strach nie ma wstydu, jak mawiała Roser. To był jego czas, znajdował się w szczytowym momencie kariery zawodowej i czuł, że w jakiś tajemniczy sposób jego historia ucieleśnia przemiany, jakie zaszły w kraju; po ciemnościach znoju nastąpił świt wolności, a tym samym on też przeżywał swój wspaniały świt. Rzucił się w wir pracy i wtedy po raz pierwszy w jego charakterze introwertyka nastąpił zwrot: starał się znaleźć w centrum uwagi i korzystał z każdej okazji, żeby zabłysnąć w towarzystwie. „Uważaj, Víctorze, sukces uderzył ci do głowy. Nie zapominaj, że w życiu bywa różnie", ostrzegała go Roser. Mówiła tak, bo jej zdaniem stał się zarozumiały. Obserwowała go zaniepokojona. Zaalarmowały ją jego przemądrzały ton, mówienie z pozycji autorytetu, przechwałki, czego nigdy wcześniej nie robił, wygłaszanie kategorycznych sądów, zgrywanie się na osobę niecierpliwą, zawsze w pośpiechu, nawet w stosunku do niej. Zwróciła mu na to uwagę, ale Víctor bronił się, że spoczywają na nim liczne obowiązki i nie może obchodzić się z nią jak z jajkiem. Roser obserwowała go przy obiedzie w barze uniwersyteckim w otoczeniu młodzieży, studentów, którzy słuchali go z namaszczeniem, jak mistrza, widziała, że Víctor rozkwita w atmosferze podziwu, zwłaszcza dziewcząt, które z zachwytem przyjmowały jego banalne komentarze. Zaskoczyła ją ta późno rozbudzona próżność; a jej się wydawało, że poznała go na wylot, z duszą i ciałem, każdy zakamarek jego osobowości; żal jej było męża, gdy odkryła, jak mało odporny na pochlebstwa staje się jako pyszałkowaty starzec. Nawet nie przypuszczała, że tym, kto dokona przewrotu w jego życiu i brutalnie sprowadzi z obłoków na ziemię, będzie ona sama.

Trzynaście miesięcy później Roser zaczęła podejrzewać, że jakaś ukryta choroba powoli drąży ją od środka, ale przekonywała samą siebie, że w jej wieku to normalne albo że jest przewrażliwiona, skoro mąż, lekarz, niczego nie zauważył. Víctora tak pochłaniały sukcesy, że zaniedbał ich związek, chociaż kiedy zostawali tylko we dwoje, nadal był jej najlepszym przyjacielem i kochankiem; dzięki niemu czuła się piękna i pożądana w wieku siedemdziesięciu trzech lat. On, podobnie jak ona, też znał ją na wylot, duszę i ciało. Skoro więc ani utrata wagi, ani pożółkły kolor skóry, ani wymioty nie niepokoiły Víctora, to znaczy, że to nic poważnego. Musiał upłynąć kolejny miesiąc, zanim zdecydowała się zasięgnąć rady specjalisty, bo oprócz wcześniejszych dolegliwości teraz nad ranem miała gorączkę i dreszcze. Wstydziła się uchodzić za hipochondryczkę w oczach męża, więc zasięgnęła rady jednego z jego kolegów. Parę dni później, gdy dostała wyniki badań, wróciła do domu ze złą wiadomością – ma raka w stadium terminalnym. Víctor przeżył taki szok, że musiała powtórzyć dwa razy, by do niego dotarło.

Ta diagnoza drastycznie zmieniła ich życie, bo od tej chwili oboje pragnęli tylko jednego: aby czas, który jej pozostał, przedłużyć i jak najlepiej wykorzystać. Z Víctora jak z balonika uleciała cała próżność i spadł z Olimpu do piekła choroby. Poprosił w szpitalu o zwolnienie na czas nieokreślony i zrezygnował z wykładów, żeby poświęcić się całkowicie Roser. „Cieszmy się życiem, jak długo się da, Víctorze. Wojnę z rakiem najprawdopodobniej przegramy, ale póki co spróbujmy wygrać parę pomniejszych bitew". Víctor zabrał ją w podróż poślubną nad jezioro na południu, w którego szmaragdowej tafli jak w lustrze odbijały się lasy, kaskady, góry i ośnieżone szczyty trzech wulkanów. Zamieszkali w wiejskim domku, w fantastycznym otoczeniu, w całkowitej ciszy, z dala od wszystkiego i wszystkich; tam mogli się oddawać wspomnieniom kolejnych etapów ich życia, od czasu, kiedy ona była chudą dziewczyną zakochaną w Guillemie, aż do chwili obecnej, gdy stała się, zdaniem Víctora, najpiękniejszą kobietą na świecie. Chciała pływać w jeziorze, tak jakby ta lodowata, odwieczna woda mogła ją obmyć z zewnątrz i od środka, oczyścić i uzdrowić. Marzyły się jej również wycieczki, ale siły nie nadążały za zamiarami i kończyło się tak, że spacerowała powolutku, opierając się na ramieniu męża, z laską w drugiej ręce. Mizerniała w oczach.

Víctor, który przez całe życie walczył z cierpieniem i śmiercią innych, oswoił się z wulkanicznymi wybuchami emocji towarzyszącymi umierającym w ostatnich chwilach; opowiadał studentom, jak pacjent najpierw nie przyjmuje do wiadomości, unosi się gniewem, targuje z losem i z Bogiem, żeby przedłużyć egzystencję, pogrąża w rozpaczy i wreszcie, w najlepszym razie, godzi się z tym, co nieuniknione. Roser pominęła wszystkie wcześniejsze etapy i od początku rozumiała, że to już koniec, z zaskakującym spokojem i z humorem. Nie chciała się uciekać do medycyny alternatywnej, co w dobrej wierze sugerowała jej Meche i inne przyjaciółki; żadnej homeopatii, żadnych ziół znad Amazonki, żadnych znachorów ani egzorcyzmów. „Niedługo umrę, i co z tego? Wszyscy ludzie umierają". Kiedy czuła się lepiej, słuchała muzyki, grała na pianinie albo czytała wiersze, z kotką na kolanach. Ta mała bestyjka, podarowana przez Meche, miała wygląd królewski, ale zawsze była półdzika, chodziła własnymi drogami, przepadała na całe dnie, a gdy wracała, przynosiła im zakrwawione szczątki jakiegoś gryzonia i składała niczym ofiarę na łóżku swoich gospodarzy. Wydaje się, że kotka wyczuła, że coś się zmieniło, i z dnia na dzień stała się łagodną i przymilną, nieodłączną towarzyszką Roser.

Początkowo Víctor popadł w obsesję na punkcie terapii zwykłych i eksperymentalnych, czytał opisy, analizował działanie każdego medykamentu i przeglądał statystyki, ale wybiórczo, pomijając te najbardziej pesymistyczne i chwytając się choćby najmniejszego cienia nadziei. Myślał o Łazarzu, żołnierzyku z Dworca Północnego, który wyrwał się śmierci, bo miał wielki apetyt na życie. Wierzył, że jeśli uda mu się zaszczepić w duszy i w układzie immunologicznym Roser podobną pasję życia, potrafi pokonać raka. Trafiały się takie przypadki. Zdarzały cuda. „Jesteś silna, Roser, zawsze taka byłaś, nigdy nie chorowałaś, jesteś twarda jak stal, wyjdziesz z tego, ta choroba nie zawsze jest beznadziejna", powtarzał jak mantrę, ale nie udało mu się zarazić jej tym nieuzasadnionym optymizmem, który jako lekarz zdecydowanie odradzałby swoim pacjentom. Roser słuchała go cierpliwie i nie dyskutowała. Pod jego wpływem poddała się chemio- i radioterapii, mimo że jej zdaniem służyły tylko przedłużeniu procesu, który z każdym dniem stawał się coraz bardziej bolesny. Zniosła bez słowa skargi, z wrodzonym stoicyzmem, makabryczne terapie, wypadły jej włosy, nawet rzęsy, i była tak osłabiona i wychudzona, że Víctor podnosił ją bez wysiłku. Nosił ją na rękach z łóżka na fotel, na rękach zanosił do łazienki, na rękach zabierał do ogrodu, żeby mogła oglądać kolibry na krzaku fuksji i zające, które skakały po ogrodzie, nie przejmując się psami, za starymi, żeby zareagować. Straciła apetyt, ale starała się przełknąć parę kęsów dań pichconych dla niej przez Víctora według książek kucharskich. Aż do końca smakował jej tylko krem kataloński, deser, który babcia Carme przygotowywała Marcelowi w każdą niedzielę. „Kiedy odejdę, proszę, żebyś mnie nie opłakiwał dłużej niż dzień lub dwa, bo tak wypada, pociesz biednego Marcela i zaraz wracaj do pracy w szpitalu i do wykładów, ale z większą pokorą, Víctorze, bo jako pyszałek doprawdy byłeś nieznośny", nakazała mu pewnego dnia.

Kryty słomą kamienny dom stał się ich sanktuarium do samego końca. Przeżyli w nim sześć szczęśliwych lat, ale dopiero teraz, gdy każda minuta dnia i nocy miała wagę złota, w pełni go docenili. Kupili go w złym stanie, ale ciągle odkładali konieczny remont na później; trzeba było wymienić połamane żaluzje, różowe płytki i zardzewiałe rury w łazience, naprawić te drzwi, które się nie domykały, i te, których nie dało się otworzyć; usunąć z dachu przegniłą słomę, w której myszy zakładały gniazda, usunąć pajęczyny, mech, pozbyć się moli i odkurzyć dywany. Ale oni tego wszystkiego nie dostrzegali. Dom ich otulił i bronił przed zbędnymi czynnościami i przed ciekawością i litością innych. Jedynym stałym gościem był ich syn. Marcel wpadał często z torbami zakupów, przywoził jedzenie dla psów, kotki i papugi, która zawsze witała go entuzjastycznym: „Witaj, przystojniaku!"; przywoził płyty gramofonowe z myślą o matce, a dla nich obojga kasety wideo dla rozrywki oraz gazety i czasopisma, których ani Víctor, ani Roser nie czytali, bo świat zewnętrzny ich przytłaczał. Marcel starał się zachowywać dyskretnie, zdejmował obuwie przed drzwiami, żeby nie hałasować, ale dom natychmiast wypełniał się obecnością tego dużego mężczyzny, który udawał, że jest wesoły. Rodzice tęsknili za nim, jeśli nie mógł przyjechać, ale kiedy był z nimi, przyprawiał ich o zawroty głowy. Również sąsiadka, Meche, po cichu zostawiała im na ganku jedzenie i pytała, czy czegoś nie potrzebują. Zostawała tylko chwilę, zdając sobie sprawę z tego, że najcenniejsze, co mieli teraz państwo Dalmau, to czas spędzony razem, czas pożegnania. Pewnego dnia siedzieli oboje na ganku w wiklinowych fotelach, z kotką na kolanach i psami przy nogach, i wtedy Roser, patrząc na wieczorne niebo i ozłocone światłem zachodzącego słońca wzgórza, poprosiła męża, żeby jej dłużej nie zatrzymywał, żeby pozwolił odejść, bo jest już bardzo zmęczona. „Pod żadnym pozorem nie odsyłaj mnie do szpitala, chcę umrzeć w naszym łóżku, trzymając cię za rękę". Víctor w końcu dał się przekonać, musiał się pogodzić z własną bezradnością. Ani nie mógł jej uratować, ani nie potrafił sobie wyobrazić życia bez niej. Uświadomił sobie, że te pół wieku, które spędzili razem, minęło jak jedna chwila. Gdzie się podziały tamte dni, tamte lata? Przyszłość bez niej jawiła się jak ogromny pusty pokój bez drzwi i okien, który widział w sennych koszmarach, kiedy śnił, że ucieka przed wojną, krwią, rozszarpanymi ciałami, biegnie przed siebie nocą i nagle znajduje się w tym hermetycznym pokoju, który chroni go przed wszystkim, tylko nie przed nim samym. Kropla po kropli wysączyły się z niego cały entuzjazm i energia poprzednich miesięcy, gdy wierzył, że wiek go nie pokona. Kobieta, którą miał przy sobie, również zestarzała się w jednej chwili. Jeszcze przed momentem widział ją taką jak zawsze, jaką wspominał, kiedy wyjeżdżała: dwudziestodwuletnią dziewczynę z noworodkiem w ramionach, która poślubiła go bez miłości i kochała jak nikt na świecie, swoją wierną towarzyszkę. Z nią przeżył wszystko, co warto było przeżyć. W obliczu śmierci intensywność jego uczucia parzyła go żywym ogniem. Chciał nią potrząsnąć, krzyczeć, żeby nie odchodziła, że mają przed sobą jeszcze wiele lat, by się kochać jak nigdy dotąd, by trwać obok siebie, nie rozstawać ani na moment, „błagam, błagam cię, Roser, nie odchodź". Ale jednak nie powiedział tego głośno, bo musiałby chyba być ślepy, żeby nie dostrzec Śmierci w ogrodzie, która już czekała na jego żonę, cierpliwa jak duch.

Wiał chłodny wiatr, więc Víctor owinął żonę starannie dwoma kocami, że tylko nos jej wystawał. Spod koców Roser wyciągnęła chudą rękę i ścisnęła jego dłoń z siłą, o jaką trudno było ją podejrzewać: „Nie boję się śmierci, Víctorze. Jestem zadowolona, chcę zobaczyć, co jest po drugiej stronie. Ty też nie powinieneś się bać, bo ja zawsze będę przy tobie, w tym życiu i w każdym innym. Taka jest nasza karma". Víctor zaczął płakać jak dziecko, zrozpaczony. Roser czekała, aż zabraknie mu łez i zrezygnowany pogodzi się z tym, co ona zaakceptowała już wiele miesięcy temu. „Nie pozwolę, żebyś dłużej cierpiała, Roser", powiedział Víctor, bo nic więcej nie mógł dla niej zrobić. Ona przytuliła się, otoczona jego ramieniem, tak jak każdej nocy, i pozwoliła mu się ukołysać do snu. Zrobiło się ciemno. Víctor zdjął kotkę z jej kolan, podniósł żonę ostrożnie, żeby jej nie zbudzić, i zaniósł do łóżka. Prawie nic nie ważyła. Psy weszły za nimi.

13

TU KOŃCZĘ SWOJĄ OPOWIEŚĆ
·1994·

A przecież
tu są korzenie snu mojego życia,
a to jest ostry blask, który kochamy...

PABLO NERUDA
POWRÓT, Z CYKLU ODPŁYWANIA I POWROTY

Trzy lata po śmierci Roser Víctor Dalmau obchodził osiemdziesiąte urodziny w domu na wzgórzu, w którym mieszkał z nią od 1983 roku. Ten dom był dla niego niczym królewska rezydencja, może podupadła i wynędzniała, ale ciągle szlachetna. Mimo że od dziecka stronił od ludzi, samotność wdowca dokuczała mu bardziej, niż się spodziewał. Przeżył najlepsze z możliwych małżeństw, jak mógłby powiedzieć ktoś, kto nie znał szczegółów z ich odległej przeszłości, a gdy został wdowcem, nie mógł się przyzwyczaić do nieobecności żony tak szybko, jak ona by sobie życzyła. „Kiedy umrę, nie zwlekaj z ponownym ożenkiem, bo potrzebny ci ktoś, kto się tobą zajmie, jak już dosięgnie cię starość i demencja. Meche by się nadawała", przykazała mu pod koniec życia, gdy oddychała przez maskę tlenową. Mimo samotności Víctor dobrze się czuł w pustym domu, który teraz stał się jakby większy, lubił jego ciszę, bałagan, zaduch zamkniętych pokoi, chłód i przeciągi, z którymi jego żona walczyła z większą determinacją niż z gryzoniami na dachu. Wiatr wiał z prawdziwą furią przez cały dzień, szron całkiem zaślepił okna, a ogień na kominku był żałosną próbą walki z zimowym deszczem i gradem. Dziwnie się czuł jako wdowiec po ponad pięćdziesięciu latach pożycia małżeńskiego; tak bardzo tęsknił za Roser, że czasem odczuwał jej nieobecność jak fizyczny ból. Nie chciał stetryczeć. Zaawansowany wiek kojarzył mu się z zakłóceniem znanej rzeczywistości, zmianami ciała i otoczenia, utratą kontroli nad sobą i uzależnieniem od dobroci innych, ale on liczył na to, że umrze, zanim do tego dojdzie. Problem w tym, że wcale nie było łatwo umrzeć szybko i z godnością. Na zawał nie mógł liczyć, bo miał zdrowe serce, jak powtarzał co roku lekarz przy badaniach okresowych, a gdy słyszał tę diagnozę, zawsze przychodził mu na myśl Łazarz, ten żołnierzyk, którego serce trzymał w dłoni. Nie dzielił się z synem lękiem o najbliższą przyszłość. O dalszą będzie się martwił później.

– Może ci się wydarzyć cokolwiek, tato. Gdybyś upadł lub miał atak, kiedy ja będę w podróży, będziesz leżeć bez pomocy całymi dniami. I co wtedy?

– Nic, po prostu umrę, Marcelu. Oby tylko ktoś nie zjawił się za wcześnie i nie przerwał mi agonii. Zwierzętami się nie przejmuj. Zawsze są zaopatrzone w jedzenie i wodę na parę dni.

– A jak zachorujesz, kto się będzie tobą opiekował?

– Twoją matkę też to trapiło. Zobaczymy. Może jestem stary, ale nie niedołężny. Ty masz więcej dolegliwości niż ja.

To fakt. W wieku pięćdziesięciu pięciu lat jego syn był po operacji kolana, złamał kilka żeber, a obojczyk nastawiano mu już dwukrotnie. „To wszystko przez nadmiar ćwiczeń", uważał Víctor. „Rozumiem, trzeba dbać o formę, ale po co biec, kiedy cię nikt nie goni, i przemierzać kontynenty na rowerze. Powinieneś się ożenić; miałbyś wtedy mniej czasu na pedałowanie i nie narażałbyś się na tyle wypadków, małżeństwo służy mężczyznom o wiele bardziej niż kobietom". On sam jednak nie zamierzał się stosować do porady w sprawie ponownego małżeństwa. O zdrowie był spokojny. Wyznawał teorię, że nic mu lepiej nie służy niż lekceważenie sygnałów alarmowych, jakie wysyłają ciało i umysł, a najlepiej ciągle coś robić. „Trzeba wyznaczyć sobie cel", powtarzał. Oczywiście z wiekiem tracił siły, kości musiał mieć tak żółte jak zęby, wszystkie organy wysłużone, a neurony powoli zamierały w mózgu, ale ten dramat nie rozgrywał się na jego oczach. Na zewnątrz było znośnie, więc kto by tam się zastanawiał, co się dzieje z wątrobą, skoro zachował jeszcze kompletne uzębienie. Starał się nie przejmować siniakami pojawiającymi się spontanicznie na skórze, ignorować bezdyskusyjny fakt, że coraz trudniej przychodziło mu iść pod górę z psami i zapiąć guziki koszuli, że oczy miał zmęczone, słuch coraz słabszy, że drżały mu ręce i z tego powodu musiał zakończyć karierę chirurga. Nie siedział jednak bezczynnie. Nadal przyjmował pacjentów w szpitalu San Juan de Dios i wykładał na uniwersytecie; do wykładów nie musiał się przygotowywać, wystarczyło sześćdziesiąt lat uprawiania zawodu, wliczając w to lata wojenne, najtrudniejsze w jego praktyce. Nie garbił się, nie utył, nie wyłysiał i trzymał się prosto jak lanca, żeby nie pokazywać, że kuleje i że coraz trudniej zginać mu kolana i się schylać.

Starał się nie wspominać głośno o tym, że źle się czuje w roli wdowca, bo nie chciał martwić syna. Marcel za bardzo się przejmował, miał to po matce. Dla Víctora śmierć nie była nieodwracalnym rozstaniem. Wyobrażał sobie, że żona podróżuje gdzieś w gwiezdnej przestrzeni, gdzie prawdopodobnie trafiają dusze zmarłych, a on tymczasem czeka na swoją kolej, żeby do niej dołączyć, bardziej z ciekawością niż z lękiem. Tam odnajdzie brata, Guillema, rodziców, Jordiego Molinégo i tylu innych przyjaciół, którzy zginęli na froncie. Dla wykształconego agnostyka, podchodzącego do życia racjonalnie, ta teoria wprawdzie nie wytrzymywała krytyki, ale przynosiła pociechę. Nieraz Roser ostrzegała go, całkiem serio, że nigdy się od niej nie uwolni, bo są dla siebie przeznaczeni, w tym życiu i w każdym innym. Mówiła, że skoro w przeszłości nie zawsze byli małżeństwem, to najprawdopodobniej w innym życiu mogliby być matką i synem albo rodzeństwem, co by wyjaśniało łączące ich bezwarunkowe uczucie. Víctora denerwował pomysł wiecznych powrotów z tą samą osobą, ale gdyby rzeczywiście tak miało być, to lepiej z Roser niż z kimś innym. W każdym razie jego zdaniem to tylko poetycka spekulacja, bo nie wierzył ani w przeznaczenie, ani w reinkarnację: przeznaczenie to wymysł seriali telewizyjnych, a reinkarnacja z punktu widzenia nauki jest niemożliwa. Zdaniem jego żony, którą pociągały praktyki duchowe z odległych krain, na przykład z Tybetu, nauka nie potrafi wyjaśnić różnych wymiarów rzeczywistości, ale Víctor uważał ten argument za zwykłą szarlatanerię.

Przerażała go myśl o powtórnym małżeństwie; domowe zwierzęta całkowicie zaspokajały jego potrzeby towarzyskie. To nieprawda, że rozmawiał sam ze sobą, rozmawiał z psami, z papugą i z kotką. Kur nie brał pod uwagę i nie nadawał im imion, bo chodziły, gdzie chciały, i ukrywały przed nim jajka. Kiedy wieczorem wracał do domu, opowiadał pupilom perypetie całego dnia, a one wiernie słuchały i wtedy, gdy mu się zbierało na zwierzenia, i wtedy, gdy z zamkniętymi oczami wymieniał jeden po drugim domowe sprzęty albo ogrodową florę i faunę. W ten sposób ćwiczył pamięć i spostrzegawczość, tak jak inni starzy ludzie układają puzzle. Długie wieczory, pełne wspomnień wieczory, wypełniał przeglądaniem krótkiej listy swoich miłości. Na pierwszym miejscu figurowała Elisabeth Eidenbenz, którą poznał w bardzo odległych czasach, w 1936 roku. Kiedy o niej myślał, jawiła mu się biała i słodka, jak ciastko z migdałami. Wtedy obiecywał sobie, że jak już przetoczą się wszystkie bitwy, gdy pył ruin i proch opadną na ziemię, odszuka ją, ale życie potoczyło się inaczej. Kiedy wojny się skończyły, on był daleko, z żoną i synem. Później próbował ją odnaleźć, z czystej ciekawości, i udało mu się ustalić, że zamiesz-

kuje w małej miejscowości w Austrii, gdzie zajmuje się podlewa-
niem kwiatów w ogrodzie, nie czerpiąc korzyści z heroicznej przeszłości. Wysłał do niej nawet list, ale nie doczekał się odpowiedzi.
Może warto do niej napisać znowu, teraz, gdy został sam. Niczym
nie ryzykował, nic nie wskazywało na to, żeby ponownie się spotkali. Austria leżała o lata świetlne od Chile. O Ofelii del Solar, drugiej miłości, krótkiej i namiętnej, wolał nie pamiętać. I to już prawie wszystko. Kilka przygód, raczej porywy zmysłów niż miłość,
upiększał w wyobraźni po to, żeby przytłumić inne, smutne wspomnienia. Tak naprawdę jedyną osobą, która się liczyła, była Roser.

Tego dnia Víctor zabrał się do przygotowania swoich urodzin, szykując na przyjęcie, którego gośćmi miały być domowe
zwierzęta, to co zawsze – potrawy przypominające mu najlepsze
chwile z dzieciństwa i młodości. Gotowanie nie należało do największych talentów jego matki, Carme realizowała się w naucza-
niu i poświęcała się temu zajęciu przez cały tydzień. W niedziele
i święta też nie zaglądała do kuchni, wolała tańczyć sardanę przed
katedrą w Dzielnicy Gotyckiej, skąd udawała się później z przyjaciółkami na kieliszek wina do tawerny. Víctor, Guillem i ich ojciec
na co dzień jedli na kolację chleb z pomidorem, sardynki i pili
kawę z mlekiem, ale czasem matkę nachodziło natchnienie i za-
skakiwała rodzinę jedyną tradycyjną potrawą, jaką potrafiła przyrządzić: *arròs negre*, czarny ryż, którego zapach kojarzył się w pamięci Víctora ze świętem.

Dla uczczenia tego sentymentalnego wspomnienia, zawsze
w przeddzień urodzin Víctor udawał się na targ po produkty potrzebne do przygotowania zupy rybnej, *fumet*, i po świeże kalmary do potrawy z ryżu. „Katalończyk do szpiku kości", śmiała się
z niego Roser, która nie uczestniczyła w rzemiośle przygotowania
uroczystej kolacji, jej wkładem artystycznym był koncert na fortepianie w salonie albo lektura wierszy Nerudy; siedziała na ta-
borecie w kuchni i czytała jakąś odę utrzymaną w morskim kli-
macie, na przykład „w morzu wzburzonym Chile zamieszkuje

różowy congrio, gigantyczny węgorz o śnieżnym mięsie"*, mimo
że Víctor powtarzał z uporem wartym lepszej sprawy, że w tym
daniu węgorz morski nie występuje, że ta ryba zwykła królować
na arystokratycznych stołach, a tu są tylko skromne głowy i ogony
potrzebne do sporządzenia proletariackiej zupy rybnej. Czasami,
podczas gdy Víctor smażył na oliwie cebulę i paprykę, dodawał
wyłuskane ze skorupy i pocięte na kawałki kalmary, czosnek, kilka
pomidorów i ryż, a na koniec gorący wywar, czarny od atramentu
kalmarów, i koniecznie świeży liść laurowy, ona opowiadała mu
dowcipy po katalońsku, żeby odświeżyć blask ojczystego języka,
który już trochę zardzewiał w ich życiu nomadów.

* * *

Ryż dochodził na wolnym ogniu, ale trochę to trwało, ponieważ
Víctor podwajał wszystkie składniki z przepisu, choćby później
miał jeść to samo przez cały tydzień. Wdychając zapach, który
nostalgią wypełniał cały dom i jego duszę, podjadał hiszpańskie
anchois i oliwki, które tu można było kupić w każdym sklepie. To
jedna z korzyści kapitalizmu, podpuszczał go syn. Víctor najchętniej kupował chilijskie produkty, uważał, że trzeba wspierać lokal-
ną gospodarkę ze względów patriotycznych, ale te idealistyczne
zasady słabły, gdy chodziło o takie świętości, jak anchois i oliwki.
W lodówce chłodziła się butelka różowego wina na toast z Roser,
kiedy już kolacja będzie gotowa. Wyciągnął lniany obrus i udeko-
rował stół świecami, kupił też na tę okazję pół tuzina cieplarnia-
nych róż. Ona, jak zawsze niecierpliwa, otworzyłaby butelkę już
jakiś czas temu, ale w obecnej sytuacji nie zostawało jej nic innego jak czekać. W lodówce stał też krem kataloński. Víctor nie był
łasuchem i deser miał trafić do psiej miski. Z zamyślenia wyrwał
go dźwięk telefonu.

---

* Przełożyła Magdalena Pabisiak.

– Wszystkiego najlepszego z okazji urodzin, tato. Co porabiasz?

– Wspominam i żałuję.

– Czego żałujesz?

– Żałuję za grzechy, których nie popełniłem.

– A poza tym co robisz?

– Gotuję, synu. A ty gdzie jesteś?

– W Peru. Na kongresie.

– Znowu? Nic tylko kongresy i kongresy.

– Gotujesz to, co zawsze?

– Tak. Cały dom pachnie Barceloną.

– Mam nadzieję, że zaprosiłeś Meche.

– Mhm.

Meche... Meche, zachwycająca sąsiadka, z którą syn próbował go wyswatać, chcąc rozwiązać problem wdowieństwa drastycznymi środkami. Víctor zgadzał się, że temperament i energia tej kobiety były atrakcyjne, natomiast on sam sobie wydawał się gruboskórny. Meche, ze swoją otwartą postawą i pozytywnym podejściem do życia, z rozłożystymi, jakby wyrzeźbionymi biodrami, ze swoim ogrodem warzywnym, będzie zawsze młoda. Natomiast jego skłonność do zamykania się w sobie sprawiała, że szybko się starzał. Marcel uwielbiał matkę i Víctor podejrzewał, że w duchu nadal ją opłakuje, ale uważał, że bez żony ojciec wkrótce zdziadzieje. Żeby zamknąć temat, Víctor obiecał, że zainteresuje się jakąś młodą pielęgniarką, ale Marcel, jeśli już się uparł przy jakimś pomyśle, nie odpuszczał. Meche mieszkała trzysta metrów dalej. Dzieliły ich dwie parcele obsadzone rzędami topoli, ale Víctor tylko z nią utrzymywał sąsiedzkie stosunki. Pozostali uważali go za komunistę, ponieważ jest uchodźcą i pracował w szpitalu dla ubogich, więc z nimi się nie zadawał. Z zasady unikał towarzystwa, wystarczali mu aż nadto koledzy i pacjenci, ale Meche była uparta. Zdaniem Marcela idealnie nadawała się na narzeczoną: dojrzała wdowa, dzieci i wnuki bez widocznych nałogów, osiem lat od niego młodsza, wesoła i pomysłowa, a poza tym lubiła zwierzęta.

– Obiecałeś mi, tato. Wiele zawdzięczasz tej pani.

– Dała mi kotkę, bo miała już dość przychodzenia po nią do mnie do domu. Nie rozumiem, jak możesz przypuszczać, że normalna kobieta może zainteresować się takim starym, kulawym, nietowarzyskim i zaniedbanym facetem, musiałaby być chyba w skrajnej desperacji, a wtedy jaki to ma sens?

– Nie udawaj, że nie rozumiesz.

Ta idealna kobieta również piekła ciastka i hodowała pomidory; dyskretnie wieszała mu je w koszyku na haku przy drzwiach. Nie obrażała się, jeśli zapomniał jej podziękować. Niezmordowany entuzjazm tej pani był podejrzany. Wpadała do niego często i przynosiła różne dziwne potrawy, jak krem z cukinii czy kurczak z cynamonem i brzoskwiniami, dary, które Víctor Dalmau uważał za rodzaj przekupstwa. Ostrożność nakazywała trzymać ją na dystans; Víctor zamierzał spędzić swoje stare lata w ciszy i spokoju.

– Przykro mi, tato, że jesteś sam w swoje urodziny.

– Mam towarzystwo. Twojej matki.

Kiedy zapadła długa cisza na linii, Víctor pospieszył z wyjaśnieniem, że jeszcze nie zwariował, że mówił o spożywaniu kolacji ze zmarłą w sensie przenośnym, to coś w rodzaju uczestniczenia w pasterce w wigilię Bożego Narodzenia – doroczny rytuał. Żadnych duchów, tylko chwila przyjemności czerpanej ze wspomnień, toast za dobrą żonę, która mimo różnych wstrząsów, taka jest prawda, znosiła go przez wiele dziesięcioleci.

– Dobranoc, staruszku. Nie siedź do późna, tam u was musi być teraz bardzo zimno.

– A ty, synu, baw się dobrze przez całą noc, aż do białego rana. Dobrze ci to zrobi.

Dopiero minęła siódma, ale tu zimą o tej porze już zapadała noc i temperatura obniżała się o parę stopni. W Barcelonie nikt by nie zasiadł do kolacji przed dziewiątą, a w Chile obyczaje w sumie były podobne. O siódmej kolację jedli tylko starcy. Víctor zamierzał czekać w swoim ulubionym fotelu, który całą swoją wysłużoną strukturę zdążył przez lata dostosować do jego ciała, wdychał zapach iglastego drewna płonącego na kominku i czekał, aż przyjdzie pora kolacji, z książką i kieliszkiem pisco, bez lodu i innych dodatków, tak jak lubił, jedynego mocnego alkoholu, na który sobie pozwalał tylko wieczorem, bo uważał, że w samotności łatwo popaść w alkoholizm. Zapach dochodzący z kuchni kusił, ale postanowił czekać do właściwej godziny.

Nagle zaalarmowało go gwałtowne ujadanie psów, które wypuścił jak zwykle nocą, żeby przed snem pobiegały po okolicy. „Pewnie znalazły lisa", pomyślał, ale zaraz usłyszał samochód przed domem i zdenerwował się: cholera, to na pewno Meche. Już nie zdąży zgasić świateł i udawać, że śpi. Zazwyczaj psy witały ją z dziką radością, ale tym razem ich szczekanie nie wyglądało na przyjazne. Zdziwił się, kiedy usłyszał klakson, bo sąsiadka nie miała takiego zwyczaju, chyba że potrzebowała pomocy przy wyładowaniu jakiegoś potwornego prezentu w rodzaju pieczonego prosięcia czy dzieła jej inwencji twórczej. Meche słynęła z rzeźb przedstawiających nagie, grube kobiety; niektóre były tak duże i ciężkie jak dobre prosię. Víctor trzymał parę tych aktów upchanych po kątach, a jeden zabrał nawet do swego gabinetu, gdzie służył do relaksowania pacjentów zestresowanych na pierwszej wizycie.

Podniósł się z wysiłkiem, mrucząc pod nosem niezadowolony, i podszedł do okna, trzymając ręce na wysokości nerek, tam, gdzie był jego najsłabszy punkt. Plecy miał osłabione z powodu kulawej nogi, co zmuszało go do przenoszenia ciężaru na nogę prawą. Implant z czterema śrubami, który umieszczono mu w kręgosłupie, i jego niezłomne postanowienie, by zawsze trzymać się prosto, nieco złagodziły problem, ale go nie rozwiązały. Wdowieństwo dawało mu komfort mówienia do siebie, przeklinania i narzekania na prywatne dolegliwości bez świadków, na co nigdy by sobie nie pozwolił przy ludziach. Duma? Często mu ją zarzucali żona i syn, ale chęć ukrywania przed innymi kalectwa była nie tyle dumą, ile raczej próżnością, magiczną sztuczką w obronie przed niedołęstwem. Nie tylko chciał chodzić prosto i nie przyznawać się do zmęczenia, starał się również zachować kontrolę nad innymi przywarami starości, jak skąpstwo, nieufność, zły humor, resentymenty i złe nawyki; pamiętał, żeby codziennie się golić, nie opowiadać w kółko tych samych dowcipów, nie mówić o sobie, o chorobach i o pieniądzach.

W żółtym świetle latarni dostrzegł furgonetkę zaparkowaną przed drzwiami. Kiedy klakson odezwał się ponownie, zrozumiał, że kierowca boi się psów i stojąc na progu, przywołał je gwizdnięciem. Psy przestały ujadać, ale nadal nieufnie warczały.

– Kim pani jest? – krzyknął Víctor.

– Pańską córką. Doktorze Dalmau, proszę przytrzymać psy.

Kobieta nie czekała, aż Víctor zaprosi ją do środka. Minęła go szybko, chcąc uciec przed psami. Dwa większe obwąchiwały ją z bliska, a mały, który zawsze był zły, nadal warczał i szczerzył zęby. Víctor wszedł za nią zaskoczony, odruchowo pomógł jej zdjąć kurtkę i położył w korytarzu na ławce. Otrząsnęła się jak mokre zwierzę, powiedziała coś na temat ulewnego deszczu i nieśmiało wyciągnęła do niego rękę.

– Dobry wieczór, panie doktorze, nazywam się Ingrid Schnake. Mogę wejść?

– Wygląda na to, że już pani weszła.

Víctor przyjrzał się nieproszonemu gościowi w słabym świetle lampy i ognia na kominku. Nosiła wyblakłe dżinsy, męskie kamasze i biały wełniany golf. Ani biżuterii, ani makijażu. Nie była młodą dziewczyną, jak początkowo przypuszczał, ale dojrzałą kobietą ze zmarszczkami wokół oczu, która sprawiała wrażenie młodszej, bo była szczupła, miała długie włosy i energiczne ruchy. Kogoś mu przypominała.

– Przepraszam, że tak nagle się zjawiłam, bez uprzedzenia. Mieszkam daleko stąd, na południu, zabłądziłam po drodze, nie orientuję się w ulicach Santiago. Nie przypuszczałam, że tak późno tu dotrę.

– Rozumiem. W czym mogę pani pomóc?

– Mmm, co tu tak ładnie pachnie?

Víctor Dalmau początkowo zamierzał wyrzucić na ulicę tę obcą kobietę, która miała czelność zjawić się nocą i wtargnąć do domu bez zaproszenia, ale ostatecznie ciekawość wzięła górę nad irytacją.

– Ryż z kalmarami.

– Widzę, że nakrył pan do stołu. Jeżeli przyjechałam nie w porę, mogę wrócić jutro, o właściwszej godzinie. Czeka pan na kogoś, prawda?

– Przypuszczam, że na panią. Może mi pani przypomnieć, jak się nazywa?

– Ingrid Schnake. Pan mnie nie zna, ale ja dużo o panu wiem. Szukam pana już od jakiegoś czasu.

– Lubi pani różowe wino?

– Lubię wino w każdym kolorze. Obawiam się, że również będzie pan musiał mnie poczęstować odrobiną tego ryżu; nic nie jadłam od śniadania. Wystarczy dla mnie?

– I dla pani, i dla wszystkich sąsiadów. Już jest gotowy. Siadajmy do stołu i opowie mi pani, z jakiego powodu taka ładna dziewczyna mnie szuka.

– Już panu mówiłam, jestem pańską córką. I nie jestem dziewczyną, mam dobrze wykorzystane pięćdziesiąt lat i...

– Mój jedyny syn ma na imię Marcel – przerwał jej Víctor.

– Proszę mi wierzyć, panie doktorze, nie chcę sprawiać kłopotu, chciałam tylko pana poznać.

– Usiądźmy wygodnie, Ingrid. Wydaje mi się, że zanosi się na dłuższą rozmowę.

– Chciałam spytać o wiele rzeczy. Możemy zacząć od pańskiego życia? Potem opowiem panu swoje, jeśli nie ma pan nic przeciw temu...

* * *

Następnego dnia Víctor obudził Marcela telefonem prawie o świcie: „Okazuje się, synu, że nagle powiększyła się nam rodzina. Masz siostrę, szwagra i troje siostrzeńców. Twoja siostra, no, prawdę mówiąc nie całkiem siostra, ma na imię Ingrid. Zostanie tu parę dni, bo mamy sobie wiele do powiedzenia". Podczas gdy on rozmawiał z Marcelem, kobieta, która wtargnęła wczoraj do jego domu, spała teraz w ubraniu na wygniecionej kanapie w salonie, przykryta kocem. Ponieważ Víctor cierpiał na bezsenność, był przyzwyczajony do nieprzespanych nocy i tego ranka czuł się świeży jak nigdy od śmierci Roser. Natomiast kobietę, która go odwiedziła, wyczerpało dziesięć godzin wysłuchiwania jego historii i opowiadania mu własnej. Powiedziała, że jej matką jest Ofelia del Solar i że, jak wydedukowała, on jest jej ojcem. Parę miesięcy zajęło jej ustalenie faktów i gdyby nie wyrzuty sumienia pewnej staruszki, nigdy by nie doszła do prawdy.

W ten sposób Víctor dowiedział się, ponad pół wieku po fakcie, że na skutek ich romansu Ofelia zaszła w ciążę. Dlatego znikła z jego życia, dlatego jej namiętność przerodziła się w urazę, dlatego zerwała z nim, nie wdając się w szczegółowe tłumaczenie. „Wydaje mi się, że czuła się osaczona, bez perspektyw, winna popełnienia błędu. W każdym razie ona sama tak mi to przedstawiła", powiedziała Ingrid i zaczęła mu opowiadać o szczegółach swoich narodzin.

Sprawą adopcji zajął się ojciec Vicente Urbina. Laura del Solar jako jedyna została wtajemniczona w jego plan i musiała przyrzec, że nigdy go nie zdradzi; to było miłosierne kłamstwo, uzasadnione, odpuszczone na spowiedzi i zaakceptowane przez niebiosa. Akuszerka, niejaka Orinda Naranjo, zastosowała się do instrukcji kapłana i utrzymywała Ofelię w półprzytomnym stanie aż do porodu i zaraz po nim, otępiając ją narkotykami, i wspólnie z babcią zabrały dziecko, zanim ktokolwiek w zakonie zdążył o nie zapytać. Wiele dni później, gdy Ofelia odzyskała świadomość, powiedziano jej, że wydała na świat chłopca, który zmarł parę minut po porodzie. „To była dziewczynka. To ja", wyjaśniła Ingrid Víctorowi. Matce na wszelki wypadek powiedziano o chłopcu, żeby ją zmylić i uniemożliwić odnalezienie córki, gdyby kiedyś, w odległej przyszłości, zaczęła podejrzewać, co się stało. Doña Laura, która zgodziła się wziąć udział w oszustwie, z pokorą zaakceptowała też wszystkie konsekwencje tej konspiracji, w tym farsę na cmentarzu, gdzie postawili krzyż nad grobem z pustą trumienką. To nie ona ponosiła odpowiedzialność, za wszystkim stał ktoś o wiele sprytniejszy, mądrzejszy, boży człowiek, ojciec Urbina.

W następnych latach, widząc szczęśliwe małżeństwo Ofelii, jej zdrowe, grzeczne dzieci i spokojne życie, doña Laura pogrzebała wątpliwości głęboko na dnie pamięci. Na początku ojciec Urbina powiedział jej, że dziewczynka została adoptowana przez małżeństwo z południa, katolików o nieposzlakowanej opinii, i że to jej powinno wystarczyć. Później, gdy odważyła się zapytać o więcej szczegółów, przypomniał jej impertynencko, że powinna uważać tę wnuczkę za martwą; nigdy nie należała do jej rodziny i mimo że płynęła w niej ta sama krew, Bóg powierzył ją innym rodzicom. Małżonkowie, którzy adoptowali dziewczynkę, byli Niemcami z pochodzenia: wysocy, dobrze zbudowani, niebieskoocy blondyni i mieszkali w pięknym mieście nad rzeką, gdzie rosło dużo drzew i gdzie często padał deszcz, ponad osiemset kilometrów od Santiago, ale Laura o tym nie wiedziała. Kiedy państwo Schnake stracili nadzieję na własne potomstwo, przyjęli od kapłana noworodka. Rok później kobieta zaszła w ciążę. W kolejnych latach mieli dwoje własnych dzieci, o równie teutońskim wyglądzie jak rodzice, na tle których Ingrid, niska, czarnowłosa, z ciemnymi oczami, wyglądała jak błąd genetyczny. „Od dzieciństwa czułam się inna, ale rodzice mnie rozpieszczali i nigdy mi nie powiedzieli, że byłam adoptowana. Nawet teraz, gdy poruszam temat adopcji, oczywisty dla całej rodziny, mama zaczyna płakać", zakończyła swoją opowieść.

Víctor mógł się przyglądać do woli kobiecie na sofie. Teraz widział ją inaczej niż parę godzin temu; śpiąca przypominała młodą Ofelię: miała te same delikatne rysy, dziecinne dołeczki w policzkach, podobny łuk brwiowy, linię włosów w kształcie litery V na środku czoła, jasną skórę o złotym odcieniu, która musiała brązowieć latem. Brakowało jej tylko niebieskich oczu, by była taka sama jak matka. Kiedy się u niego zjawiła, Víctor miał wrażenie, że skądś ją zna, ale nie skojarzył jej z Ofelią. Teraz, gdy pogrążyła się we śnie, mógł ocenić podobieństwo fizyczne oraz dostrzec różnice charakteru. W Ingrid nie dało się dostrzec nic z beztroskiej kokieterii tej Ofelii, którą niegdyś kochał; była zasadnicza, poważna i konkretna, typowa kobieta z prowincji, wychowana w atmosferze religijnej w konserwatywnym środowisku, której życie oszczędzało wstrząsów aż do momentu, kiedy dowiedziała się o swoim pochodzeniu i zaczęła szukać ojca. Stwierdził, że Ingrid niewiele po nim odziedziczyła: ani smukłej, wysokiej sylwetki, ani orlego nosa, prostych włosów, poważnego usposobienia i charakteru introwertyka. Ta wrażliwa kobieta musiała być dobrą, oddaną matką. Próbował sobie wyobrazić, jak wyglądałaby córka jego i Roser, i zrobiło mu się żal, że jej nie mieli. Na początku nie uważali się za prawdziwe małżeństwo, a gdy uświadomili sobie, jak bardzo są ze sobą związani, upłynęło dwadzieścia lat i stało się za późno, żeby myśleć o potomstwie. Z trudem przyjdzie mu przyzwyczaić się do Ingrid, bo aż do wczorajszej nocy jego jedyną rodzinę stanowił Marcel. Przypuszczał, że Ofelia del Solar też musiała przeżyć szok; ona również na starość nieoczekiwanie dowiedziała się o córce. Na dodatek Ingrid obdarzyła ich trojgiem wnucząt. Jej mąż był niemieckiego pochodzenia, podobnie jak adopcyjni rodzice i wielu mieszkańców południowych prowincji, kolonizowanych przez Niemców od XIX wieku na podstawie ustawy o selektywnej imigracji. Chodziło o zasiedlenie terenu białymi czystej krwi, żeby nauczyli Chilijczyków dyscypliny, którym przypisywano skłonność do nieróbstwa, i aby wpoili im zamiłowanie do pracy. Na zdjęciach dzieci, pokazywanych przez Ingrid, widział młodego mężczyznę i dwie dziewczyny, istne walkirie, w których Víctorowi trudno było rozpoznać własnych potomków.

– Syn Ingrid jest żonaty, a jego żona jest w ciąży. Wkrótce zostanę pradziadkiem – oświadczył Marcelowi przez telefon.

– Czyli ja jestem wujkiem dzieci Ingrid. To kim będę dla tego dziecka, które się urodzi?

– Wydaje mi się, że kimś w rodzaju ciotecznego dziadka.

– To straszne! Poczułem się stary. Cały czas myślę o babci. Pamiętasz, jak jej zależało, żeby się doczekać prawnuków? Biedna *àvia*, zmarła, nie wiedząc, że ich ma. Wnuczkę i troje prawnuków!

– Marcelu, musimy odwiedzić tych ludzi innej rasy. Wszyscy są Niemcami. Poza tym mają prawicowe poglądy i popierali Pinocheta, więc trzeba będzie gryźć się w język w ich towarzystwie.

– Tato, najważniejsze, że jesteśmy rodziną. Nie będziemy się kłócić o politykę.

– Muszę też zadbać o regularne kontakty z Ingrid i z wnukami. Spadli mi na głowę jak jabłka w sadzie. Gdzie się podział mój święty spokój i samotność!

– Tato, nie mów głupot. Nie mogę się doczekać, kiedy poznam siostrę, choćby tylko przyszywaną.

Víctor uświadomił sobie, że nie uniknie konfrontacji z Ofelią, gdy zbierze się cała rodzina. Nie przeraziła go ta perspektywa: już dawno wyleczył się z nostalgii i przestał tęsknić, ale ciekawiło go, czy ponowne spotkanie zweryfikuje negatywne wrażenie, jakie odniósł jedenaście lat temu w Ateneum w Caracas. Może nadarzy się okazja podziękować, że dzięki niej ma w Chile korzenie o wiele silniejsze niż hiszpańskie. Wydawało się ironią losu, że w ten sposób został skoligacony z rodziną del Solar, tą samą, która zdecydowanie sprzeciwiała się imigracji Hiszpanów z „Winnipegu". Ofelia dała mu niezwykły prezent – otworzyła przed nim przyszłość. Przestał być starcem skazanym na towarzystwo swoich zwierząt, miał różnych potomków chilijskich, nie tylko Marcela, który zawsze uważał się za Chilijczyka. Ta kobieta okazała się w jego życiu znacznie ważniejsza, niż przypuszczał. Nigdy tak naprawdę jej nie rozumiał, była o wiele bardziej skomplikowana, bardziej doświadczona przez los, niż mu się wydawało. Pomyślał o jej dziwnych obrazach i wyobraził sobie, że kiedy Ofelia wyszła za mąż i wybrała konwencjonalne życie, bezpieczną małżeńską przystań i wysoką pozycję towarzyską, udała się na emigrację wewnętrzną, wyrzekła się istotnej części swojej duszy, którą być może częściowo odzyskała w dojrzałym wieku i w samotności. Ale wtedy przypomniał sobie, co mówiła o swoim mężu, Matíasie Eyzaguirrem, i odgadł, że to wyrzeczenie nie wynikało z lenistwa czy lekkomyślności, lecz stała za nim szczególnego rodzaju miłość.

* * *

Rok wcześniej Ingrid otrzymała list od nieznajomej kobiety, która twierdziła, że jest jej matką. Pani Schnake nie była całkiem zaskoczona, bo zawsze czuła się inna. Najpierw przycisnęła adopcyjnych rodziców, żeby w końcu powiedzieli prawdę, a następnie przygotowała się do wizyty Ofelii i Felipa del Solar, którzy przyjechali w towarzystwie staruszki w żałobie, Juany Nancucheo. Żadne z nich trojga nie wątpiło, że Ingrid jest zagubioną córką Ofelii; podobieństwo biło po oczach. Od tego czasu Ofelia odwiedziła trzykrotnie córkę, która traktowała ją ze zdawkową uprzejmością jak daleką krewną, ponieważ za matkę uważała jedynie Helgę Schnake; ta kobieta z palcami brudnymi od farb i skłonnością do narzekania była dla niej kimś obcym. Ingrid zdawała sobie sprawę z podobieństwa fizycznego między nimi; obawiała się, że również dziedziczy jej wady i że na starość stanie się podobnie narcystyczna. Powoli docierały do niej kolejne szczegóły o jej narodzinach i dopiero przy trzecim spotkaniu dowiedziała się, jak się nazywa jej ojciec. Ofelia chciała pogrzebać pod ziemią swoją przeszłość i wolała nie wracać do tamtych czasów. Zastosowała się do nakazu milczenia ojca Urbiny i tak konsekwentnie unikała mówienia o martwym dziecku na wiejskim cmentarzu, że ten epizod jej młodości rozpłynął się we mgle dobrowolnego zapomnienia. Przypomniała sobie o nim, gdy chowała męża i chciała spełnić ich przedślubne postanowienie, że kiedyś to dziecko spocznie razem z nimi na cmentarzu katolickim w Santiago. To była idealna okazja, żeby przenieść jego szczątki, ale Felipe przekonał ją, że nie warto, bo musiałaby się tłumaczyć przed dziećmi i resztą rodziny.

Gdy pogorszył się stan zdrowia Laury del Solar, Ofelia już od lat mieszkała sama w domku na wsi, gdzie zajmowała się malowaniem obrazów. Jej starszy syn budował zaporę w Brazylii, a córka pracowała w muzeum w Buenos Aires. Doña Laura, już prawie stuletnia, miała słaby kontakt z rzeczywistością. Na zmianę dzień i noc pilnowały jej dwie opiekunki pod surowym nadzorem Juany Nancucheo, która była prawie tak stara jak jej pani, ale wydawała się piętnaście lat młodsza. Służyła tej rodzinie od zawsze i zamierzała nadal to robić, dopóki doña Laura będzie jej potrzebowała; uważała za swój obowiązek opiekować się nią aż do ostatniego tchnienia. Jej pani cały czas leżała w łóżku, wśród poduszek z pierza, na lnianych, haftowanych prześcieradłach, w jedwabnych nocnych koszulach sprowadzanych z Francji, w otoczeniu cennych bibelotów, które mąż jej kupował, nie licząc się z kosztami. Wraz ze śmiercią Isidra del Solar doña Laura zrzuciła żelazny gorset, jakim było dla niej małżeństwo z tym apodyktycznym mężczyzną, i mogła robić, co chciała, dopóki nie pokonała ją starość, a demencja uniemożliwiła dalsze seanse spirytystyczne, podczas których nawiązywała kontakt z duszą Leonarda, jej Dzidziusiem. Powoli traciła rozum, gubiła się we własnym domu, a kiedy spoglądała w lustro, pytała zaniepokojona, co robi ta brzydka starucha w jej łazience i czemu przychodzi codziennie zakłócać jej spokój. Później przestała wstawać z łóżka, bo odmawiały jej posłuszeństwa nogi i stopy, zdeformowane gośćcem. Cały czas spędzała w swoim pokoju, płakała albo wpadała w otępienie, wołała dzidziusia, zasmucona i przerażona nie wiedzieć czym, przeżywała stany, które lekarz bezskutecznie próbował łagodzić lekarstwami na depresję. Cała rodzina towarzysząca jej w ostatnich dniach była przekonana, że cierpiała po stracie zmarłego dawno temu Leonarda, najmłodszego syna, tak jakby to się stało wczoraj.

Felipe del Solar, który po śmierci ojca stał na czele rodzinnego klanu, przyjechał z Londynu, żeby czuwać nad sytuacją, opłacić rachunki i dokonać podziału dóbr. Mówiono, że zawarł pakt z diabłem, bo nie zmieniał się mimo upływu lat i mimo hipochondrii. Dostrzegał u siebie mnóstwo niedyspozycji i ciągle odkrywał nowe, nawet włosy go bolały, ale, o ironio, wyglądał na okaz zdrowia. Był dystyngowanym dżentelmenem żywcem wyjętym z jakiejś angielskiej komedii, w kamizelce, z muszką i ze zdegustowaną miną. On sam przypisywał swój wygląd działaniu londyńskiej mgły, szkockiej whisky i holenderskiemu tytoniowi do fajki. Przywiózł gotową dokumentację do sprzedaży domu przy Mar del Plata, który ze względu na lokalizację w centrum stolicy był wart fortunę. Musiał czekać, aż matka umrze, żeby doprowadzić transakcję do końca. Doña Laura, zmizerowana staruszka, wzywała dzidziusia aż do końca i nie pomagały ani lekarstwa, ani modlitwa. Juana Nancucheo zamknęła jej usta i oczy, zmówiła za nią zdrowaśkę i wyszła, szurając nogami, bardzo zmęczona. Następnego dnia, podczas gdy firma pogrzebowa przygotowywała dom na czuwanie przy zmarłej, z trumną w salonie ozdobionym wieńcami, gromnicami, żałobną draperią i czarnymi wstęgami, Felipe zgromadził rodzeństwo, żeby wszystkich poinformować o sprzedaży posiadłości. Później zawołał Juanę do biblioteki, żeby przekazać jej tę samą informację.

– Zburzą nasz dom, żeby postawić w tym miejscu apartamentowiec, ale tobie, Juano, nie stanie się krzywda. Powiedz, gdzie i jak chciałabyś mieszkać.

– Co mam powiedzieć, paniczu Felipe? Nie mam rodziny, przyjaciół ani znajomych. Nikomu nie jestem potrzebna. Odda mnie pan do przytułku, prawda?

– Są bardzo dobre domy spokojnej starości, Juano, ale nie zrobię niczego wbrew twojej woli. Może chciałabyś zamieszkać z Ofelią albo z którąś z moich sióstr?

– Umrę za rok i jest mi wszystko jedno gdzie. Śmierć to śmierć, o czym tu mówić. W końcu człowiek odpocznie.

– Moja matka była innego zdania...

– Doña Laura cierpiała z powodu wielkiej winy, dlatego bała się śmierci.

– Jaką winę mogła mieć moja matka, Juano, na litość boską!

– Dlatego płakała.

– Miała demencję i obsesję na punkcie Leonarda – powiedział Felipe.

– Leonarda?

– No tak, Dzidziusia.

– Nie, paniczu Felipe, ona nawet nie pamiętała o Dzidziusiu. Płakała po niemowlęciu panienki Ofelii.

– Nie rozumiem, o czym mówisz, Juano.

– Pamięta pan, że Ofelia zaszła w ciążę, kiedy była panną? No więc niemowlę nie zmarło, jak mówiono.

– Ależ ja widziałem grób!

– Jest pusty. To była dziewczynka. Zabrała ją tamta kobieta, nie pamiętam, jak się nazywa, akuszerka. Ja to wiem od doñi Laury, dlatego płakała, że posłuchała księdza Urbiny i ukradła córkę panience Ofelii. Przez całe życie to oszustwo trawiło ją od wewnątrz, jak zgnilizna.

W pierwszym odruchu Felipe chciał przypisać tę makabryczną historię delirium matki albo starczym rojeniom Juany i uznać ją za absurdalną, przeszło mu też przez myśl, że gdyby nawet okazała się prawdziwa, lepiej ją zignorować i nie zadawać Ofelii niepotrzebnego bólu, ale Juana uprzedziła go, że obiecała doñi Laurze odnaleźć dziewczynkę, żeby mogła pójść do nieba i nie utknęła w czyśćcu, a przysięgi składane umierającym to rzecz święta. Zrozumiał, że nie da się uciszyć staruszki, że musi stawić czoło sytuacji, zanim dowie się Ofelia i reszta rodziny. Obiecał Juanie, że zbada sprawę i będzie ją informował na bieżąco. „Zacznijmy od księdza, paniczu Felipe. Ja pojadę z panem". Nie dało się jej zbyć byle czym. Poufałe stosunki, jakie mieli od osiemdziesięciu lat, i pewność, że nie ukryje przed nią prawdziwych intencji, zmusiły go do działania.

W tym czasie Vicente Urbina przebywał już w domu emerytowanych księży pod opieką mniszek. Łatwo go odnaleźli i namówili na rozmowę; był przy zdrowych zmysłach i doskonale pamiętał swoich parafian, w szczególności rodzinę del Solar. Tłumaczył się przed Felipem i Juaną, że nie mógł osobiście udzielić doñi Laurze ostatniego namaszczenia, bo przedłużała się jego rekonwalescencja po operacji przewodu pokarmowego. Felipe powtórzył mu bez ogródek to, co usłyszał od Juany. Jako doświadczony adwokat przygotował się na trudne przesłuchanie, na stosowanie różnych chwytów, by wyciągnąć z prałata prawdę, ale obyło się bez takich sztuczek.

– Zrobiłem to, co uważałem za najlepsze dla rodziny. Zawsze starannie dobierałem adopcyjnych rodziców. Wszyscy to praktykujący katolicy – powiedział Urbina.

– Mam przez to rozumieć, że przypadek Ofelii nie był odosobniony?

– Wiele dziewcząt znajdowało się w podobnej sytuacji, ale żadna nie okazała się tak uparta jak Ofelia. Na ogół wszystkie zgadzały się pozbyć dziecka. Co innego im zostawało?

– Czyli nie musiał ich ksiądz oszukiwać, żeby ukraść noworodka.

– Nie masz prawa mnie obrażać, Felipe! Mówimy o dziewczętach z dobrego domu. Moim obowiązkiem było chronić je przed skandalem.

– Skandalem było to, że ksiądz, posługując się autorytetem Kościoła, popełnił zbrodnię, a raczej wiele zbrodni. Za to się idzie do więzienia. Ksiądz jest już za stary, żeby ponosić konsekwencje, ale żądam ujawnienia, komu ksiądz przekazał córkę Ofelii. Nie zostawię tak tej sprawy.

Vicente Urbina nie prowadził rejestru rodzin adopcyjnych ani dzieci. On zajmował się transakcją, a akuszerka, Orinda Naranjo, była tylko przy porodzie, zresztą zmarła dawno temu. Wtedy wtrąciła się Juana Nancucheo i powiedziała, że według doñi Laury dziewczynkę mieli Niemcy z południa. Ta informacja wymknęła się kiedyś ojcu Urbinie, a babcia ją sobie zapamiętała.

– Mówisz, że Niemcy? To pewnie jacyś z Valdivii – wymamrotał emerytowany biskup.

Nazwiska nie pamiętał, ale zapewniał, że dziewczynka trafiła do przyzwoitej rodziny i niczego jej nie brakowało; to zamożni ludzie. Felipe wyciągnął z tego wniosek, że w tych transakcjach pieniądze przekazywano z ręki do ręki; mówiąc wprost, wielebny sprzedawał dzieci. Zrezygnował z dalszego wypytywania i skoncentrował się na ofiarach, jakie Kościół otrzymał w tym czasie za pośrednictwem Vicentego Urbiny. Dotarcie do rachunkowości okazało się trudne, ale nie niemożliwe, wystarczyło znaleźć odpowiednią osobę. Zakładał, że cyrkulacja pieniędzy zawsze zostawia jakiś ślad, i nie pomylił się. Czekał osiem miesięcy, zanim otrzymał poszukiwaną informację. W tym czasie przebywał w Londynie, prześladowany na odległość lapidarnymi ponagleniami na pełnych błędów gramatycznych i ortograficznych kartkach pocztowych, które wysyłała mu Juana Nancucheo, pilnująca, żeby nie zapomniał o podjętym zobowiązaniu. Staruszka pisała je z trudem i wysyłała po kryjomu, ponieważ zobowiązała się dotrzymać tajemnicy, dopóki Felipe nie rozwiąże sprawy. Powtarzał, że trzeba się uzbroić w cierpliwość, ale dla niej cierpliwość jawiła się luksusem, na który nie mogła sobie pozwolić, bo jej dni na tym świecie były policzone, a przed odejściem musiała odnaleźć straconą dziewczynkę i wyciągnąć doñę Laurę z czyśćca. Felipe pytał, skąd zna dokładną datę swojej śmierci, a ona odpowiedziała, że po prostu oznaczyła ją czerwonym kółkiem w kalendarzu na ścianie w kuchni. Mieszkała teraz u Ofelii, pierwszy raz w życiu bez żadnych obowiązków, i przygotowywała swój pogrzeb.

W piątkowej poczcie przyszła informacja o ofiarach, jakie ojciec Vicente Urbina otrzymał w 1942 roku. Jedyna warta uwagi została wpłacona przez Waltera i Helgę Schnake, właścicieli prowadzonej przez ich synów i zięcia fabryki mebli, która, zdaniem jego informatora, świetnie prosperowała i miała filie w różnych miastach na południu. Tak jak powiedział Urbina, była to zamożna rodzina. Czas najwyższy jechać do Chile i stanąć twarzą w twarz z Ofelią.

Felipe zastał siostrę w pracowni, zajętą farbami w dużym lodowatym pomieszczeniu o zapachu terpentyny, zasnutym pajęczynami, coraz grubszą, zaniedbaną, ze strzechą pochlapanych farbą siwych włosów na głowie, w ortopedycznym gorsecie z powodu bólu kręgosłupa. Juana siedziała w kącie w palcie, rękawiczkach i wełnianej czapce i wyglądała tak jak zwykle. „Nie widać, żebyś wkrótce miała umrzeć", pozdrowił ją Felipe, całując w czoło. Przygotował starannie słowa współczucia towarzyszące informacji, że siostra ma córkę, ale wszystkie te zachody okazały się zbyteczne, bo ona ledwo się tym zainteresowała, jakby słyszała plotkę o kimś obcym. „Przypuszczam, że chciałabyś ją poznać", powiedział Felipe. Wyjaśniła, że teraz nie może, bo właśnie bierze udział w projekcie muralu. Wtedy wtrąciła się Juana i powiedziała, że w takim razie ona sama pojedzie, bo musi zobaczyć ją na własne oczy, żeby móc spokojnie umrzeć. Pojechali wszyscy troje.

Juana Nancucheo zobaczyła Ingrid tylko raz. Spokojna po odwiedzinach, nocą skontaktowała się z doñą Laurą w modlitwie, żeby ją uspokoić, że wnuczka się znalazła, wina została odpuszczona i już może podjąć starania o przeniesienie do nieba. Jej zostały jeszcze dwadzieścia cztery dni w kalendarzu. Położyła się do łóżka, otoczona obrazkami swoich ulubionych świętych i zdjęciami bliskich osób, wszystkich z rodziny del Solar, i postanowiła umrzeć z głodu. Przestała jeść i pić, zgadzała się tylko na zwilżenie warg kostką lodu. Odeszła cicho i bez bólu parę dni przed przewidzianym terminem. „Wyczerpała swoje siły", uznał zrozpaczony, osierocony Felipe. Zamiast zwykłej sosnowej trumny, którą Juana sama sobie kupiła i trzymała w kącie pokoju, urządził jej pogrzeb z mszą śpiewaną i trumną z drzewa orzechowego okutą brązem i pochował w mauzoleum rodziny del Solar, obok rodziców.

* * *

Po trzech dniach burza w końcu ustała, na przekór zimie wstało słońce i topole, które niczym strażnicy broniły posiadłości Víctora Dalmau, powitały dzień świeżo skąpane deszczem. W spowijającej góry mgle odbijał się fioletowy kolor bezchmurnego nieba. Duże psy mogły wreszcie otrząsnąć się z nudy przebywania w zamknięciu, obwąchać mokry ogród i wytarzać się do woli w błocie, ale najmniejszy, który w przeliczeniu na psie lata był równie stary jak jego pan, został przy kominku. Ingrid Schnake spędziła te dni z Víctorem, nie z powodu pogody, bo do burz przyzwyczaiło ją mieszkanie na południu, ale dlatego, że potrzebowała więcej czasu na to pierwsze spotkanie. Planowała je starannie od miesięcy i zdecydowanie sprzeciwiła się, by towarzyszyli jej mąż i dzieci. „Ja to musiałam zrobić sama, prawda, że mnie pan rozumie? To było prawdziwe wyzwanie, bo pierwszy raz sama podróżuję i nie miałam pojęcia, jak mnie pan przyjmie", przyznała się Víctorowi. Inaczej niż w przypadku matki, do której nie udało jej się zbliżyć po ponad pięćdziesięciu latach nieobecności, z Víctorem szybko się zaprzyjaźniła, oczywiście z zastrzeżeniem, że on nigdy nie będzie konkurował o jej uczucie z Walterem Schnakem, jej adopcyjnym ojcem, jedynym ojcem, jakiego uznawała. „Jest już bardzo stary, Víctorze, lada moment mi umrze", żaliła się.

Ingrid i Víctor odkryli, że oboje grają na gitarze, gdy im smutno, że kibicują tej samej drużynie piłkarskiej, czytają powieści szpiegowskie i mogą recytować z pamięci wiersze Nerudy, ona te o miłości, on te o krwi. Mieli ze sobą jeszcze więcej wspólnego: skłonność do melancholii, przed którą on się bronił intensywną pracą, a ona antydepresantami i oparciem w rodzinie. Víctor ubolewał, że akurat ta cecha okazała się dziedziczna, a nie artystyczny duch Ofelii i jej oczy w kolorze nieba. „Kiedy wpadam w depresję, najbardziej pomaga mi czułość bliskich", zwierzyła się Ingrid i dodała, że nigdy nie mogła narzekać na jej brak: była ulubienicą rodziców, rozpieszczali ją młodsi bracia i wyszła za mąż za olbrzyma w kolorze miodu, zdolnego podnieść ją jedną ręką i zapewnić spokojną miłość wielkiego psa. Z kolei Víctor przyznał, że jemu też czułość Roser pomogła bronić się przed tym ukrytym smutkiem, który czaił się w tle niczym wróg i czasem zaskakiwał go salwą złych wspomnień. Bez Roser był stracony, wypalił się jego wewnętrzny ogień, został tylko popiół smutku, który prześladował go od trzech lat. Zaskoczyło go to wyznanie, którego dokonał łamiącym się głosem, ponieważ nigdy nikomu, nawet Marcelowi, nie mówił głośno o tej zimnej pustce w sercu. Miał wrażenie, że dusza mu się skurczyła. Szukał ucieczki w starczych dziwactwach, w ciszy kamieni, w samotności wdowca. Odsuwał się od nielicznych przyjaciół, jacy mu zostali, już nie szukał partnerów do partyjki szachów czy do wspólnej gry na gitarze, w przeszłość odeszło niedzielne grillowanie. Nadal pracował, co zmuszało go do kontaktu z pacjentami i studentami, ale utrzymywał nieprzekraczalny dystans, tak jakby widział ich na ekranie. W tych latach, które spędził w Wenezueli, wydawało mu się, że definitywnie pokonał swoją powagę, zasadniczą cechę jego charakteru od młodości, tak jakby nosił żałobę za cierpienie, przemoc i zło całego świata. Szczęście wydawało mu się nie na miejscu, skoro jest tyle niedoli. W Wenezueli, kraju zielonym i ciepłym, zakochany w Roser, zdławił pokusę ucieczki w smutek, który jej zdaniem wynikał nie tyle z poczucia godności, ile z pogardy dla życia. Ale teraz powaga wróciła ze zdwojoną siłą; usychał bez Roser. Wzruszał go tylko Marcel i zwierzęta.

– Smutek, mój wróg, opanowuje mnie coraz silniej. Jak tak dalej pójdzie, Ingrid, ostatnie lata życia spędzę jako pustelnik.

– To jak umrzeć za życia, Víctorze. Niech pan robi tak jak ja i nie czeka na tę nieprzyjaciółkę, żeby się przed nią bronić, lecz wyjdzie jej naprzeciw. Ja się tego uczyłam latami na terapii.

– Dziewczyno, jakie ty możesz mieć powody do smutku?

– O to samo pyta mnie mąż. Nie wiem, Víctorze, myślę, że nie są potrzebne powody, to kwestia charakteru.

– Bardzo trudno jest zmienić charakter. Dla mnie już na to za późno, pozostaje tylko pogodzić się z tym, jaki jestem. Mam osiemdziesiąt lat, skończone w dniu, kiedy przyjechałaś. To czas na wspominanie, Ingrid. Czas na podsumowanie życia – upierał się przy swoim.

– Przepraszam za wścibstwo, ale czy mogłabym się czegoś dowiedzieć o tym podsumowaniu?

– Moje życie to ciągłe żeglowanie; przemieszczałem się z jednego krańca ziemi na drugi. Byłem cudzoziemcem i nie umiałem zapuścić głębokich korzeni... Również mój duch żeglował. Ale już za późno na takie refleksje; powinienem był ich dokonać dużo wcześniej.

– Myślę, że nikt nie zastanawia się nad swoim życiem w młodości, Víctorze, a większość ludzi nie robi tego nigdy. Moim rodzicom, którzy są już po dziewięćdziesiątce, nie przyszłoby to do głowy. Po prostu żyją z dnia na dzień i są zadowoleni.

– Wiesz, Ingrid, szkoda, że takich podsumowań dokonuje się na starość, gdy już za późno na zmiany.

– Nie można zmienić przeszłości, ale być może da się usunąć najgorsze wspomnienia...

– Posłuchaj, Ingrid, najważniejsze wydarzenia, te, które wyznaczają kierunek losu, prawie zawsze są poza naszą kontrolą.

W moim przypadku, kiedy robię bilans, widzę, że moje życie zostało zdeterminowane przez wojnę domową w młodości, a później przez przewrót wojskowy, obozy koncentracyjne i emigrację. Niczego nie wybierałem, po prostu spadło to na mnie.

– Ale były też wybory dokonane samodzielnie, jak na przykład medycyna.

– Faktycznie, przyniosła mi wiele satysfakcji. Wiesz, za co jestem najbardziej wdzięczny losowi? Za miłość. Ona bardziej mnie ukształtowała niż cokolwiek innego. Miałem szalone szczęście, że trafiłem na Roser. Ona pozostanie na zawsze miłością mojego życia. Dzięki niej mam Marcela. Ojcostwo też odegrało w moim życiu zasadniczą rolę, pozwoliło mi zachować wiarę w to, co najlepsze w kondycji ludzkiej, co bez Marcela ległoby w gruzach. Wiesz, Ingrid, za dużo widziałem okrucieństwa, wiem, do czego my, ludzie, jesteśmy zdolni. Również bardzo kochałem twoją matkę, chociaż to długo nie trwało.

– Dlaczego? Co się właściwie stało?

– To były inne czasy. Chile i cały świat bardzo się zmieniły przez te pół wieku. Ofelię i mnie dzieliła przepaść społeczna i ekonomiczna.

– Jeśli tak bardzo się kochaliście, należało zaryzykować...

– Ona w pewnym momencie zaproponowała mi, żebyśmy uciekli do jakiegoś ciepłego kraju i oddawali się miłości pod palmami. Wyobrażasz to sobie?! Wtedy Ofelię przepełniała pasja, czuła zew przygody, ale ja byłem żonaty z Roser, nie mogłem jej niczego zaoferować i wiedziałem, że jeżeli ze mną ucieknie, zacznie tego żałować jeszcze przed upływem tygodnia. Czy to tchórzostwo z mojej strony? Sam się nad tym wielokrotnie zastanawiałem. Myślę, że zabrakło mi wrażliwości; nie przewidziałem konsekwencji romansu z Ofelią, skrzywdziłem ją, chociaż nie miałem takiego zamiaru. Nigdy się nie dowiedziałem, że była w ciąży, tak jak ona nie wiedziała, że wydała na świat żywą dziewczynkę. Gdybyśmy o tym wiedzieli, kto wie, co by się stało. Ale nic nam nie przyjdzie z rozpamiętywania przeszłości, Ingrid. W każdym razie jesteś dzieckiem miłości, w to nie powinnaś wątpić.

– Osiemdziesiąt lat to doskonały wiek, Víctorze. Pan już wypełnił z nawiązką swoje obowiązki i może robić, co chce.

– Co na przykład, dziecko? – uśmiechnął się Víctor.

– Na przykład rozpocząć nową przygodę. Ja bym chętnie pojechała na safari do Afryki. Od lat mi się to marzy i pewnego dnia, jak uda mi się przekonać męża, pojedziemy. A pan mógłby się ponownie zakochać. Nie ma pan nic do stracenia, a mogłoby być zabawnie, prawda?

Víctorowi wydawało się, że słyszy powtórkę tego, co Roser mówiła przed śmiercią, kiedy przypominała mu, że ludzie są istotami stadnymi, że nie jesteśmy zaprogramowani na życie w samotności, ale na to, by dawać i przyjmować. Dlatego nalegała, żeby nie pozostawał wdowcem, a nawet wybrała mu narzeczoną. Pomyślał życzliwie o Meche, sąsiadce o wielkim sercu, która podarowała mu kotkę, przywoziła pomidory i warzywa z ogrodu, o tej drobnej kobiecie, która rzeźbiła grube nimfy. Postanowił, że jak tylko wyjedzie jego córka, zaniesie Meche pozostały *arròs negre* – ryż z kalmarami, i kataloński krem. Stwierdził, że czas na nowe żeglowanie. I tak aż do końca.

PODZIĘKOWANIA

Po raz pierwszy usłyszałam o „Winnipegu", statku nadziei, w dzieciństwie, w domu mojego dziadka. Dużo później przypomniał mi tę nazwę Víctor Pey w Wenezueli, gdzie oboje przebywaliśmy na emigracji. Nie byłam wtedy pisarką i w ogóle sobie nie wyobrażałam, że kiedyś nią zostanę, ale historia tego statku i ładunku uchodźców zapisała się w mojej pamięci. I właśnie teraz, czterdzieści lat później, mogę ją opowiedzieć.

To jest powieść, ale wydarzenia i postaci historyczne są prawdziwe. Fikcyjni bohaterowie zainspirowani zostali ludźmi, których znałam. Niewiele musiałam wymyślić, bo prowadząc szczegółową kwerendę, jak to zwykłam robić przy każdej książce, znalazłam aż nadto materiału. Ta książka pisała się sama, jakby ktoś mi ją dyktował. Dlatego dziękuję z całego serca:

Víctorowi Pey Casado, zmarłemu w wieku stu trzech lat, z którym utrzymywałam ożywioną korespondencję, by dopytać o szczegóły, i doktorowi Arturowi Jirónowi, przyjacielowi z czasów emigracji.

Pablowi Nerudzie za to, że przywiózł uchodźców do Chile, i za poezję, która mi zawsze towarzyszyła.

Mojemu synowi, Nicolásowi Fríasowi, pierwszemu uważnemu czytelnikowi, i memu bratu, Juanowi Allendemu, który wielokrotnie strona po stronie poprawiał rękopis i pomógł mi w kwerendzie na temat epoki, na tle której rozgrywa się ta historia, od 1936 do 1994 roku.

Moim wydawczyniom, Johannie Castillo i Nurii Tey.

Mojej wytrwałej badawczyni, Sarze Hillesheim.

Moim agentom, Lluísowi Miquelowi Palomaresowi, Glorii Gutiérrez i Maribel Luque.

Alfonsowi Bolado, który przeprowadza uważną korektę moich rękopisów z czystej sympatii, mimo że jest już na emeryturze, czym mobilizuje mnie do większego wysiłku.

Jorgemu Manzanillemu, bezlitosnemu (i, jego zdaniem, przystojnemu) czytelnikowi, który poprawia moje wpadki językowe, bo przebywając od czterdziestu lat w środowisku anglojęzycznym, popełniam błędy gramatyczne i różne inne.

Adamowi Hochschildowi za jego wspaniałą książkę *Spain in Our Heart* i pięćdziesięciu innym autorom, do których książek sięgnęłam, prowadząc badania historyczne.

NOTA EDYTORSKA

Cytowane utwory Pabla Nerudy:

s. 7 – *Powrót*, z cyklu *Odpływania i powroty* © Pablo Neruda, 1959 i Fundacja Pabla Nerudy

s. 11 – *Skrwawiona była cała ziemia człowieka*, z cyklu *Morze i dzwony* © Fundacja Pabla Nerudy, 1973

s. 36 – *Znieważone ziemie*, z cyklu *Hiszpania w sercu* © Pablo Neruda, 1947 i Fundacja Pabla Nerudy

s. 55 – *Artigas*, z cyklu *Pieśń powszechna* © Pablo Neruda, 1950 i Fundacja Pabla Nerudy

s. 79 – *Przedmieścia*, z cyklu *Pożółkłe serce* © Fundacja Pabla Nerudy, 1974

s. 99–100 – *Hiszpania w sercu*, z cyklu *Trzecia rezydencja* © Pablo Neruda, 1947 i Fundacja Pabla Nerudy

s. 109 – *José Miguel Carrera (1810)*, z cyklu *Pieśń powszechna* © Pablo Neruda, 1950 i Fundacja Pabla Nerudy

s. 121 – *Winogrona i wiatr* © Pablo Neruda, 1954 i Fundacja Pabla Nerudy

s. 123 – *„Winnipeg" i inne wiersze*, z cyklu *Refleksje z Isla Negra*, opublikowany w „Ercilla", nr 1788 z 24 września 1969 (wiersz znacznie później włączony do zbioru *Aby się urodzić, urodziłem się* © Fundacja Pabla Nerudy, 1978

s. 123 – *Chile wita* © Pablo Neruda, 1939 i Fundacja Pabla Nerudy

s. 131 – *Tak, towarzyszu, to czas odpoczynku*, z cyklu *Morze i dzwony* © Fundacja Pabla Nerudy, 1973

s. 150 – *Noc na wyspie*, z cyklu *Wiersze kapitana* © Pablo Neruda, 1952 i Fundacja Pabla Nerudy

s. 169 – *Jeśli zapomnisz o mnie*, z cyklu *Wiersze kapitana* © Pablo Neruda, 1952 i Fundacja Pabla Nerudy

Wiersze na stronach:

7, 36, 51, 55, 79, 131, 134, 150, 169, 199, 227, 252, 275, 295 – przełożyła Magdalena Pabisiak

11, 99–100, 121 – przełożył Jan Zych

109 – przełożył Jarosław Iwaszkiewicz

123 – przełożyła Gabriela Makowiecka

SPIS TREŚCI

TYTUŁ ORYGINAŁU *Largo pétalo de mar*
PRZEKŁAD Anna Sawicka

WYDAWCA Alicja Gałandzij
REDAKTOR PROWADZĄCY, REDAKCJA Adam Pluszka
KOREKTA Anna Hegman, Jan Jaroszuk
PROJEKT OKŁADKI
Penguin Random House Grupo Editorial / Yolanda Artola
ADAPTACJA PROJEKTU OKŁADKI, OPRACOWANIE GRAFICZNE I TYPOGRAFICZNE
Anna Pol
ŁAMANIE manufaktura | manufaktu-ar.com

ILUSTRACJA NA OKŁADCE © Ignasi Font
ZDJĘCIE AUTORKI © Lori Barra

ISBN 978-83-66500-24-2

WYDAWNICTWO MARGINESY SP. Z O.O.
UL. MIEROSŁAWSKIEGO IIA, 01-527 WARSZAWA
TEL. 48 22 663 02 75
redakcja@marginesy.com.pl
www.marginesy.com.pl

WARSZAWA 2020
WYDANIE PIERWSZE

ZŁOŻONO KROJAMI PISMA Scala ORAZ Majesty

KSIĄŻKĘ WYDRUKOWANO NA PAPIERZE Creamy 70 g vol 2.0
DOSTARCZONYM PRZEZ Zing Sp. z o.o.

ZiNG

DRUK I OPRAWA Abedik S.A.